memorii | jurnale

Adriana Georgescu s-a născut pe 23 iulie 1920 la București. Strălucită avocată și jurnalistă, a fost totodată o figură marcantă a rezistenței anticomuniste din România și una dintre primele victime ale dictaturii instaurate în țară odată cu ocupația sovietică. În 1944 a obținut licența la Facultatea de Drept a Universității din București. După terminarea facultății, a lucrat ca infirmieră într-un spital militar, a scris cronică cinematografică în paginile ziarului *Universul literar*, apoi a devenit reporter al ziarului liberal *Viitorul* pe lângă Ministerul Afacerilor Interne. Din 3 decembrie 1944 până în 5 martie 1945 a fost șefa de cabinet a generalului Nicolae Rădescu, președintele Consiliului de Miniștri. După demisia guvernului, a fost secretara și avocata generalului Rădescu până la 31 iulie 1945, când a fost arestată, pentru implicarea în organizația T (a tinerilor liberali), pe care noua conducere comunistă a catalogat-o drept teroristă. După anchete și torturi la Securitate și un simulacru de proces (primul dintre numeroasele procese politice orchestrate de regimul comunist), în septembrie 1945 a fost condamnată la patru ani de închisoare corecțională „pentru faptul de uneltiri contra ordinei sociale". În aprilie 1947 a fost grațiată de regele Mihai. A urmat o nouă arestare (în august 1947), dar colegii din organizație au reușit s-o scoată din închisoare, „răpind-o". După o perioadă petrecută ca fugară la București, ajutată de Ștefan Cosmovici, care avea să-i devină soț, pe 2 august 1948 a emigrat clandestin și s-a refugiat la Viena. S-a stabilit la Paris, unde a fost în continuare secretara generalului Rădescu, care reușise la rându-i să fugă din țară după ce se refugiase în sediul legației britanice la București. Nu a renunțat nici la munca de jurnalist, fiind membră în comitetul de redacție al ziarului *Uniunea Română* (1949–1951), corespondent acreditat al Națiunilor Unite la Radio Paris (1951–1952), corespondent al Radio Europa Liberă (1952–1957, 1965–1967) și al Radio BBC. De asemenea, s-a implicat în procesele politice anticomuniste de la Paris (1952) și Berna (1955). A avut o a doua căsnicie cu Frank Lorimer Westwater, ofițer în Marina Regală Britanică și matematician. În 1961 s-a mutat la Londra și a primit cetățenia britanică.

Volumul său de memorii *La început a fost sfârșitul: Dictatura roșie la București* este prima mărturie a experienței carcerale dintr-o țară aflată dincolo de Cortina de Fier. Deși scrisă în limba română, cartea a apărut mai întâi la Paris, în traducerea Monicăi Lovinescu, care a semnat-o cu pseudonimul Claude Pascal: *Au commencement était la fin: La dictature rouge à Bucarest*, Editions Hachette, 1951. Alte traduceri ale cărții: *In the Beginning Was the End*, translated by Dan Golopenția, Aspera Romanian Educational Foundation, Boston, 2003; *Al principio fue el fin*, traducción y notas de Joaquín Garrigós, Ediciones Xorki, 2018. În anul 2000 Adriana Georgescu a fost decorată cu Ordinul Național „Serviciul Credincios", în grad de Comandor. S-a stins din viață pe 29 octombrie 2005, în orașul Stevenage din Marea Britanie.

Adriana Georgescu

LA ÎNCEPUT A FOST SFÂRȘITUL
Dictatura roșie la București

Traducere din franceză de
Micaela Ghițescu

Cuvânt înainte de
Monica Lovinescu

HUMANITAS
BUCUREȘTI

Editura mulțumește Revistei *Memoria*
pentru sprijinul acordat în publicarea acestei cărți.

Redactor: Marieva Ionescu
Coperta: Ioana Nedelcu
Tehnoredactor: Manuela Măxineanu
DTP: Iuliana Constantinescu, Dan Dulgheru

Tipărit la Real

Adriana Georgescu
Au commencement était la fin:
La dictature rouge à Bucarest

© HUMANITAS, 2019, pentru prezenta ediție românească

Descrierea CIP a Bibliotecii Naționale a României
Georgescu, Adriana
La început a fost sfârșitul: dictatura roșie la București /
Adriana Georgescu; cuv. înainte de Monica Lovinescu;
trad. din franceză de Micaela Ghițescu. –
București: Humanitas, 2019
ISBN 978-973-50-6341-2
I. Lovinescu, Monica (pref.)
II. Ghițescu, Micaela (trad.)
821.135.1

EDITURA HUMANITAS
Piața Presei Libere 1, 013701 București, România
tel. 021 408 83 50, fax 021 408 83 51
www.humanitas.ro

Comenzi online: www.libhumanitas.ro
Comenzi prin e-mail: vanzari@libhumanitas.ro
Comenzi telefonice: 021 311 23 30

Volumul de față preia textul primei ediții în limba română a cărții Adrianei Georgescu, apărută la Editura Humanitas în 1992, și cuvântul înainte semnat de Monica Lovinescu. Grafia și punctuația au fost aduse la zi, iar scăpările și erorile tipografice au fost îndreptate tacit. S-a adăugat, la finalul volumului, un scurt cuvânt de mulțumire al autoarei scris direct în limba română pentru ediția a doua a cărții, apărută la Editura Fundației Culturale Memoria în 1999, precum și un dosar iconografic.

CUVÂNT ÎNAINTE

Pe Adriana Georgescu am revăzut-o[*] în Piața Universității. În aprilie 1990. Știam că se află de cealaltă parte a Canalului Mânecii, într-un orășel britanic. Că și-a schimbat numele, după o nouă căsătorie, în Westwater. Că nu doar vremea ce trecuse peste noi îi schimbase înfățișarea, dar și nevindecabila traumă a experienței carcerale. Îi urmărisem an de an evoluția și tragedia. Totuși, în mijlocul tinerilor de aici o regăseam real. Și atunci când intonau cu umor – dar unul ciuruit de gloanțe – imnul „golanilor". Și atunci când, în genunchi, se relua un alt refren, „Doamne, vino, Doamne, să vezi ce-a mai rămas din oameni". Între iluzia liric-revoluționară a începutului și presimțirea dezolantă a sfârșitului era locul adevărat al Adrianei.

Adriana Georgescu a fost un simbol al îndârjirii cu care studenții și tinerii în general înfruntaseră după război ocupația sovietică. Lângă inconfundabila siluetă a lui Mihai Fărcășanu conducându-i pe tinerii liberali la manifestații, de nedespărțit, apărea părul auriu, sveltețea sportivă, râsul încrezător al Adrianei. Ziaristă, foarte tânără avocată, de abia ieșită de pe băncile universității, apoi șefa de cabinet a generalului Rădescu, rezistența anticomunistă aflase în ea o figură emblematică. Avea să devină și una din primele

---

[*] Este vorba de o revedere „cu ochii minții", nu aievea, așa cum se înțelege și din rândurile care urmează (n. red.).

victime expiatorii odată cu înscenarea celui dintâi proces
în care Nicolski își făcuse gamele în România, game ce aveau
să ducă la simfonia neterminată a ororii de la Pitești. Nu se
ajunsese încă pe acel prag al demoniei, dar până și aceste exer-
ciții fuseseră de ajuns pentru a transforma existența Adria-
nei, însoțindu-i toate etapele cu coșmarul lor neîntrerupt.

Când ne-am regăsit la Paris, pe la sfârșitul lui 1948, în
ciuda celor suferite, Adriana părea aceeași. Era tot șefă de
cabinet a generalului Rădescu poposind aici pe calea pribe-
giei ce avea să-l ducă în Statele Unite. Adriana știa tot atât
de bine să râdă, nu renunțase la speranță. E drept că noi
toți, studenți sau de abia ieșiți din studenție, care ne aflam
la Paris destul de numeroși pentru a transforma Boulevard
St. Michel într-un fel de Calea Victoriei desțărată, împărtă-
șeam aceeași inconștiență a vârstei. Nu cunosc decât o
singură excepție, pe Virgil Ierunca. Își plimba printre noi
pesimismul activ și era unicul pe care nu l-am văzut vreodată
ciocnind de Anul Nou sau la o sărbătoare cu rituala formulă
„la anul la București!". Eu însămi sosisem aici cu ferma
credință că trebuie convins Malraux să alcătuim brigăzi
internaționale pentru eliberarea României. Căzusem într-un
Paris convalescent după război și incapabil să se pregătească
pentru un altul, printre intelectuali marxiști, marxizanți,
marxieni, comuniști, tovarăși de drum și de ideologie pentru
care Moscova era un fel de Meccă a antifascismului. Printre
reprezentanții marilor puteri care alcătuiau tribunalul de
la Nürnberg, reprezentanții Gulagului judecau pe responsa-
bilii lagărelor naziste. Nu puteai evoca satelizarea Estului
fără a fi tratat de fascist. Dar îndârjirea noastră de a nu
admite împărțirea Europei și nedreptatea flagrantă a păcii
nu se lăsa întinată de contactul agresiv cu realitatea. Scoteam
ziare, ne agitam, țineam reuniuni, băteam la toate porțile,

voiam să deschidem nişte ochi care aleseseră, în deplină cunoştinţă de cauză, să rămână închişi. Nu doar vitalitatea vârstei explica o astfel de atitudine în contratimp. La anii lui foarte maturi, un Grigore Gafencu făcea, la alt nivel, acelaşi lucru. După Paris, în Statele Unite se constituiau Comitete ale ţărilor captive – noi aveam chiar două, unul condus de C. Vişoianu, altul de generalul Rădescu şi Mihai Fărcăşanu –, legitimitatea unor regimuri ieşite din alegeri falsificate părea lesne de pus în discuţie.

Termenul exil nu trebuie pus la singular. Au fost mai multe exiluri. Primul era compus mai ales din oamenii care nu fugiseră ca să scape, ci ca să se bată mai departe.

Şi ne băteam. Fără arme, fără acele tancuri în care visam să ne întoarcem în România. Cu scrisul şi cuvântul. De abia în 1956, când am constatat uimiţi că înecarea în sânge a revoluţiei maghiare s-a produs fără reacţie din partea puterilor occidentale (un simplu avion al Naţiunilor Unite din care ar fi coborât pe aeroportul de la Budapesta Secretarul General al ONU, răspunzând apelului disperat al lui Imre Nagy, ar fi fost probabil de ajuns pentru a opri măcelul şi a schimba cursul istoriei), de abia atunci ne-am dat seama că vrerea noastră fusese deşartă. Şi, tot de atunci, exilul şi-a cunoscut pluralul. Cei determinaţi să continue – adevăratul curaj, spunea Simone Weil, este să lupţi fără nădejde – au făcut-o, fiecare în felul lui, trăindu-şi viaţa ca o paranteză între ceea ce a fost şi ceea ce n-avea aproape nici o şansă să mai fie. Alţii s-au mai acomodat. Alţii s-au asimilat. Şi, dintre valurile de exil ce au urmat, unele au fost strict „economice". Rareori „politice". 1956, primul mare deces din primul mare exil: Grigore Gafencu, revenind de la un post de radio unde lansase un ultim apel pentru salvarea unei revoluţii ce-ar fi putut să nu fie doar a Ungariei, a fost doborât de o criză cardiacă.

Nu eram încă în 1956 când am revăzut-o pe Adriana la Paris. Mai trăiam cu convingerea ochilor ce trebuie deschişi. Prin cafenelele din St. Germain-des-Prés, în loc să discutăm despre existenţialism şi să-i căutăm pe Sartre şi pe ciracii săi, am pus la punct o strategie. Adriana va scrie o mărturie, iar eu i-o voi traduce. Cât mai repede. Urgenţa era pe măsura închisorilor ce se umpleau în ţară. Să-mi aducă deci, zi de zi, ce scrisese peste noapte. Când n-are timp, să scrie direct la mine acasă şi să traduc pe loc. „La mine acasă" era de fapt o mansardă („chambre de bonne" îi spun francezii) cum aveau pe atunci studenţii săraci la Paris. Şi eu, pentru prima oară în viaţă, eram foarte săracă. Recunosc că nu-mi displăcea cu totul acest stil de boemă pe care nu-l cunoscusem în ţară: cantinele universitare, camera fără apă curentă, scara fără lumină. Acolo, în 44 Boulevard Raspail, urca zilnic Adriana cele şapte etaje, bineînţeles fără ascensor. Cu trei-patru file scrise în grabă, sau fără nici una, urmând să le compună în timp ce pregăteam masa. Cum România rupsese legăturile culturale cu Franţa, rămăsesem fără burse şi doar cu un ajutor studenţesc redus la minimum. Nu ştiam cum trebuie să te comporţi când n-ai mai nimic, dar ideea de sărăcie era legată, abstract, în mintea mea, de mămăligă. Căutam deci prin tot felul de magazine specializate mălaiul destul de scump pe acea vreme şi din care, de altminteri, eu din neştiinţă, Adriana din extrema-i concentrare pe manuscris, nu ajungeam să facem o mămăligă nici măcar pripită. Ieşeau un fel de cocoloaşe pe care le completam cu ciocolată „de la pachet". Diverse asociaţii caritabile din America trimiteau pentru refugiaţii din Estul Europei colete cu hrană şi îmbrăcăminte uzată. Toate la un loc, aşa încât ciocolata noastră mirosea a... naftalină. Fumam în schimb şi beam, Adriana ceai, eu cafea. Şi lucram. La plecările tardive, pe scara fără bec, Adriana mai lăsa să cadă din filele deja traduse, altele le arunca mototolite în coşul de hârtii, nu avea pentru ea mare importanţă, scria cu un singur scop, să „deschidă ochii". În pauze, ne comportam amândouă infantil sau ridicol: puneam cuvinte româneşti pe cântecul partizanilor francezi şi ne închipuiam în primele batalioane ce vor deschide uşile închisorilor. Lipeam imaginile atât de obsesive în acei ani ai rezistenţei franceze pe realitatea românească. Şi, după acest intermezzo al nălucirii, reîncepeam, ea să scrie, eu să traduc. Ajunsă la primele experienţe de închisoare şi tortură, Adriana punea stiloul jos. Era ca un prag peste care nu putea trece. Începea să tremure. Din tot corpul. Îi clănţăneau dinţii. (Tremuratul acesta o va însoţi de-a lungul vieţii, e prezentul ei veşnic.) Îi mai dădeam un ceai. Deschideam fereastra ce dădea pe acoperişurile Parisului. Dar ea se afla, mai departe, în bezna bucureşteană a gratiilor. Înainte de a relua scrisul, povestea, tremurând mai departe, tot ce nu putea să aştearnă pe hârtie. Apoi, încetul cu încetul se potolea şi scria chinuit, zgârcită cu epitetele, aluziv, inomabilul. Filele acelea, imediat ce le transcrisesem în franceză, le arunca direct în foc, parcă în arderea lor s-ar fi putut consuma şi trecutul. Hârtia se prefăcea în scrum, nu însă şi povara.

Chiar printre amintirile de închisoare erau însă şi episoade deloc tragice. Adriana îşi amintea cu umor şi o uşoară înduioşare de relaţiile ei cu colegele prostituate şi hoaţe. Pentru a nu tălmăci un argou viu românesc într-unul literar francez, un prieten mi-a prezentat pe un camarad al lui din rezistenţă care nu se exprima decât argotic. Simplu, masiv, primar chiar, ţinând parcă în mână mitraliera de care nu se despărţise cu totul (îşi ascundea armele sub pat, mi-a mărturisit el), om de rând şi de curaj – fusese şi el după zăbrele

din motive binecuvântate –, îmi debitase tot ce ştia. Crimi-
nalele, hoaţele, prostituatele de pe Dâmboviţa au putut
astfel, graţie lui, să vorbească aidoma celor de pe malul
Senei. Un singur termen a rămas neschimbat: „cârpo" – cum
îi spuneau amical Adrianei aceste co-deţinute. Mi-l aduc
aminte deoarece Adriana şi cu mine am adoptat acest
apelativ şi mai târziu în conversaţiile noastre, apoi, când a
plecat în Anglia, în corespondenţă. Niciodată „dragă
Adriana" sau „dragă Monica". Ci „cârpo", ca un fel de legă-
tură – inconştientă? – între ce năzuiam noi atunci şi ce
urma să nu se întâmple.

Adriana nu se ocupa doar cu scrisul cărţii, terminată într-un
timp record graţie ritmului şi stilului de lucru. Activa mereu.
Ca membră a Partidului Liberal. Ca secretară a lui Rădescu.
Lămurea oameni politici, gazetari, mergea la reuniuni, poves-
tea, povestea. La procesul intentat de şefii partidelor demo-
cratice din Estul şi Centrul Europei autorului comunist al
unei cărţi ce făcea scandal de atunci, *L'Internationale des
traîtres*, Adriana, în depoziţia ei, avertizase Occidentul că,
dacă întârzie să facă ceva pentru „cealaltă Europă", se va
regăsi cu populaţii întregi nevrozate. Profeţia pe care Adriana
o deducea din propriul ei tremurat s-a văzut confirmată de
starea în care s-a aflat societatea românească după 1989.

Cartea a fost publicată la Hachette, în 1951. Traducerea
o semnasem cu un pseudonim (Claude Pascal). Aveam în
ţară un ostatec. Pe cel mai drag. Mama. Ceea ce n-a împiedi-
cat să fie arestată în 1958, la vârsta de 70 de ani, condamnată
la 25 de ani şi, până la urmă, asasinată în închisoarea unde i
se refuzase orice îngrijire medicală. Dar nu din pricină că
pseudonimul ar fi fost decriptat. Ci sub pretextul absurd (dar
ce n-a fost oare absurd în România comunistă?) de „spionaj".
Cum? Trimiţându-mi baticuri pe care ar fi desenat hărţi

de... stat major. Mai e nevoie să spun că mama nu știa să deseneze și că n-am primit de la ea vreun „batic"? Nu mai e. *Au commencement était la fin*, în ciuda contextului stângist, a avut în presa franceză un ecou favorabil. Adriana presupune că ambasada ar fi cumpărat întreaga ediție ca să nu ajungă la public. Nu știu dacă așa a fost, în totalitate sau în parte, astfel de „cumpărături masive" erau însă în moravurile comuniste ale epocii. În orice caz, ediția s-a epuizat.

Îmi rămâne să spun de ce socotesc publicarea în România a cărții Adrianei Georgescu și salutară, și de actualitate.

Salutară: suferim, vom mai suferi încă mult timp, de reputația ce ni s-a făcut de a fi țara din Răsărit cu cea mai slabă disidență. Și, cu excepțiile știute, e destul de adevărat pentru ultimele decenii. Nu și pentru primele. Rezistența în România a fost probabil după 1944 mai numeroasă, mai unitară, mai decisă decât la vecinii noștri. Și mai îndelungată. La Viena, în septembrie 1947, după ce trecusem clandestin o frontieră (deși aveam un pașaport în regulă, dar aceasta e o altă poveste și nu aici o voi spune), m-am aflat în biroul unui ofițer francez ce urma să-mi pună o nouă ștampilă pe pașaportul meu plin de parafe. În spatele biroului său, o imensă hartă a României cu stegulețe în Carpați: amplasarea cuiburilor de rezistență în munți. Ofițerul voia să știe dacă mai cunosc și eu altele. Nu cunoșteam. Știam, în schimb, de rezistența mai mult sau mai puțin declarată a societății („societății civile", s-ar spune azi; pe vremea aceea exista). Fusesem delegata Facultății de Litere din București la marele congres studențesc din mai 1947, la Cluj, în care comuniștii și diversele „fronturi" sub care se camuflau voiau să ne forțeze a înfiera și „concedia" pe profesorii recalcitranți față de noua stăpânire. Am rezistat cu toții atât de bine presiunilor (erau reprezentate Universitățile din toată țara), încât congresul s-a terminat fără nici un rezultat pentru comunişti şi cu Imnul Regal cântat de o mare aulă plină de studenţi. Fusesem cazată la căminul medicinistelor, unde puneam la cale, în nopţi mereu albe, tactica de urmat. Printre intelectuali părea a domni aceeaşi determinare. M-am dus atunci să-l văd pe Lucian Blaga, împreună cu Ştefan Aug. Doinaş şi alţi „cerchişti" de la Sibiu. Blaga voia detalii asupra felului în care se comportă scriitorii şi profesorii universitari din Bucureşti. Marile lui tăceri erau străbătute de nelinişte şi determinare. „Mut ca o lebădă", Blaga asculta viitorul.

Cred că va trebui să se insiste asupra acestei rezistenţe iniţiale şi pentru a restabili adevărul, şi pentru a cinsti pe cei care nu mai sunt, şi pentru a ne descotorosi de unul dintre rarele noastre complexe fără obiect (avem atâtea altele justificate!).

Asupra actualităţii acestei mărturii presupun că nu mai e nevoie să insist. O vor constata cititorii. Mie mi-a fost de ajuns s-o regăsesc pe Adriana în Piaţa Universităţii în 1990.

Sunt însă şi diferenţe. Esenţiale.

În 1945, aveam o societate civilă dar şi armata roşie pe un pământ cedat „influenţei" sovietice. În 1989–1990, societatea, cu minunatele excepţii ştiute, s-a arătat bolnavă – „nevrozată", ar fi spus Adriana. În schimb, Europa nu mai e împărţită, iar armata roşie e ocupată la ea acasă.

În 1945, totul depindea de străini. Acum, totul depinde de noi. În principiu, la început nu mai are de ce să fie sfârşitul.

MONICA LOVINESCU
Paris, martie 1991

Închin această carte tuturor românilor care, în perioada celor patru decenii de robie comunistă, au fost persecutați, arestați, torturați și condamnați, pe nedrept, la ani grei de pușcărie.

Nota autoarei Dat fiind că această carte a fost scrisă în epoca stalinistă, anumite nume de persoane și localități au fost schimbate din motive lesne de înțeles. Unele evenimente au fost romanțate pentru ca poliția comunistă să nu poată identifica și, ca atare, hărțui și aresta persoanele cu care am fost în legătură.

LA ÎNCEPUT A FOST SFÂRȘITUL

I

În iulie 1943, un mic incident, aparent fără importanţă, mi-a decis totuşi întreaga viaţă.

Aveam douăzeci şi trei de ani şi până atunci viaţa mea îşi urmase cuminte cursul, în chiar direcţia pe care voiam să i-o dau, pe care credeam că i-o voi putea da.

Voiam să mă fac avocată, şi tocmai îmi dădusem licenţa.

Voiam să fac sport, şi participasem deja la mai multe campionate naţionale de voleibal şi de ping-pong.

Voiam să fiu ziaristă, şi, de un an, eram critic cinematografic la ziarul *Universul literar*.

Mai eram şi infirmieră la un spital militar.

Prin urmare, în iulie 1943, chiar în ziua examenului de licenţă, a început totul.

Trebuie să fi fost într-o vineri…

*

Tocmai aflu rezultatul examenului. Colegii vor să sărbătorească evenimentul invitându-mă să luăm masa de seară în oraş. Refuz, sunt de gardă la spital. Mă despart de grup şi cobor scările. Mă ajunge din urmă un coleg:

— Adriana, dă-mi, te rog, permisul tău.

I-l întind. Permisul se află foarte rar asupra mea. Colegii de facultate sunt mult mai pasionaţi de cinema decât mine. Eu nu mă duc decât o dată pe săptămână, ca să-mi pot scrie cronica. Atunci când lucrezi într-un spital, vezi prea mulți morți, prea mulți răniți. Iar filmele care rulează la București sunt aproape în exclusivitate nemțești...

*

Serviciu de noapte la spital. De gardă în salonul muribunzilor. În toate paturile, aceiași ochi închiși, aceleași respirații gâfâitoare, aceleași buze crăpate care nu se întredeschid decât ca să ceară apă, iarăși apă.

La ora unu altă infirmieră vine să mă înlocuiască. Trebuie să mă duc la sala de operații.

Trei operații. Uruitul surd al avioanelor parcurgând cerul deasupra acestui spital înecat în mirosul de cloroform, țăcănitul metalic al instrumentelor strălucitoare pe care asistenții i le trec chirurgului-șef, zgomotul reținut, gâfâitor, al respirațiilor domină noaptea, care trece anevoie.

*

La șase dimineața, îl însoțim pe chirurgul-șef până la mașina care îl așteaptă în fața intrării. Aerul răcoros al dimineții palide îmi arde ochii.

În camera de gardă, un medic mă ajută să-mi scot halatul, când își face apariția Gheorghe, un coleg de redacție:

— Trebuie să-ți vorbesc imediat.

La ora asta? Ce s-o fi întâmplat pentru ca Gheorghe să vină la spital la o asemenea oră?

— Poți vorbi în fața doctorului, e un prieten din copilărie.

— Ia-ți poșeta și vino imediat. Trebuie să-ți vorbesc personal. E secret.

Îmi iau geanta și îl urmez. Înainte de a ieși îi spun doctorului:

— Mă întorc imediat.

— Ba nu, n-ai să te mai întorci, îmi spune Gheorghe, odată ușa închisă. Ești căutată. Siguranța. Nu te mai mira atât. Cei de la cenzură te-au avertizat de mai multe ori. Trebuia să stai potolită. Ce nevoie aveai să critici atât de mult filmele nemțești? Cenzura n-a lăsat să treacă din ultimul tău articol decât șapte rânduri. Pricepi, șapte rânduri!

— Am scris ce gândeam.

— Rezultatul: poliția a venit să te caute la redacție și acasă. Chiar în acest moment te așteaptă agenții în amândouă locurile.

Pare într-adevăr speriat. Simt că mi se taie picioarele.

— Mă duc să-mi iau rămas bun de la doctor și infirmieră.

— Ești nebună? O să vină să te caute și aici. Jos ne așteaptă o mașină. Trebuie să pleci imediat. Întotdeauna mi-am spus că ești inconștientă.

Ridic din umeri.

— Unde vrei să mă duc?

— O să te ascundem noi, dar nu-i acum momentul de stat la discuție. Să plecăm înainte ca poliția să aibă timp să vină și aici.

Mă ia de mână, mă trage după el. Îi mai spun:

— Crezi că-i chiar așa de grav?

Gheorghe se oprește și îmi replică pe un ton furios:

— Ascultă, trebuie să te hotărăști. Vrei să dispari, sau preferi să le faci o mică vizită celor de la Gestapo?

Ideea de Gestapo mă înfioară. Îl urmez pe Gheorghe alergând și nu mai discut. O mașină ne așteaptă jos. Gonim prin oraș. Zorile sunt cenușii.

II

Nu înțeleg ce se petrece.

Am devenit brunetă, am acte false și locuiesc la Câmpulung.

Gheorghe nu mințise. Înainte de a ajunge la Câmpulung am fost de mai multe ori pe punctul să leșin de frică. Eu, care aveam oroare de romanele polițiste...

Locuiesc într-o casă dintr-un oraș pe care nu îl cunoșteam. Un orășel de provincie drăguț și pașnic. O casă unde nu m-am simțit în largul meu. Cel puțin la început. Acum, m-am obișnuit. Împart camera cu o tânără de vârsta mea, o evreică, pe nume Coca: și ea se ascunde. În altă cameră, patru băieți. În sufragerie, stăpânii casei, Sandu și Iana. Sandu face parte dintr-o rețea de rezistență, și el e cel care ne organizează munca. Începând cu orele opt seara, casa se cufundă în tăcere. Ascultăm emisiunile de la BBC și Vocea Americii. Iana stenografiază comunicatele aliate. Pe urmă noi le multiplicăm la roneotip.

Frontul se apropie pe zi ce trece. Pe străzile Câmpulungului soldați naziști trec în debandadă. Cei patru băieți distribuie, noaptea, manifestele pe care le multiplicăm ziua.

E o viață ciudată. Nu așa îmi imaginasem rezistența, viața celor urmăriți.

Unul dintre băieți, Tudor, are automobil. La o săptămână după sosirea mea, Coca ocupă în automobilul acesta un loc bine determinat lângă el. Toată lumea e voioasă. Cu greu reușesc să mă pun la același diapazon. Iana îmi reproșează că iau prea în serios faptul de a fi căutată de poliție. Poate că are dreptate.

Dar, fără să o arăt prea mult, mi-e tare frică. Nu m-am deprins deloc cu tânăra brunetă pe care o zăresc în oglindă

și care are trăsăturile mele. Cu actele false, cu numele de
Johanna Müller, nici atât. Îmi repet de o sută de ori pe zi numele acesta, care ar trebui să fie al meu, și încerc astfel să-l
îmblânzesc, să mi-l apropii. Foarte des mă gândesc și la
spitalul pe care a trebuit să îl părăsesc atât de stupid. O fi
fost bombardat?

De câteva luni Bucureștiul este bombardat aproape zilnic
de aviația anglo-americană.

Nu mi se permite să trimit scrisori.

*

Colegii mei de recluziune sunt de părere că am avut o
atitudine admirabilă atacându-i pe naziști. Le repet la nesfâr
șit că nu era nimic admirabil în asta. Găseam că filmele
naziste, cu lozincile, cuvintele de ordine, ferocitatea lor rasială,
sunt odioase, și o spusesem. Asta era tot.

Sandu și băieții mă consideră un element politic prețios
„pentru mâine". Știu că se înșală, dar degeaba încerc să-i
conving. Nu am făcut politică niciodată. Știu doar că am
oroare de război, de coșmarul acesta în care ne zbatem toți.

*

Împlinesc douăzeci și patru de ani la 23 iulie 1944. Prima
aniversare în care nimeni nu-mi urează la mulți ani. O zi
ca celelalte, ca toate celelalte de un an de când locuiesc în
casa asta. Aceeași activitate febrilă și puțin dezordonată.
Băieții au găsit un camion german părăsit și plin cu hârtie
albă. Tipărim de două ori mai multe manifeste decât înainte.
În noaptea asta avioane americane trec deasupra Câmpulungului, îndreptându-se spre București. Singurul fapt demn
de amintit din această zi.

*

Zilele sunt la fel, toate la fel. Orașul e animat și înfrigurat. Frontul se apropie de granițele noastre. Un soi de pace neliniștită mă cuprinde, ca o suprafață de apă regulat agitată de vânturi. Prinsă în această oboseală a așteptării, nu mai ajung să mă definesc.

*

Nu mai facem plimbări noaptea cu mașina. Din cauza camuflajului, stingem toate luminile după ora zece seara. Ne culcăm devreme, ca să ne trezim la patru dimineața și să ascultăm comunicatul. Toate deșteptătoarele din casă încep să sune nebunește la patru fără un sfert. Mă trezesc de fiecare dată cuprinsă de neliniște.

*

În noaptea de 23 august 1944, abia ațipisem când niște lovituri puternice în ușă mă fac să sar în sus. Apare Sandu, în pijama, urlând:

— Armistițiu, fetelor, armistițiu! Repede, la radio! Vorbește regele!

Sandu sare ca o minge, toată curtea e luminată. Nu mai este camuflaj? Pesemne că nu visez, din moment ce Sandu țopăie tot timpul și țipă. De fiecare dată atinge lampa atârnată în plafon, care se leagănă frenetic.

Dăm fuga și ascultăm ținându-ne de mâini, tăcuți, impresionați. Doar Sandu vociferează:

— Admirabil! Anglo-americanii au devenit aliații noștri. Ne vom bate contra nemților, alături de ruși, o să vedeți, vom fi liberi.

Ne îmbrățișăm, suntem cuprinși cu toții de aceeași bucurie nebunească. Cântăm toate imnurile cât ne ține gura:

imnul naţional, *Marseilleza, God Save the King*, imnul american. Am vrea să fim nişte democraţi perfecţi, dar nici unul dintre noi nu cunoaşte *Internaţionala*.

*

Când intru a doua zi în camera unde am dansat şi cântat toată noaptea, mi se pare ciudat de tristă. Pahare goale şi sticle pe jos. Lumina pătrunde în raze de praf cernute prin perdelele groase. Mucurile de ţigară degajă un miros acru, stătut.

Deschid larg toate ferestrele şi caut o muzică oarecare la radio. Orice, numai să izbucnească şi să rupă acea stranie şi sinistră vrajă.

Ies în curte, strigându-i pe Coca şi pe ceilalţi ca să mă ajute să fac curăţenie. Prima pe care o văd apărând este Iana, în cămaşă de noapte, care plânge bâiguind:

— Parisul a fost eliberat.

Iana şi-a petrecut acolo toată tinereţea. Eu nu am fost niciodată la Paris, dar gâtlejul mi se strânge, şi tristeţea de mai înainte cedează locul unei mari bucurii.

O las pe Iana prostită de fericire să repete întruna: „Parisul a fost eliberat" şi alerg să-i anunţ pe ceilalţi. O găsesc pe Coca în faţa uşii, discutând cu Tudor, care tocmai a sosit. Amândoi gesticulează şi se agită. Le strig de departe:

— Parisul a fost eliberat!

— Ştiu, spune Tudor, dar o să ne bucurăm mai târziu. Pentru moment, caută s-o trezeşti pe proasta asta care nu vrea să înţeleagă.

— De ce s-o trezesc?

— Pentru că trebuie să plecaţi la ţară.

— Vreţi să vă căsătoriţi la ţară, într-un cadru idilic?

— Nu fi tâmpită. Vin ruşii!

— Mare noutate. O cunoșteam și noi, închipuie-ți. Rușii sunt aliații noștri. Războiul s-a sfârșit. Și s-a încheiat armistițiu. Și nu mai există camuflaj, nu mai există bombardamente. Uite comunicatul complet. Vezi că suntem și noi la curent.

— Altă proastă! Înțelege, femeie, că lucrurile nu sunt atât de simple cum am crezut! Sper că nu ne-am bucurat degeaba, dar, pentru moment, toată lumea pleacă la țară. Rușii vor trece prin Câmpulung. Îmbrăcați-vă repede și nu mă mai întrebați nimic. Trebuie să plecăm, am primit ordin să vă îmbarc pe toți. Ordin, înțelegi?

Îl privesc mai atent. Plecase în zori foarte mulțumit, și acum are privirea schimbată. Ordin? Altă plecare? Nu înțeleg ce se petrece.

Dăinuie totuși în mine un soi de lumină. Nu pot analiza nimic. Simt cu toate acestea că vor veni zile și nopți care vor aduce cu ele un vânt de nebunie.

*

O jumătate de oră mai târziu, ne îmbarcăm cu bagajele în mașina lui Tudor. Nu știm în ce direcție vom merge; nu știm pentru cât timp plecăm, nici măcar nu știm dacă mai trebuie să râdem de aventura aceasta nouă și absurdă.

*

Ocupăm, Iana, Coca și cu mine, o cameră liniștită într-o casă țărănească. Cealaltă încăpere a casei e locuită de o bătrână. Singurul ei fiu se află „undeva pe front". E un prieten din copilărie al lui Sandu.

Încă n-am înțeles ce căutăm aici, deși am venit de trei zile. Aproape nu ne vorbim și privim prin geamuri peisajul pe care îl cunoaștem acum pe dinafară.

Băieții fac naveta între Câmpulung și acest colț pierdut de țară. De altfel, când sunt aici, aproape că nu îi vedem. Casa nu are instalație electrică pentru radio, iar ei se duc să asculte comunicatele la primărie și vin să ne aducă știrile.

*

A patra noapte de când suntem aici. După toate câte s-au petrecut, fiecare noapte care se lasă aduce cu ea o atmosferă ușor patetică, datorată atât întunericului, cât și imaginației noastre care galopează nebunește.

Un zgomot surd, apoi o lumină la poarta din fundul curții. Ne sculăm în picioare. O strâng tare de mână pe Iana. Rușii? Tăcere. Voci, adică o singură voce foarte joasă: a lui Sandu. Tras la față, în penumbră, e aproape ireal. Vine de la Câmpulung și ne comunică știrea foarte încet, ca și cum s-ar teme să nu o auzim.

Nemții bombardează Bucureștiul de patru zile. Timp de o zi au fost stăpâni pe aeroportul de la Băneasa; acum, au pus mâna pe cel de la Buzău, și pot astfel, făcând cu schimbul, să bombardeze Bucureștiul douăzeci și patru de ore din douăzeci și patru. Au atins Palatul Regal, Universitatea, Gara de Nord, cartierele din jurul Cișmigiului, au distrus Teatrul Național. Mai multe pagube decât în cinci luni de bombardamente americane! Ai noștri luptă contra lor în jurul Bucureștiului, care e încercuit.

Deodată, sunt năpădită de vedenii: Cișmigiul, strada mea, străzile mele; și praful se așterne peste tot ce a fost. Iana plânge în hohote.

Și brusc nu mai aparținem acestei încăperi în care ne aflăm; plecăm toți, în închipuire, firește. Pentru celelalte plecări, cele reale, trebuie să așteptăm mai întâi trecerea rușilor.

*

Zvonurile care circulă de la un sat la altul sunt mai iuţi decât ruşii, şi aflăm astfel despre un soi de invazie de sălbatici care nu seamănă câtuşi de puţin cu armata aliată şi prietenă promisă de comunicatele de la radio.

Se vorbeşte de violuri, de jafuri în serie. Poate că sunt doar zvonuri.

Mai convinşi decât noi, băieţii au scos motorul de la automobil, au spart şi stricat câteva piese pe ici, colo, şi l-au băgat într-un grajd între doi porci şi o vacă. Îi bodogănim. Susţinem că ar fi fost mai bine să luăm maşina şi să plecăm la Bucureşti. Îi facem să râdă. Ne povestesc alt zvon care circulă, conform căruia ruşii „ar viola" trei feluri de „obiecte": ceasurile, femeile şi automobilele.

*

Iana s-a trezit prima, în dimineaţa aceasta. Ne strigă să ne uităm pe fereastră.

Mai mulţi bărbaţi aproape culcaţi pe burtă pe nişte cai foarte mici, îi îndeamnă să galopeze; sub cai, în nişte subşei improvizate, atârnă obiectele cele mai eteroclite: bucăţi de covor, panglici, rochii şi sticle. Câţiva îşi biciuiesc caii, urlând.

Suntem aproape amuzate de spectacolul care seamănă ca două picături de apă cu litografiile cărţilor noastre de istorie de-a opta: *Hoardele lui Attila îndreptându-se spre Europa*.

Vocea bătrânei ne scoate brusc din această contemplaţie inconştientă. Pare chiar speriată.

— Unde-s băieţii?

— La Câmpulung.

Intervenţia ei ne aminteşte că suntem în cămaşă de noapte.

— Îmbrăcați-vă imediat. S-ar zice că năvălesc barbarii. Am să vă ascund.

Trei minute mai târziu suntem gata. Ieșim în curte și ne îndreptăm spre o groapă cu gheață, în spatele casei, lângă grajd. După ce ne-a dat drumul înăuntru și a închis ușa, bătrâna se sprijină o clipă de ea și spune cu glas scăzut:

— Ați intrat la timp, slavă Domnului! Poarta scârțâie. Nu-s ai noștri, fiindcă latră câinele.

Ne așezăm pe blocurile de gheață și ne acoperim una pe alta cu paie. Nu trebuie să vorbim. Suntem atât de înghețate pe dinăuntru, că nici nu mai simțim temperatura acestor scaune de gheață.

Pașii din curte se apropie. Instinctiv, ne luăm de mână și formăm un lanț. Fiecare mână o strânge frenetic pe cealaltă. Când pașii se îndepărtează, strânsoarea se desface.

Auzim primul cuvânt rusesc: *Davai.* Ce-o fi însemnând?

Alți pași. Bătrâna se preface că potolește câinele și profită de asta ca să spună tare, astfel încât s-o auzim:

— Nu vorbiți. Au spart oglinzile din camere. Caută femei. Sunt beți. Stați liniștite.

Câinele latră nebunește. Un foc de revolver. Or fi omorât câinele?

Davai. O auzim pe bătrână plângând în hohote.

*

Cât timp am stat așa, ascultând tropăitul cailor, focurile de armă răzlețe și acele *davai* necontenite?

Rămânem paralizate, inerte, inhibate de frică, și nu mai reușim să numărăm minutele sau orele care se scurg.

Ușa se deschide brusc. Uitând de orice prudență, Coca scoate un țipăt care seamănă a horcăit. În ușă, luminați de o lanternă de buzunar, Sandu și bătrâna.

— Puteți ieși.

Ne sculăm în picioare, împleticindu-ne, și încercăm să ne scuturăm de paiele care ne acoperă. Lângă Sandu, un bărbat în uniformă rusească. Sandu râde, foarte crispat.

— Nu mai faceți mutrele astea de înmormântare. Gazda a reușit să ne telefoneze la Câmpulung. M-am dus cu Tudor să-l văd pe Șandor, știți, comunistul pe care-l ascundea la el de o lună. Ofițerul ăsta e un prieten de-al său, un basarabean. L-am rugat să vină să vă „salveze", și iată-ne.

Mi se învârte capul, și mă sprijin de ușă. Nu izbutesc să-l urmăresc pe Sandu în explicațiile astea întortocheate. Important e că se află aici, și că ofițerul rus „a venit ca să ne salveze".

Sandu ne prezintă „salvatorului". Primul rus care nu spune *davai*. Vorbește românește, cu un accent foarte pronunțat. Ochi albaștri, reci, impersonali. Se scuză în felul său:

— Evident, s-au petrecut lucruri regretabile, dar inevitabile pentru orice armată de ocupație.

Armată de ocupație?

O urmăm pe bătrână în casă pentru a ne lua bagajele. Ne dăm seama că am petrecut o zi întreagă și o parte din noapte în groapa cu gheață. Trebuie să fie cinci dimineața, judecând după lumina palidă care ne pișcă ochii.

Mă privesc într-un ciob de oglindă și-mi zăresc obrazul, foarte umflat. De altfel, sunt străbătută de un tremur nervos care face să-mi clănțăne dinții. Le privesc pe Iana și Coca: regimul cu gheață nu pare să le fi reușit mai bine decât mie, au fețele rotunde și enorme. Obrazul Cocăi are, în plus, o stranie culoare verzuie. Se clatină pe picioare, și trebuie să o ajutăm să se urce în camionul care ne așteaptă în fața porții. Bătrâna nu vrea să rămână singură și ne însoțește la Câmpulung. Trecând prin curte, zărim câinele prăvălit la

pământ, doborât de glontele de mai înainte. O tărâm după
noi pe bătrână, care a început iar să plângă cu sughițuri, și
ne îmbarcăm.

*

De o jumătate de oră, burează ușor. Camionul este
descoperit și ploaia pătrunde, insidios, prin îmbrăcămintea
noastră ușoară. Sandu ia o bucată de covor persan tăiat în
triunghi care zace jalnic pe jos în cabina șoferului și încearcă
să ne acopere cu ea. Se face ziuă încet, în dimineața aceasta,
și suntem cufundați încă într-o lumină cenușie. În camion
se mai află, în afară de Coca, Iana, Sandu și mine, doi soldați
ruși. Deodată, Iana începe să râdă atât de tare, încât cred
că are o criză de nervi. Mi-arată cu degetul pe unul din
soldați, care contemplă cu o satisfacție nedisimulată patru
ceasuri pe care le are la încheietura mâinii. Privește ora și
pare să compare ceasurile, pe buze cu un surâs încântat de
copil. Celălalt pare mai trist sau mai bătrân. De altfel, nu
are decât un singur ceas. Se scoală în picioare, se îndreaptă
spre Iana și îi cere:

— *Papirosî!*

Al doilea cuvânt rusesc auzit în ultimele douăzeci și patru
de ore. Sandu îi oferă o țigară, și înțeleg ce înseamnă *papirosî.*
Dar *davai?*

Întâlnim altă coloană de soldați ruși. Câțiva cai încărcați
cu tot soiul de obiecte și cu fețe de pernă pe cap ori acoperiți
cu covoare și, lângă ei, niște soldați, vizibil beți, se clatină
pe picioare și barează drumul cântând cât îi ține gura.

Camionul trebuie să se oprească. Ofițerul nostru coboară,
își scoate mănușile și începe să-i biciuiască pe bețivi, con-
știincios, cu cravașa; pe urmă se urcă la loc în camion, își
pune din nou mănușile, spunându-ne:

— Ăștia compromit glorioasa noastră Armată Roșie.

Pornim din nou și gonim destul de tare prin sate pustii. Casele cu ușile deschise, cu ferestrele sparte par bântuite de stafii. S-a luminat de ziuă, dar încă mai burează.

Stau la pat de două zile, în aceeași cameră din Câmpulung. Regimul glacial nu mi-a priit. Tremur, am febră, și obrazul nu mi se dezumflă.

Coca iese foarte des în oraș cu ofițerul rus, Tudor și Sandu. Iana îi însoțește și ea câteodată și, seara, ele vin să împartă camera cu mine. Coca a decis să se înscrie în Uniunea patrioților, asociație pro-comunistă. Iana nu e de acord cu ea, și se ceartă amândouă până noaptea târziu, cu argumente copilărești.

Astă-seară discuția se încinge și simt că nu o mai suport. Mă scol din pat, îmi pun un palton și ies în curte. Trebuie să plec cât mai curând la București, să reintru în viața mea, să-mi regăsesc colegii, prietenii. Este absolut necesar să înțeleg ce se petrece în jurul meu. M-am săturat să tot fiu purtată de evenimente ca o frunză de vânt. Actuala tramă a vieții mele mi se pare absurdă; trebuie să pun ordine în bietul meu cap care parcă-mi plesnește.

*

Am luat trenul împreună cu Coca și Tudor. Suntem înghesuiți într-un vagon de clasa a treia. Trenul staționează câteva ore în gări mici ca să lase să treacă mai multe convoaie militare românești care se îndreaptă spre front. Fiecare tren militar este precedat de un vagon cu steag roșu, cu secera și ciocanul. Pe vagoane stă scris cu creta: „Trăiască prietenia româno-sovietică".

Din toate știrile care circulă de la un capăt la celălalt al trenului nostru, ca într-o sală de redacție, rețin două:

Prima: Radio Moscova a anunţat acum trei zile că „glorioasa Armată Roşie, după lupte eroice, a eliberat Câmpulungul, i-a izgonit pe nemţi şi a fost întâmpinată cu flori de către populaţia în delir".

Or, am fost la Câmpulung. Nu mai existau nemţi acolo de mult, n-au fost nici un fel de lupte, iar populaţia se ascunsese în case şi zăvorâse cu grijă porţile. Au existat, e drept, câteva jafuri şi violuri. De altfel, chiar şi acum, „glorioasa Armată Roşie" reînnoieşte, în fiecare noapte, aceleaşi isprăvi.

Dacă toate ştirile lansate de Radio Moscova sunt la fel de veridice ca aceasta, pe care am putut să o verific singură…

A doua: la Iaşi, capitala Moldovei, soldaţii şi ofiţerii români care, conform ordinelor primite, le ieşiseră înainte trupelor ruseşti ca să stabilească joncţiunea, au fost dezarmaţi de acestea, declaraţi prizonieri şi deportaţi în Rusia.

Nu-mi vine să cred că e adevărat; nu ajung însă nici să mă conving că e pură fantezie.

Trenul opreşte la Chitila şi, de acolo, trebuie să ajungem la Bucureşti prin mijloace proprii. Ne rămân de parcurs vreo zece kilometri. Găsim o căruţă care se îndreaptă spre oraş, şi ne instalăm, Coca, Tudor şi cu mine, mai mult sau mai puţin confortabil, printre salate şi fructe. Zărim pe câmp, în dreapta şi în stânga şoselei, cadavre intrate în descompunere. Uniformele sunt încă intacte. Nemţi şi români. Nu văd cadavre în uniforme ruseşti. Or fi „eliberat" Bucureştiul precum Câmpulungul?

Străbatem periferiile şi cartierele muncitoreşti, aproape în întregime distruse. Un dulap încă se mai sprijină pe singurul zid al unei case care nu mai are etaje. Câteva femei, ţinându-şi copiii de mână, scormonesc prin moloz. Firele telegrafice şi stâlpii formează ciudate figuri geometrice, ca într-o pictură suprarealistă.

Cred că am început să plâng, fiindcă Tudor mă privește într-un mod ciudat.

Trebuie neapărat să pricep ce se întâmplă!

III

Am regăsit Bucureștiul, casa mea, umbra fostei mele vieți. Puțin praf acoperă totul. Mi-am rupt actele false, și amintirea falsei mele identități mă părăsește încetul cu încetul.

Timp de câteva zile, mă cufund în fericirea asta nesperată; aranjez totul, curăț, ating în tăcere, îndelung, fiecare obiect, îmi refac sufletul și chipul proprii.

Și pe urmă, deodată, o stranie frenezie pune stăpânire pe mine și mă îndeamnă să telefonez în dreapta și în stânga ca să încerc să reînnod firele, să-mi reînnod vechea viață cu cea prezentă. Nu găsesc un prieten, un coleg. Oare nimeni nu s-a înapoiat încă la București? După a cincea zi de recluziune îmi dau seama că portmoneul meu e gol. Trebuie să-mi găsesc de lucru; oricum, nu mai pot trăi pe terenul acesta vag și fluid, lipsit de realitate, care este actuala mea singurătate.

Și cum, de două nopți, străzile Bucureștiului sunt mai calme și nu se mai aud nici focuri de armă, nici țipete, mă decid să mă duc la redacția ziarului meu. Nu a răspuns nimeni la apelurile mele telefonice, dar poate că sunt firele tăiate.

Trebuie să fie nouă dimineața când trec pragul ușii mele, în ziua aceea.

Străbat străzile cu case bombardate pe care le luminează soarele de toamnă, același soare ce se reflectă pe fețele oamenilor, sărăciți de bombardamente sau jafuri, și cu un aer de mare însingurare printre ruinele acelea care cer să fie uitate.

Și același soare îi luminează și pe oamenii îmbrăcați în uniforme străine: ruși. Bărbați și femei soldat. Femeile, cu fețe rotunde și păr de culoare deschisă, au pantofi demodați cu tocuri înalte. Unele poartă decorații, și jupoane ciudate le atârnă trist sub uniforme. Sunt cămăși de noapte de mătase. Mă opresc locului, uluită: una din ele poartă un sutien pe deasupra uniformei militare. Inima mi se strânge brusc și uit de armata care jefuiește și fură ca să nu mai zăresc decât aceste femei stângaci de cochete. Încerc să-mi imaginez viața lor, hainele pe care le-or fi purtat înainte de a fi îmbrăcat uniforma. Poate că niciodată nu au avut altceva decât o uniformă. Nu reușesc să le disting una de alta, îmi par interșanjabile.

Mă îndepărtez și străbat Cișmigiul, pe care toamna pare să fi pus deja stăpânire. Mai am câțiva pași de făcut până la redacție, și inima începe să-mi bată destul de tare.

La etajul întâi al imobilului, mă lovesc de cineva care începe să strige:

— Trăiești!

Îl recunosc pe Gheorghe în ținută de ofițer.

— Nu urca. Am fost acolo, nu-i nimeni. Nu știu dacă jurnalul mai poate să apară, toți redactorii sunt mobilizați.

— Și eu care voiam să-mi reiau cronica.

— Vrei să lucrezi?

— Da.

— Vino cu mine la *Viitorul.*

— E un jurnal politic.

— Și ce-i cu asta?

— N-am făcut niciodată politică.

— Dar la Câmpulung ce dracu' făceai?

— Manifeste!

— Și asta nu se cheamă politică, după tine?

— Nu. Politica e un amestec subtil de aranjamente și minciuni.

— E un punct de vedere destul de limitat. Vino totuși la *Viitorul*. Poate că vei putea ține cronica cinematografică, chiar și într-un ziar politic. Și, dacă nu găsești de lucru, ai să vezi redacția; seamănă mult cu a noastră; toți, inclusiv directorul, sunt tineri și știu să scrie.

— Bine, să mergem. De altfel, de câtva timp caut niște persoane bine informate care să-mi poată explica situația politică.

— Vom face tot posibilul ca să-ți luminăm mintea.

Și plecăm, braț la braț, râzând.

*

Urcăm două etaje și pătrundem într-o cămăruță. O singură masă. În fața scrumierei pline ochi cu mucuri de țigară, un domn scrie și nu ne dă nici o atenție; Gheorghe îi spune bună ziua. Domnul continuă să scrie și să fumeze. Gheorghe îmi face semn să iau loc și dispare în încăperea alăturată. Îi sunt aproape recunoscătoare lui Gheorghe de a mă fi lăsat singură, și domnului important și tăcut de a scrie astfel fără să mă privească. Am regăsit atmosfera de redacție și sunt foarte emoționată. Nu se poate explica această atmosferă; se simte sau nu se simte, asta e tot. Hârtiile boțite care zac ghem pe jos, aerul saturat de fum, chiștoacele, bărbatul care scrie grăbit, și încă nu știu ce care conferă întregului unitate, mă ajută să mă regăsesc, mai mult decât opt zile de singurătate și reflecție.

Gheorghe întredeschide ușa și îmi face semn să îl urmez. Îl părăsesc pe domnul devorat de focul sacru și intru într-o odaie mai luminoasă. Gheorghe îmi prezintă doi tineri care discută între ei. Primul, cu ochelari, îmi oferă o țigară. Al doilea apropie un fotoliu și mă poftește să iau loc. Își continuă discuția.

— Știi bine că, la 28 august, Radio Londra a făcut un lung comentariu despre articolul cronicarului militar de la *New York Times*.

— Baldwin?

— Da, Baldwin... Afirmă că Reich-ul va fi incapabil să înlocuiască cele treizeci de divizii românești și propriile sale unități pierdute în lupta asta. După el, întoarcerea armelor României reprezintă una din loviturile decisive date Reich-ului...

Gheorghe intervine:

— Și în emisiunea din 15 septembrie, Radio Moscova citează un comentariu din *Yorkshire Post* privind armistițiul încheiat între guvernul român și guvernele Marii Britanii, Statelor Unite și Uniunii Sovietice. Comentariul afirmă că armistițiul nu e inspirat de nici o idee de răzbunare. Guvernul sovietic n-are decât o singură grijă: securitatea teritoriului românesc.

— Cronicarul de la *York Post* n-a asistat la intrarea trupelor sovietice în București. În dimineața de 31 august nu mai erau, la București, decât prizonieri nemți. Și nici un singur soldat german în stare să lupte! În condițiile astea, de ce a anunțat Radio Moscova chiar în seara aceea că Bucureștiul a fost eliberat? Eliberat de cine?

— Dar nu știți cum a fost eliberat Câmpulungul? Eu eram acolo, și...

Gheorghe îmi aruncă o privire piezișă, care vrea să spună desigur: „Tu ești o idioată care nu înțelege nimic. Taci din gură!"

Mă cufund și mai adânc în fotoliu, și tac. Omul care seamănă cu un pastor protestant cu ochelari reia ridicând vocea:

— Recunosc că suntem o țară învinsă, dar asta nu scuză minciuna. De ce Radio Moscova anunță că a eliberat orașe care nu erau deloc ocupate? Și iată, am aici la îndemână darea de seamă asupra emisiunii de la Radio Londra din 25 septembrie, conținând un articol din *Manchester Guardian* semnat de Sam Wattson. „Se poate vedea clar, încă de pe acum, că întoarcerea armelor de către România va avea repercusiuni extraordinare în tot sud-estul Europei. Poziția Bulgariei devenind foarte precară, regimul germanofil de la Sofia s-a prăbușit într-o singură noapte."

Am prins din nou curaj, și toate privirile mânioase ale lui Gheorghe nu mă mai pot opri. Intervin:

— Scuzați-mă, dar aș vrea să știu în ce fel exact s-a produs lovitura de stat din 23 august?

Tânărul cu înfățișare de pastor îmi explică pe un ton doctoral:

— De îndată ce s-a constituit blocul democratic, regele, Maniu și Brătianu au angajat convorbiri cu Marea Britanie, Statele Unite, iar Lucrețiu Pătrășcanu la rândul său, cu Uniunea Sovietică, în vederea unui armistițiu. În aprilie 1944, Molotov declara că „Uniunea Sovietică nu are intenția să anexeze teritorii românești, să schimbe nimic din ordinea socială existentă sau să se amestece în treburile interne ale României. Guvernul sovietic consideră, dimpotrivă, că este absolut necesar să se restabilească, de acord cu românii, independența României, care să fie eliberată de sub jugul fascist german".

— Cunosc declarația lui Molotov. Și eu ascult emisiunile străine. Ce aș vrea să știu e *cum* s-a produs lovitura de stat din 23 august.

Prea au aerul să mă ia drept o naivă sau o idioată care trăiește în lună. Tânărul „pastor" reia, ușor enervat:

— Mi-e teamă că n-am să-ți pot spune nimic nou. La 23 august, regele a pus să fie arestat Antonescu. Garda palatului era foarte redusă, iar Bucureștiul ocupat de nemți. Noul guvern, format de Sănătescu, a făcut cunoscut legației Reich-ului și comandantului trupelor germane de la București că țara noastră dorește să pună capăt, prin bună înțelegere, raporturilor sale cu Reich-ul și că Armata Română, gata să se apere, nu va întreprinde nimic din proprie inițiativă. Guvernul român permitea trupelor germane să se retragă de pe teritoriile noastre. Comandantul trupelor germane a dat regelui asigurări formale în acest sens: trupele germane nu vor întreprinde nici o acțiune ostilă față de trupele noastre. Rezultat: câteva ore mai târziu, unități germane au atacat și dezarmat unitățile române și au tras asupra populației. Aviația germană a bombardat capitala, distrugând cartiere întregi și vizând în special palatul regal. Astfel Reich-ul s-a pus singur în stare de război cu România. În consecință, regele a dat ordin unităților române să lupte contra trupelor germane care se găseau pe teritoriul nostru. Actualmente nouăsprezece divizii române sunt angajate alături de trupele sovietice în lupta contra Reich-ului. Churchill a declarat în Camera Comunelor că armistițiul semnat în 12 septembrie la Moscova oferise României condiții foarte favorabile. Iată un rezumat destul de fidel. Asta voiai?

Nu am avut timp să răspund. În pragul ușii, un bărbat destul de tânăr, cu tâmplele cărunte, ne zâmbește.

— Încă n-ați terminat de discutat? Veșnic vă găsesc făcând aceleași comentarii asupra aceleiași probleme.

Gheorghe mă prezintă directorului ziarului, Mihai Fărcășanu, președinte al Tineretului Liberal. Nu știu cum să fac ca să-l întrerup pe Gheorghe, care îi explică povestea cu manifestele de la Câmpulung și „marile mele acțiuni de rezistență". E absolut stupid, și îmi vine să mă ascund într-un colț întunecos. Mihai Fărcășanu pare foarte interesat și spune că mi-a urmărit cronicile cinematografice:

— De altfel, deveneau complet ilizibile, adaugă el.

Gheorghe încearcă să mă apere:

— Cred și eu, treceau prin cenzură.

— Ei bine, domnișoară, dacă n-ai de gând să indispui cenzura Comisiei Aliate de Control...

— Aliată, adică rusească, intervine Gheorghe.

— Aliată, adică rusească, reia zâmbind Mihai Fărcășanu, vei putea lucra la noi.

— Sper că filmele sovietice vor fi de o calitate mai bună și că nu va trebui să indispun pe nimeni, spun eu, încântată de a fi găsit de lucru.

— Regret, dar critica cinematografică e luată de altcineva. Am nevoie de un reporter pentru Ministerul de Interne.

— Reporter? Dar nu știu să fac fotografii!

— Nu va fi nevoie să fotografiezi pe nimeni. Te vei duce să iei știrile de la Interne și le vei redacta pentru ziar. Mai gândește-te și treci mâine să-mi dai răspunsul.

Și îmi întinde mâna. Înainte chiar ca eu să fi părăsit încăperea, au reînceput să discute despre armistițiu.

*

Umblu pe stradă cumpănindu-mi deziluzia: nu mă văd devenind reporter politic! Va trebui deci să-mi caut iar de lucru. Ajung astfel, cufundată în tristețe și decepție, pe Calea Victoriei. Imposibil de traversat, din cauza unui grup de manifestanți care flutură drapele roșii și scandează, urlând: „Trăiască Armata Roșie! Trăiască democrația! Stalin! Stalin! Trăiască armata eliberatoare!"

Un băiat, cu un steag roșu în mână, mă îmbrâncește. Urlă și mai tare decât ceilalți: „Trăiască Armata Roșie!"

După toate discuțiile de la redacție, izbucnesc:

— N-ați găsit steaguri românești? Soldații noștri luptă pe front alături de soldații ruși. Asta numiți voi democrație?

— Tovarășe, prinde-o. A insultat Armata Roșie și democrația. Ești arestată. Fascisto!

După părerea mea, situația e destul de caraghioasă, și încep să râd. Oamenii se opresc pe stradă și încearcă să mă smulgă din mâinile „democraților" care m-au înșfăcat și mă târăsc după ei urlând necontenit: „Fascisto! Fascisto!" Și, în timp ce mă iau cu ei, încerc să le acopăr vocile:

— Sunt de acord să vin cu voi la postul de poliție, unde comisarul o să vă spună că n-aveți dreptul să arestați oameni fără mandat.

Cum ei nu răspund, ridic și mai tare vocea:

— Vreți să vă legitimați? Nu? Atunci vă veți legitima la poliție.

— Ce poliție, fascistă împuțită? Te ducem la „tribunalul" rusesc și te împușcăm.

— Ați citit cam prea multe romane polițiste.

— Nu citim romane polițiste! Astea-s cărți decadente. Dar te ducem la „tribunalul" rusesc și te împușcăm.

— Ne aflăm în România. Nu văd ce legătură are povestea asta cu tribunalul rusesc.

O voce din mulțime strigă:

— Ai de-a face cu o echipă de șoc comunistă. De îndată ce ai să vezi un polițist, pune-l să intervină și să-i potolească pe derbedeii ăștia. Degeaba discuți cu ei.

Nu văd nici un polițist. Pe tot drumul, oamenii se opresc, înmărmuriți. Formăm probabil un grup destul de pitoresc: eu ciufulită, zbătându-mă, și cei patru băieți care mă târăsc, fluturând steaguri roșii. Încep să-mi pierd răbdarea:

— Ascultați, sunt avocată și am citit destule texte de lege în care stă scris că nimeni nu poate fi arestat fără mandat.

— Ești fascistă.

— De unde știți?

— Ai spus că asta nu-i democrație.

— Da, am spus și o repet. Sunteți liberi să manifestați pentru Armata Roșie și pentru Stalin, dar, în ce mă privește, găsesc că ați putea manifesta și pentru Armata Română care luptă alături de Armata Roșie. E părerea mea și am dreptul să mi-o exprim, chiar dacă nu vi se pare justă.

— N-ai dreptul să ne vorbești pe tonul ăsta!

— Vă vorbesc pe tonul cu care vorbiți și voi. În loc să fiți pe front, vă plimbați în șiruri dezordonate pe Calea Victoriei, urlând. E dreptul vostru să iubiți Armata Roșie.

— Va să zică, tu nu iubești Armata Roșie, fascistă împuțită!

— N-am zis că nu iubesc Armata Roșie. Dar...

— Tovarășe agitator, n-o mai lăsa să vorbească. E arestată!

— În declarația sa, guvernul Sănătescu ne promite un regim democratic, în care libertățile publice și drepturile cetățenești vor fi respectate. Aveți reprezentanți comuniști în guvernul Sănătescu!

— Da, dar vrem să avem mai mulți.

— Așteptați alegerile.

— Până la alegeri vrem un guvern complet comunist.

— Dar Partidul Comunist nu numără nici o mie de membri în toată România! V-ați născut în România?

— Ah! ah! ești rasistă.

— Nu-s rasistă. Mă gândesc numai că, cu astfel de echipe de șoc, nu aduceți un serviciu nici Partidului Comunist, nici prieteniei româno-sovietice. Voi ar trebui de fapt să ne dovediți că Rusia este cu adevărat prietena noastră.

— Sigur că este marea noastră prietenă şi aliată, de vreme ce armata ei a eliberat Bucureştiul.

— Să trecem peste amănuntul ăsta fals, dar dacă voi...

— Tovarăşe agitator, închide-i gura. O să vorbească la „tribunalul" rusesc.

— Nu înţeleg limba rusă.

— O să ţi se traducă sentinţa.

Urlând care mai de care, am ajuns în Piaţa Victoriei, unde zăresc în sfârşit nişte poliţişti. Îi chem strigând şi fac eforturi să mă eliberez.

Agenţii de poliţie au intervenit. Le arăt actele mele şi un poliţist le cere şi celor patru agitatori, care au tăcut ca prin minune, să facă la fel. Grupul astfel întărit se îndreaptă spre postul de poliţie, în timp ce cei patru agitatori protestează.

— Tovarăşe poliţist, am primit ordin de la responsabilul manifestaţiei să o ducem pe fascista asta la „tribunalul" rusesc.

— O să discutaţi cu comisarul.

Răsuflu uşurată. Mi-au dat drumul la braţ, şi păşesc puţin înaintea lor. Agitatorii mei nu prea au aerul să fie grăbiţi să ajungă. După ce ne-a cerut să ne scriem declaraţiile, comisarul se adresează celor patru „tovarăşi agitatori din echipa de şoc numărul 5":

— Citesc în declaraţia dumneavoastră că domnişoara este reacţionară, fascistă şi agentă a imperialismului anglo-american. Totuşi Rusia este aliata acestor două ţări, nu-i aşa?

„Tovarăşii" intonează în cor.

— Anglo-americanii sunt imperialişti.

Comisarul nu are aerul să vrea să stea la discuţie şi ne cere să plecăm fiecare acasă. Îl rog să-mi dea un poliţist care să mă însoţească. Echipa începe din nou să urle:

— Poți să ceri să te însoțească toți polițiștii din lume. O
să te găsim și în gaură de șarpe. Fascistă împuțită!

Comisarul vrea să încheie un proces-verbal de amenințări.
Refuz și părăsesc postul de poliție.

Am ajuns la mine către orele patru după-amiază, hotărâtă
să devin reporter politic la *Viitorul*.

A doua zi, debutam în noua mea profesie.

IV

De când îmi împart timpul între tribunal, Ministerul
de Interne și redacția ziarului, guvernul Sănătescu a fost
remaniat și, la 6 decembrie, generalul Rădescu a devenit
președintele Consiliului.

Echipa de la Interne s-a schimbat și ea de când Rădescu
e ministru de interne și, dintre cei patru subsecretari de stat,
unul, Dimitrie Nistor, este liberal, altul, Teohari Georgescu,
e comunist.

Mă duc la Interne o dată pe zi după știri, și m-am obiș-
nuit să văd miniștri în carne și oase. Văd și ce se petrece în
București, și asta e mult mai puțin nostim.

Comuniștii fac manifestații aproape zilnic. Membrii
comitetelor sindicale nu sunt aleși prin vot secret, ci prin ridi-
carea mâinii. În uzine, muncitorii au protestat, cerând votul
secret. Comuniștii au chemat atunci, ca să asiste la votul prin
ridicarea mâinii, niște agitatori înarmați. Muncitorii nu au
arme și, chiar dacă ar avea, ar fi inutil. Pe străzi, trec în sus
și în jos patrule sovietice. Armata Română e pe front. Parti-
dul comunist, acoperit de Armata Roșie, poate să acționeze
după bunul plac. După ce comitetele sindicale au fost rema-
niate prin acest procedeu democratic, intră în joc teroarea.

Muncitorii cu trei absențe la manifestații sunt dați afară
fără preaviz. Camera muncii amână *sine die* toate reclamați-
ile și dreptul la grevă a fost abolit, fiindcă „țara este în stare
de război și lucrează pentru armată". „Lucrează pentru ar-
mată..." Muncitorii sunt târâți de mai multe ori pe săptă-
mână la diferite manifestații ca să ceară alt guvern și moartea
reacțiunii. „Reacțiune" înseamnă tot ce nu este comunist.
La ședințele Consiliului de Miniștri, comuniștii din guvern
își neagă responsabilitatea în crearea acestui „stat în stat".
Iar postul de radio comunist „România liberă" cere zilnic
„democratizarea" armatei, aceeași armată citată în ordinele
de zi ale mareșalului Stalin.

*

De o săptămână, știrile pe care le aduc la ziar cufundă
redacția în panică. În Moldova, provincie vecină cu Basara-
bia, care ne-a fost din nou răpită de ruși, bântuie tifosul și
foametea. Echipele de șoc comuniste profită de această stare
de lucruri ca să facă treabă bună. Și nu numai în uzine, ca
la București, ci chiar și în administrație. În fiecare capitală
de județ există un prefect legal și un prefect numit de comu-
niști. Sunt deci doi prefecți, și de asemenea două poliții.
Pământurile sunt împărțite prin grija acelorași echipe de
șoc care vor să realizeze reforma agrară înainte de revenirea
trupelor românești pe teritoriul național. Populația locală,
înfometată, pradă tifosului, asistă neputincioasă la acest
spectacol din care, de altfel, nu înțelege mare lucru. Meto-
dele sunt într-adevăr complet noi.

Într-o ședință a Consiliului de Miniștri, comuniștii au
fost făcuți răspunzători de anarhia ce domnește în Moldova.
Același Consiliu de Miniștri a decis trimiterea unei comisii
ministeriale de anchetă pe teren în vederea restabilirii ordinii.

Comuniștii, care nu pregătiseră decât un singur răspuns la acuzațiile pe care le presimțeau: „Nu suntem răspunzători", nu și-au putut lansa lozinca și au trebuit să accepte această soluție înainte de a fi consultat Comitetul Central al partidului. Au pus însă două condiții înainte de a accepta să facă parte din comisie: nici un ziarist să nu însoțească această comisie și ei să aibă timp să-și facă injecții antitifice.

Cuvântul de ordine al acestei ședințe a Consiliului de Miniștri a fost: „Păstrarea secretului absolut".

*

Secretul absolut nu a fost păstrat și, a doua zi, directorul de la *Viitorul* caută un ziarist voluntar pentru Moldova. Un voluntar care să fie, în principiu, secretarul ministrului liberal care face parte din comisie și, de fapt, trimisul special al ziarului.

De ce *un* secretar și nu *o* secretară? Mă ofer.

*

Trei zile mai târziu, mă prezint la șase și jumătate dimineața la subsecretarul de stat de la Interne, Dimitrie Nistor, pe care îl cunosc fiindcă i-am luat un interviu cu câteva zile în urmă.

În fața Ministerului de Interne, douăzeci de mașini în șir indian. Iau loc în ele nu numai reprezentanții partidelor din guvernul „de largă concentrare democratică", ci și medici, ingineri agronomi, tehnicieni care trebuie să restabilească o „ordine democratică" în Moldova. Îmi încredințez bagajele șoferului și urc în automobilul ministrului liberal, alături de subsecretarul de la Armata de uscat, generalul Puiu Petrescu, și de un subsecretar de stat socialist, care pare foarte preocupat de organizarea cadrelor partidului său în Moldova.

E foarte frig – suntem în plină lună decembrie – și ne aco-
perim cum putem mai bine. D. Nistor îmi explică situația
amănunțit în timp ce străbatem sate distruse și câmpuri
înghețate. Călătoria mi se pare interminabilă.

*

Oprire la Focșani, prima capitală de județ unde trebuie
să „restabilim ordinea". Discursul oficial este rostit de pre-
fectul legal. Prefectul comunist nu se arată la față. Dimitrie
Nistor răspunde aducând mesajul guvernului. De vreme
ce alegeri județene nu sunt posibile pentru moment, câte
doi membri din fiecare partid reprezentat în guvern sunt
invitați să discute cu oaspeții de la București. Comisia se
instalează în spatele unei mese mari; în fața mesei, zece
scaune frumos aliniate își așteaptă ocupanții: câte doi repre-
zentanți din fiecare partid: Național-Țărănesc, Liberal,
Comunist, Socialist, Frontul Plugarilor.

Dar, în ultimul minut, își fac apariția niște cetățeni cu
scaune în mână. Se prezintă singuri, încercând să acopere
cu vocile lor vacarmul general care a pus stăpânire pe sală
la sosirea lor:

Doi reprezentanți ai Tineretului Comunist;

Două femei antifasciste;

Doi reprezentanți ai Confederației Generale a Muncii;

Doi reprezentanți ai Uniunii Patrioților.

Încep să înțeleg: cum românii manifestau într-adevăr
prea puțină simpatie față de PC, au apărut de la o zi la alta
formațiuni de tip „ciupercă", cu denumiri neutre, menite
să îi atragă pe naivi. Când s-a descoperit că unele organizații
erau menite să camufleze PC, cei care și-au dat demisia au
fost arestați de echipele de șoc. Aviz amatorilor!...

Acum, reprezentanții acestor noi partide sunt instalați în fața comisiei.

Comisia – cu excepția, firește, a comuniștilor – protestează, invocând ilegalitatea partidelor de tip „ciupercă", nereprezentate în guvern.

Emil Bodnăraș, reprezentantul PC în comisie, începe să strige:

— În numele Partidului Comunist... ta ta ta... reacțiunea burghezo-moșierească... ta ta ta... Trăiască Armata Roșie... ta ta ta... Trăiască gloriosul ei conducător, mareșalul Stalin... ta ta ta... În numele Comitetului Central al Partidului Comunist, propun pe X ca prefect și pe Y ca primar.

Scandal. Comuniștii scandează: „Stalin, Stalin", iar pe stradă auzim pașii patrulelor rusești, însărcinate să vegheze... asupra comisiei.

M-am așezat puțin mai la o parte și iau note. Simt o prezență în spatele meu. Cineva se apleacă să vadă ce scriu. Întorc capul. O femeie tânără cu ochi verzi și un aer calm. Și cum o privesc, mirată:

— Sunt Ana Toma, secretara tovarășului Bodnăraș. Și dumneata?

— Secretara lui Dimitrie Nistor. Ai putea să-mi explici de ce domnul Bodnăraș și colegul său de partid, domnul Vlădescu-Răcoasa, au dispărut câteva minute înainte de începerea ședinței și de ce revenirea lor a fost urmată de apariția tuturor acestor oameni cu scaune în mână? Nu crezi că acționând așa domnul Bodnăraș încearcă să influențeze comisia care, astfel, s-a cam deplasat degeaba până aici?

— Tovarășul Bodnăraș este liber să ia contact cu reprezentanții partidului.

— Știi bine că ceilalți delegați nu procedează așa.

Ana Toma nu îmi răspunde. Se aşază nu prea departe de mine şi începe să ia note.

Notele mele vor fi transformate în reportaje pe care le voi telefona la Bucureşti şi care vor apărea în *Viitorul*.

Notele Anei Toma vor fi discutate, prelucrate de Comitetul Central şi trimise la Moscova.

Simplă chestiune de nuanţă.

*

A doua escală: Botoşani. Aceeaşi scenă. În timpul discuţiilor, nu reuşim să scoatem de la comunişti altceva decât veşnicele lozinci pe care le cunoaştem acum pe dinafară. La prânz, ca să stabilim o atmosferă de destindere şi colaborare, nu discutăm. De altfel, eu soseam mereu în momentul desertului. Veneam de la poştă, de unde îmi telefonasem reportajul. Indicam totdeauna în coada listei prefecţii şi primarii aleşi. Erau, fără greş, membri FND (Frontul Naţional Democratic, altfel spus, comunist.)

La celălalt capăt al firului, colegul de redacţie se mira:

— De ce toate voturile merg întotdeauna către FND?

— Foarte simplu. Ascultă. Comuniştii nu vor să admită votul secret. Doar votul prin ridicare de mână pare să le fie pe plac. Şi chiar cu votul secret, intruşii invitaţi de Bodnăraş, care sosesc aducându-şi scaunele, formează o majoritate covârşitoare.

— Dar ceilalţi miniştri dorm? De ce nu protestează? De ce nu revin la Bucureşti, ci continuă călătoria asta inutilă?

— Pentru că, oricum, alegerea primarilor şi prefecţilor trebuie ratificată de Consiliul de Miniştri. Presupun că discuţia cea mare va avea loc în faţa Consiliului, la înapoiere. Singurul rezultat pozitiv ar putea să fie o profundă cunoaştere a metodelor de lucru ale PC Cât despre ancheta sanitară...

— Crucea Roşie a trimis medicamente...

— Trenurile şi camioanele sanitare trec printr-o vamă comunistă. Comuniştii fac bursă neagră cu medicamentele obţinute astfel. O mare parte dintre camioane sunt rechiziţionate şi dirijate spre Reni şi Rusia.

— Bine jucat, pe cuvântul meu. Cum e Bodnăraş?

— Veşnic posomorât. Discuţia lui preferată: „Cum am evadat din închisoarea de la Aiud". Nu spune nimic despre şederile sale la Moscova. Urlă cu convingere cuvintele de ordine ale partidului. Poartă un foarte reacţionar costum de golf. Înfăţişare mai degrabă teutonă decât rusească.

— Rezultatul general?

— Nul. Dacă ruşii nu s-ar fi opus alegerilor judeţene pretextând starea de război...

*

Scena continuă să se desfăşoare în fiecare judeţ, identică până ţi se face greaţă: în faţa comisiei, reprezentanţii partidelor democrate îşi exprimă punctul de vedere asupra reorganizării judeţului, indicând în general persoane mai degrabă neutre, dar pregătite în acest sens. Comuniştii şi adepţii lor recită o lecţie învăţată pe dinafară, ale cărei laitmotive sunt Stalin şi glorioasa Armată Roşie. Adevăraţi papagali.

*

Iaşi: capitala Moldovei. Bodnăraş propune pentru funcţia de prefect pe domnul Alexiuc. Domnul Răutu, naţional-ţărănist, se ridică, speriat.

— Ascultă, domnule Bodnăraş, nu mai putem continua aşa. Ne este imposibil să numim la Iaşi, leagăn al întregii culturi româneşti, un prefect care n-are decât patru clase primare şi e străin de judeţ. E împotriva tuturor legilor noastre.

— Vrei să spui, împotriva legilor reacționare?

Toată lumea începe să urle. Și deodată, printr-o pură întâmplare parcă, niște gloanțe sparg geamurile și se înfig în pereți. Se trage asupra noastră. Nu sunt răniți. Totuși ședința se suspendă fără să fi intervenit nici un acord.

Mă pregătesc să ies ca să-mi telefonez reportajul, când șoferul năvălește în sală și îmi lansează, cu un aer disperat:

— Domnișoară, când au început să tragă canaliile astea, am luat-o la fugă. Au profitat ca să devalizeze mașina și să vă ia valiza și paltonul. I-am văzut, am vrut să alerg după ei, dar au tras spre mine.

Regret mai ales „jurnalul de bord" cu impresiile mele despre Moldova, care trebuiau să-mi servească pentru concluziile articolelor. Paltonul, valiza... Atâta pagubă. Riscurile profesiei de trimis special.

*

Am rămas în bluză. Ana Toma îmi împrumută un pulover roșu și o haină.

Ana Toma e o bună camaradă. E o comunistă convinsă; a stat două luni la închisoare, a suferit pentru credința ei, de aceea pesemne că mă intimidează puțin. Cu condiția să evităm discuțiile politice, ajungem să ne înțelegem destul de bine. Dar nu e deloc posibil să evităm discuțiile politice.

Seara, după scena de la Iași, împărțim aceeași cameră. Cu toată oboseala – de la plecarea din București nu am dormit mai mult de patru ore pe noapte –, nu ne prinde somnul. Inevitabil, începem să discutăm. Încerc să îi explic că, perseverând pe drumul acesta, PC riscă să nu aibă nici un deputat în viitorul parlament. De îndată ce ia sfârșit războiul, vor fi alegeri libere, și atunci... Ana Toma se supără:

— E o prostie din partea ta. Ești săracă, trăiești din munca ta, nu văd ce cauți într-un partid capitalist.

— Partidul Liberal a făcut primele reforme agrare și sociale în România.

— E o prostie, vezi bine. N-ai nici un viitor la liberali. Partidul nostru are nevoie de elemente tinere, energice. Înscrie-te la noi.

— Ascultă, n-o să reluăm acum discuția pe care o cunoaștem amândouă pe dinafară. Am adăugat, râzând: Și pe urmă, știi bine că am oroare de cuvinte de ordine.

O tăcere. Cinci minute mai târziu, vrea să reia conversația, dar mă prefac că dorm.

*

A doua zi, revenind de la telefon, găsesc toată comisia foarte agitată. Emil Bodnăraș strigă mai tare ca toți ceilalți:

— Cine e trimisul special al *Viitorului*?

— Eu.

— Nu m-așteptam la asta din partea dumitale. Credeam că ești o persoană loială. În *Scânteia* nu e nici o singură notă, nici un rând despre misiunea aceasta care ne-a fost încredințată de guvern.

Să-l aud pe Bodnăraș vorbind despre loialitate e tare nostim.

— Dumneata îmi vorbești de loialitate, dumneata, care chemi pe toți partizanii pe care i-ai cumpărat în ajun ca să obții majoritate de voturi, dumneata, care numești prefecți necunoscuți a căror listă a fost furnizată dinainte de Comitetul Central? Te înfurii pentru că îndrăznesc să-mi fac meseria de ziarist. Tovarășul dumitale de partid, domnul Lucrețiu Pătrășcanu, ministrul Justiției, a declarat în decretul de amnistie că libertățile publice au fost restabilite după 23 august.

Libertatea presei figurează printre ele. Nu văd deci nimic șocant ca ziarul meu să povestească ce se petrece aici.

Cred că am reușit să-l fac să-și iasă complet din sărite.

— Ai ales cea mai proastă cale posibilă. Ești tânără, energică, și-ți pierzi timpul cu Tineretul Liberal, care-i putred până în măduva oaselor. Nu te credeam atât de reacționară. Ai grijă, vei sfârși foarte rău.

Continui să râd. „Vei sfârși foarte rău", în gura lui Bodnăraș, nu mă sperie. E comunist. Ei, și? Războiul se va încheia, rușii vor părăsi țara noastră și, fără sprijinul lor, e sigur că nici un vot la o mie de alegători nu vor obține comuniștii. Atitudinea lor din ultimele luni, faptele care se petrec sub ochii noștri sunt cea mai bună propagandă anticomunistă din lume. Emil Bodnăraș n-are decât să strige. Mă face doar să râd. Totul e să rezistăm până la plecarea trupelor rusești. Pe urmă, coșmarul ăsta o să ia sfârșit într-o singură noapte.

Brăila. Ultima escală înainte de întoarcere. Ana Toma mă invită să o însoțesc la un pom de Crăciun organizat de partid. Nu și-a pierdut speranța să mă convertească. Sunt extenuată de toate discuțiile acestea sterile. Vorbim amândouă limbi atât de diferite, încât conversația nu mai este un dialog, ci doar două monologuri, despărțite, clare, definite ca iremediabile linii paralele. Nu ne vom întâlni niciodată. Refuz s-o însoțesc. Pare mirată. Îi spun că nu-s în apele mele, că epidemia de tifos mă deprimă, că ar trebui să se ia măsuri urgente pentru stăvilirea epidemiei, în loc să se tot discute la nesfârșit. Imperturbabilă, îmi răspunde că tifosul a fost adus în Moldova de fasciști și reacțiune. Mă privește cu aceeași față impasibilă cu care asculta ieri rapoartele medicilor disperați: în fiecare județ sunt cel puțin zece mii de cazuri de tifos, iar foametea este atât de mare, încât țăranii fac pâine din coajă de copac. Îi repet faptele şi, în loc să-mi răspundă, începe să-mi vorbească de Ana Pauker. E cea mai bună prietenă a ei. Nu, nu prietenă, îngerul ei păzitor. Generoasă, fără ambiţii, nu a intrat în guvern, fiindcă prefera să lucreze în umbră spre binele poporului român. Auzind-o pe Ana Toma, cred că am în faţa ochilor imaginea unui apostol capabil să umble desculţ şi în zdrenţe ca să vină în întâmpinarea poporului român şi să se sacrifice pentru el. Ridic din umeri. Sunt prea obosită ca să-i răspund. O las pe Ana Toma să plece singură şi îmi redactez concluziile călătoriei pentru ziar. Se bate la uşă. Mi-e teamă să nu revină Ana Toma, ca să mă îndoctrineze. Nu, sunt nişte copii cu o stea mare din hârtie colorată reprezentând ieslea, care se instalează în mijlocul camerei şi încep să cânte colinde naive anunţând naşterea lui Hristos. Cred că am început să plâng, pentru că s-au oprit din cântat şi mă privesc, înmărmuriţi. Le dau mere şi biscuiţi, după care pleacă.

Afară ninge. Îmi aprind o ţigară şi reîncep să scriu cu înfrigurare.

*

Înapoiere la Bucureşti. Colegii de la ziar mă poartă în triumf prin redacţie. E un succes. *Viitorul* a fost singurul ziar informat asupra situaţiei din Moldova. Mihai Fărcăşanu vine personal să mă îmbrăţişeze solemn. Mă simt devenind un mare personaj, dar nu reuşesc să mă pun la diapazon şi să râd cum ar trebui. Mai aud încă răsunând fraza unui comunist care, luându-mă drept una de-a lor, se oferise vesel să-mi arate prefectura din Brăila.

— Bun venit, tovarăşă, îmi spusese.

— Mulţumesc, tovarăşe, îi răspunsesem, intrând în joc. Cum merge treaba?

— Ca pe roate. Armata Roşie ne sprijină straşnic!…

V

Mi-am reluat drumurile zilnice de la Interne la redacţie şi de la redacţie la Interne. Port doar o haină şi încă e ger. Dar chiar nu-mi permit să-mi cumpăr un palton. Încerc să-i compensez lipsa încotoşmănindu-mă în mai multe pulovere de culori diferite.

În ţinuta asta destul de fantezistă mă prezint, la trei zile de la înapoiere, la directorul de cabinet de la Interne. Mă primeşte zâmbind, lucru mai degrabă rar. Vine să-mi strângă mâna şi să mă felicite pentru isprăvile din Moldova. Lucreţiu Pătrăşcanu este prezent şi mă priveşte cam pieziş. Directorul de cabinet îmi spune:

— Am să vă prezint generalului Rădescu.

Simţisem că am urcat în grad, dar nu chiar într-atât.

— Credeţi că generalul mi-ar acorda un interviu?

— Veţi vedea. Luaţi loc.

— Dar mi-aţi spus, acum o lună, că audienţele trebuie fixate cu câteva săptămâni înainte.

— Vom face o excepţie pentru dumneavoastră.

Începe să devină într-adevăr prea real. Bâigui:

— Nu mi-aţi putea fixa o întâlnire pentru mâine? Cum vreţi să mă prezint în faţa generalului cu ciorapi trei-sferturi?

— Vreţi, da sau nu, să-i luaţi un interviu? Vă avertizez: nu-l numiţi „excelenţă“. Nu suportă. Spuneţi-i „domnule general“.

Generalul Rădescu nu acordă niciodată interviuri. E o ocazie nesperată. Insist totuşi.

— Fixaţi-mi o oră de audienţă pentru mâine; aş reflecta la întrebările pe care să i le pun.

Dar directorul de cabinet nu mă mai ascultă. Apasă pe un buton, sună. Lucreţiu Pătrăşcanu se uită la ceas şi iese spunând că va reveni într-o jumătate de oră. Directorul de cabinet dispare și el în încăperea alăturată. Rămân singură în birou, unde două telefoane sparg la intervale regulate prin apelurile lor tăcerea destul de oficială. Tare aș vrea să nu mai fiu acolo! Ușa se deschide larg, și îmi aud numele rostit într-un mod solemn de către directorul de cabinet, care rămâne țintuit în prag.

Intru în biroul prim-ministrului. În spatele unei mese încărcate de hârtii, un bărbat înalt și subțire cu părul alb, în uniformă, fără decorații. Am în fața ochilor pe omul care a scris o scrisoare deschisă reprezentantului lui Hitler la București, baronului von Killinger, pentru a protesta contra ocupației germane în România și care a plătit acest gest cu un an de lagăr. Am în fața ochilor pe omul care ține în momentul acesta piept rușilor și PC. Are în mâinile lui Ministerul de Interne, și datorită dârzeniei lui comuniștii n-au reușit încă să pună stăpânire pe toate posturile de comandă și să aresteze cum ar vrea ei pe toți cei care le rezistă. Dacă îndrăznim să zâmbim, să trăim, să luptăm, e pentru că este el aici. E deci perfect normal să mă simt atât de intimidată.

În ce-l privește, generalul pare foarte mirat:

— Dumneata ești trimisul special al *Viitorului* în Moldova?

— Da, domnule general.

— Pentru un trimis special, ești cam tânără.

— Am douăzeci și patru de ani, domnule general.

Sunt tot mai intimidată, și n-am nici cea mai mică idee cum să-mi încep interviul.

— După reportajele făcute, pari foarte îngrijorată de situația din Moldova.

— Da, domnule general.

— Ai fost căutată de nemți și ai stat ascunsă?

— Da, domnule general.

— Tineretul Liberal e format din elemente energice, curajoase.

— Da, domnule general.

— Mihai Fărcășanu a reușit să adune în jurul său, la *Viitorul*, o echipă de colaboratori care face din ziarul acesta unul dintre singurele ziare cu ținută.

— Da, domnule general.

Șeful de cabinet deschide ușa și îl anunță pe Lucrețiu Pătrășcanu.

— Te felicit, domnișoară. Lucrezi foarte bine.

— Vă mulțumesc, domnule general.

Audiența s-a încheiat, și eu n-am fost în stare să iau interviul. Îl vedeam deja, apărând pe două coloane, pe pagina întâi. „Da, domnule general. Nu, domnule general." Mă simțeam paralizată ca un soldat care prezintă armele.

Mă ciocnesc de Lucrețiu Pătrășcanu, care intră. Directorul de cabinet îmi spune:

— Aveți febră?

Pesemne că sunt foarte îmbujorată.

— Am o veste mare pentru dumneavoastră.

— Ne-au acordat cobeligeranța?

— Încă nu. Vreți să fiți șef de cabinet la Interne?

— Vă bateți joc de mine?

— În nici un caz. Avem nevoie de un element energic ca dumneavoastră.

Nu înțeleg de ce, de pe o zi pe alta, toată lumea mă consideră „un element atât de energic". Directorul de cabinet reia:

— Vom lucra împreună. Dați-mi adresa. Mâine dimineață, la ora opt, voi trimite mașina ministerului după dumneavoastră.

— Voi putea să lucrez mai departe la ziar?

— Bineînțeles.

— De acord.

Ieșind, încerc să păstrez o atitudine corectă și îmi spun că ziarul meu va fi, hotărât, cel mai bine informat de acum înainte.

*

Colegii de redacție au sărbătorit evenimentul oferindu-mi un palton. Prin subscripție, firește.

*

De când sunt șefă de cabinet nu mai ajung să citesc nici o carte. În schimb, citesc zilnic buletinele de presă și radio și toate ziarele.

Pentru a fi un șef de cabinet perfect, trebuie să zâmbești tot timpul. Când mă doare capul, zâmbesc. Când nu mai am bani, zâmbesc. Când sunt bolnavă, zâmbesc. Un adevărat program de viață. Surâsul reprezintă arma cea mai prețioasă și mai necesară într-o asemenea funcție. Dacă nu aș zâmbi, adversarii guvernului ar fi convinși că situația este disperată. De altfel, toate zâmbetele din lume nu ar putea-o ameliora.

Nu am un moment liber, și e o întreagă problemă să găsesc timpul necesar ca să mă duc la o conferință de presă convocată de Petru Groza, vicepreședintele guvernului și șef al Frontului Plugarilor.

Am ajuns în întârziere. Am coborât din automobil în fața unei vile imense. Un lacheu deschide ușa. Șeful protocolului anunță, dând la o parte o foarte teatrală perdea roșie:

— Reprezentantul ziarului *Viitorul*.

Trec într-un salon somptuos, unde douăzeci de persoane se scoală în picioare. Numai bărbați. Văd o serie de ziariști

foarte cunoscuți. Petru Groza, numai zâmbete tot, îmi iese
înainte și spune, strângându-mi mâna:

— Întotdeauna șmecheri, liberalii ăștia. Ne trimit *o* zia-
ristă. Și frumoasă, pe deasupra. Domnișoară, luați loc lângă
mine. Vom prezida ședința împreună.

Petru Groza are un cap pătrat. Seamănă cu un țăran
îmbrăcat orășenește, care face eforturi disperate ca să pară
degajat. E unul dintre oamenii cei mai bogați din România,
dar principalul său titlu de glorie este o lună petrecută în
închisoare, de unde a ieșit grație intervenției lui Iuliu Maniu.
Dacă a întreținut relații cu comuniștii în timpul războiului,
a făcut-o mai ales ca să aibă avantaje personale și să-și mă-
rească averea. A profitat de persecutarea evreilor și de națio-
nalizarea proprietăților acestora: o bancă și o fabrică de
lichioruri au trecut astfel în contul său personal. Acesta a
fost rezultatul câtorva reuniuni ținute de comuniști în casa
lui în timpul războiului. Grație acestei „lupte pentru popor",
a devenit *persona grata* la Moscova. Nu e inteligent. Psiho-
logia clasică a parvenitului care, moștenind deodată o avere
uriașă, vrea să devină și un personaj celebru și să-și aibă
fotografia în ziare. Moscova i-a realizat visul, iar Groza își
exprimă recunoștința ascultând orbește ordine pe care nici
măcar nu încearcă să le înțeleagă.

Mă așez lângă el, enervată de vorbele lui de spirit pe care
nu le apreciez câtuși de puțin. Petru Groza continuă ședința
insultându-i pe Maniu și Brătianu. Restul, tot la fel; toți cei
care ocupă funcții în guvern și nu sunt comuniști primesc
astfel o mică porție de injurii clasice: fasciști, reacționari,
putregai burghez etc. Ajunge în sfârșit la subiectul conferinței:

— Transilvania nu ne va fi acordată decât în momentul
când România va avea un guvern democratic. La fel și
cobeligeranța.

Nicolae Carandino, directorul ziarului *Dreptatea*, intervine:

— Cobeligeranţa ne va fi acordată pentru efortul nostru militar. Am pierdut deja 65 000 de soldaţi în Transilvania. Transilvania ne aparţine, ştiţi asta, Excelenţă. Ştiţi şi că Transilvania ne-a fost luată de către Hitler în iulie 1940. Aţi uitat cumva acest lucru, Excelenţă?

Ziariştii aplaudă. Petru Groza roşeşte şi spune, râzând:

— Se vede că eşti mânzul preferat al lui Maniu. Vom vedea cine are dreptate. Pentru că, să ştiţi, domnilor, eu am un horoscop foarte bun. Am fost dăruit cu o nevastă bună, am fost dăruit cu copii buni, am fost dăruit cu o avere bună. Şi, privind cu subînţeles o fotografie plasată la vedere pe masă şi în care o celebră vedetă de music-hall îşi arată întreaga dantură: Şi nici în rest n-am de ce mă plânge.

Moment de stupoare generală. Directorii celor mai mari ziare din Bucureşti asistă la această conferinţă de presă. Cred că e pentru prima oară că aud şi văd un ministru de acest gen. Dar, imperturbabil, Petru Groza continuă să insulte reacţiunea. Avem cu toţii impresia că auzim citindu-se cu voce tare editorialul organului PC *Scânteia*. Petru Groza, după ce şi-a sfârşit de jucat rolul politic, ne pofteşte să luăm „un pahar cu vin". Trecem într-o sufragerie de cel mai autentic stil renascentist. „Paharul cu vin" atât de modest anunţat de Petru Groza s-a transformat în şampanie şi icre negre. Petru Groza ne face onorurile, încurajându-ne:

— Mai luaţi, mai luaţi. Mai este, să ştiţi.

Vine spre grupul în care mă aflu şi începe să ne povestească anecdote decoltate. Găsesc un motiv oarecare ca să-mi scuz plecarea, şi cobor scările. Mă încrucişez cu Miron Constantinescu, redactorul-şef al *Scânteii*, care îmi lansează, ironic:

— Liberalii s-au săturat.

— Cred și eu, într-o casă atât de proletară!

Respir în sfârșit aerul răcoros al nopții. Sunt împărțită între greață și pofta să râd. Mă întreb dacă individul acesta discută în același fel chestiunile grave care ajung în fața Consiliului de Miniștri. Petru Groza fiind prea prost ca să devină pitoresc, consider seara aceasta total pierdută.

Înapoiată acasă, redactez o notă anodină pentru ziar. Dacă aș scrie după inima mea, aș fi cenzurată de Comisia Aliată de Control. „Aliată, adică rusă", cum ar spune colegii mei de redacție.

*

Când sosesc în dimineața aceea la *Viitorul*, găsesc redacția întoarsă pe dos. Mihai Fărcășanu telefonează în dreapta și în stânga, Gheorghe discută cu niște muncitori, ușile se trântesc. Alerg la Fărcășanu, care îmi explică între două convorbiri telefonice ce s-a întâmplat.

Niște muncitori tipografi comuniști s-au transformat, cu de la sine putere, în cenzori și, cum unele articole nu le conveneau, au refuzat să le tipărească și au decis în ședința de noapte să suprime ziarul.

N-avem nici măcar timp să ne indignăm. Trebuie să ne grăbim. După o oră am reușit să găsim telefonic și prin biciclist destui tineri membri ai partidului care se pricep la tipografie. Vin la ziar alergând. După încă o oră, cele două încăperi ale redacției sunt pline de voluntari. Cobor cu ei toți la subsol, unde își împart lucrul.

Nu venisem decât pentru o jumătate de oră și am rămas acolo două ore. Plec alergând la Interne, făgăduindu-le să mă întorc să petrec noaptea lângă ei ca să le dau o mână de ajutor.

*

A doua zi *Viitorul* este tipărit, și asist la plecarea echipelor de voluntari care îi asigură distribuirea. Răsuflu ușurată ca după o noapte de luptă. Mă prăbușesc pe un scaun, dar mă scol imediat ca împinsă de un arc. Trebuie să fiu la opt la Interne. Alerg acolo, și beau cafea după cafea, în timp ce telefoanele sună la intervale regulate, fixez automat audiențe și îmi arborez veșnicul zâmbet pentru a-l primi pe „tovarășul ministru" Teohari Georgescu, care, ca întotdeauna, mă privește pieziș cerându-mi să intre la general.

*

Luni, 12 februarie, sosesc la birou foarte obosită. Contam pe duminica din ajun ca să recuperez din forțe, dar, duminică, am fost ocupată toată ziua cu discursul pe care l-a ținut generalul Rădescu în sala cinematografului Aro. Ședința trebuia să aibă loc la cinematograful Scala. Dar comuniștii, deciși să împiedice prin toate mijloacele acest discurs, angajaseră niște indivizi pe două mii de lei de căciulă, plus banii pentru biletul de cinema, la ultima reprezentație de seară. Și, la închiderea sălii, spectatorii, în loc să iasă, rămăseseră pe loc. Pur și simplu. Către miezul nopții, un camion purtând inscripția „Apărarea patriotică" oprise în fața cinematografului. Câțiva voluntari descărcaseră alimente, iar responsabilii le distribuiseră în sală „pentru noapte". Avertizată, poliția îi lăsase să doarmă liniștiți în sala unde trebuia să vorbească a doua zi prim-ministrul. Și la ora discursului, generalul Rădescu a vorbit în sala Aro, la câteva sute de metri distanță de Scala. Cei care veniseră să îl asculte nu au avut de făcut decât câțiva pași în plus. Astfel l-au putut asculta pe prim-ministru făcând bilanțul a două luni de guvernare. Bine jucat.

Corespondenții de presă străini care se duseseră în prima sală își începeau articolele în termenii aceștia:

„Într-o atmosferă irespirabilă, circa o mie de oameni beau necontenit țuică. Responsabilii se urcau pe fotolii strigând: «Hei, tovarășe, ai avut destulă pâine?»"

Biroul meu este încărcat de ziare și, cum generalul nu a sosit încă, încep să redactez buletinul de presă pentru el. Presa comunistă atacă violent pe Rădescu și discursul său. Trec peste asta. Argumentele arhicunoscute. Citesc comunicatele și rezum:

„În munții Tatra, trupele românești avansează."

Telefonul. Un director de ziar. Vrea să știe dacă nu e nimic nou în legătură cu cobeligeranța. Nu, nimic. Chestiunea asta ne obsedează pe toți. Chiar astăzi, trei articole lungi în *Dreptatea, Viitorul* și *Scânteia*.

Dreptatea scrie:

Ne-am luat niște angajamente și le vom ține. Cu prețul tuturor sacrificiilor, al oricâtor eforturi. Să ni se recunoască strădaniile și să se aprecieze ce facem ca să ne îndeplinim obligațiile luate. Să i se ofere României și curajosului ei popor calitatea de cobeligerant. Unei țări al cărei efort de război a fost apreciat ca al patrulea după cel al Statelor Unite, al Rusiei și al Marii Britanii, unei țări care a rupt prima cu puterile Axei, unei țări care a contribuit astfel la răsturnarea situației în Bulgaria și în Finlanda, unei țări care a însoțit brava și glorioasa Armată Roșie în cea mai mare ofensivă cunoscută până în prezent în actualul război...

Același ton în *Viitorul*:

A recunoaște României statutul de cobeligerant echivalează cu un sprijin moral dat la momentul oportun poporului nostru, ale cărui lupte aduc servicii cauzei aliate. Avem încredere în spiritul de echitate al Aliaților și sperăm că la conferința iminentă a celor trei mari puteri această revendicare justă a României va fi examinată și va primi rezolvarea pe care o merită.

Evident, *Scânteia* nu este de aceeași părere. Îi cunosc de altfel opinia, de vreme ce am auzit-o exprimată de Petru Groza în persoană zilele trecute. Parcurg totuși editorialul. *Oare România respectă actualmente condițiile armistițiului? Desigur că nu. Dacă, în ceea ce privește lupta armată, poporul se sacrifică fiind prezent pe liniile de foc și în uzinele care lucrează pentru război, nu s-a făcut aproape nimic în ceea ce privește opera de democratizare, fiindcă reacțiunea creează necontenit obstacole pretutindeni...*

Șeful de cabinet al lui Teohari Georgescu mă întrerupe ca să-mi spună că „tovarășul ministru" al său vrea să fie primit imediat de general. Îi promit să îl anunț de îndată ce va fi venit generalul și mă apuc din nou de buletin.

Generalul vine în sfârșit și, prezentându-i hârtii la semnat, îi spun că Teohari Georgescu vrea să-l vadă.

— N-are decât să vină.

Telefonez și, cinci minute mai târziu, Teohari Georgescu intră. Îl văd regulat de o lună, dar nu știu de ce astăzi îl observ mai atent: e mic, chel, cu ceva unduios și, totodată, insolent. Nu se mai oprește, ca în celelalte zile, ca să-mi vorbească despre marea lui generozitate, de care de altfel nu o dă nici o dovadă. Astăzi, pare grăbit. Îl introduc în biroul generalului. Teohari Georgescu îl salută într-un fel care îmi amintește de un acordeon de hârtie care s-ar dezumfla brusc. Prevăd o audiență furtunoasă, pentru că, în afară de afacerea cu cinematograful Scala ocupat ieri de comuniști, a dat din nou ordine care contracarează deciziile ultimului Consiliu de Miniștri.

Și când, după o jumătate de oră, Teohari Georgescu iese din încăperea alăturată, este roșu și încă și mai încovoiat ca la sosire. Îi zâmbește în trecere lui Gheorghiu-Dej, „tovarășul ministru" de la Comunicații, care așteaptă la rând în biroul meu. Gheorghiu-Dej are ochi inteligenți și o față deschisă. În Moldova, Ana Toma spunea vorbind de el pe un ton extaziat: „E atât de frumos!"

Intră la rândul său la general, îi fac în zadar semn să-și stingă țigara: generalul e suferind și nu suportă fumul. Gheorghiu-Dej se preface, ca întotdeauna, că nu înțelege. Poate că e felul său de a se răzbuna pentru faptul că generalul sfârșește mereu prin a-i impune.

Și, în timp ce audiența începe alături, încerc să-mi închei buletinul de presă.

*

Două zile mai târziu, un telefon de la Mihai Fărcășanu îmi aduce la cunoștință că incidentul cu muncitorii s-a închis. Și, cum mă mir:

— Au venit azi dimineață și mi-au explicat că salariile sunt prea mici și că din cauza asta nu au mai tipărit ziarul.

— Dar ăsta-i un pretext! N-au pomenit niciodată de salariu în momentul când au decis suprimarea ziarului. De altfel, salariile lor erau calculate după baremul în vigoare în toate tipografiile.

— Tocmai, e un pretext. Invocat acum, la o săptămână după încetarea lucrului. Dar am profitat de el. Le-am mărit salariile. Au fost foarte decepționați. Înțelegi?

— Desigur.

Sigur că înțeleg, înțeleg tot. Și punerea în scenă de la Scala, și manevrele lui Bodnăraș în Moldova, și metodele echipelor de șoc comuniste, și politica dusă de Comitetul Central al PC. Numai că, pentru prima oară, simt că lupta e inegală: de-o parte ei, sprijiniți de URSS, ei, care au muniții,

arme şi Armata Roşie la dispoziţie; de cealaltă parte noi,
fără arme, fără muniţii, fără soldaţi în ţară, cu mâinile goale
şi voinţa noastră de a trăi, de a supravieţui. Nu ştiu de ce,
mă simt dintr-odată foarte obosită.

Din nou telefonul. Şi când să-l anunţ pe Lucreţiu Pătrăş-
canu la general, ridic din umeri, era să uit: e aici, lângă noi.
Revenind, îl rog cu o voce fermă pe Lucreţiu Pătrăşcanu să
vină imediat: generalul îl aşteaptă.

*

Sunt obligată să-l însoţesc pe general la toate recepţiile
oficiale şi, când nu se poate duce la vreuna din ele, să-l
reprezint cu cabinetul său. De fiecare dată mă întorc
deprimată şi scârbită de atmosfera încordată şi falsă. În
spatele fiecărui cuvânt, în spatele fiecărui zâmbet al ofiţerilor
sovietici sau al membrilor marcanţi ai PC, simţim foarte
bine lovitura de pumnal. În umbră, ceva se urzeşte. Iar noi,
la rândul nostru, trebuie să încasăm, să părem degajaţi,
amicali. Acest mic joc nu înşală pe nimeni, dar trebuie jucat.
Exigenţele meseriei.

Astăzi, îl însoţesc pe general la recepţia dată de ambasada
sovietică. Este prezent Vinogradov. Înaintează spre general
şi îi strânge mâna călduros. Interpretul e lângă el şi aud
traducerea: „Generalul Vinogradov îl felicită din toată inima
pe generalul Rădescu pentru modul cum conduce ţara".

Mă îndepărtez şi mă îndrept spre celălalt capăt al sălii,
unde Mihai Fărcăşanu îmi face semn. Trec pe lângă un grup
pe care îl vedeam din spate: Bodnăraş şi Ana Toma înconju-
rând-o pe Ana Pauker. Ana Toma stă dreaptă şi ţeapănă,
iar Bodnăraş aproape că dă onorul. Doi copii care merg în
vizită însoţiţi de o guvernantă ursuză de care se tem nu s-ar
purta altfel. După ce am trecut, Bodnăraş se apleacă spre

Ana Pauker și îi murmură ceva la ureche. Ea privește acum spre mine. Îngerul păzitor al Anei Toma pare destul de mânios pentru un apostol. Ajung în sfârșit lângă Fărcășanu. În spatele nostru, Petru Groza îl prezintă pe René de Weck, ambasadorul Elveției, unui general rus, însoțit de inevitabilul interpret.

— Domnul René de Weck, ambasadorul Elveției, spune Petru Groza.

Ofițerul rus nu are aerul să înțeleagă.

— Ce țară?

Imperturbabil, René de Weck îi răspunde:

— Elveția. Trebuie să o cunoașteți. E țara ceasurilor.

Din fericire, sunt întoarsă cu spatele și pot să râd după pofta inimii. Mihai Fărcășanu însă e mai prost plasat; face câteva grimase și își ia un aer distrat. Îmi spune:

— Bodnăraș și Ana Toma par să vină spre noi. Mă duc!

Și dispare. Mă întorc și văd că Ana Pauker nu mai e în sală. Acum, Bodnăraș îmi zâmbește și Ana Toma îmi întinde mâna.

— Ați avansat, va să zică, îmi lansează Bodnăraș. V-am spus că o s-o sfârșiți foarte rău.

Râd fără să răspund.

— Ba nu, ba nu, intervine Ana Toma. Să nu ne pierdem speranța. Nu vii într-o zi pe la mine? Am putea vorbi liniștite.

Nu a renunțat să mă îndoctrineze. Și cum tot nu spun nimic:

— Să-ți dau adresa mea.

Dar, înainte să fi avut timp să o facă, suntem anunțați că începe filmul. Distracția continuă. Îmi iau rămas bun de la cei doi „tovarăși" și găsesc un loc în sală alături de directorul de cabinet. Începe un film „cultural": un documentar în care niște șerpi uriași înfulecă lacomi iepuri de casă și minuscule insecte.

Să fie un simbol? Lipsă de tact sau pur și simplu răspuns la ultimele documentare prezentate la misiunea britanică, documentare în care cuvântul „libertate" era cam prea mult repetat? În orice caz, avertismentul mi se pare abia deghizat.

Revenim în saloane. Șampania curge în valuri; hapul trebuie îndulcit!

Viitorul a fost suprimat prin decizia Comisiei Aliate de Control, „Aliată, adică rusă".

*

Recepțiile oficiale nu reușesc să ne abată atenția de la dramele care se desfășoară tot mai numeroase sub ochii noștri.

Ultima dintre ele este deportarea cetățenilor români de origine germană în lagărele de muncă din URSS Asistăm, neputincioși; de astă dată, nimeni nu are nici o putere. Decizia este luată și executată direct de către ruși, care nu acceptă nici intervenții, nici reclamații. Operația e condusă de NKVD.

Soldații români continuă să cadă în munții Tatra. Armata Română este încă o dată citată pe ordinul de zi al mareșalului Stalin, dar cobeligeranța nu ne-a fost încă acordată. Sperăm toți că ne va fi acordată la conferința de la Ialta! Dar conferința de la Ialta s-a încheiat la 11 februarie și nu cunoaștem concluziile ei.

Și astfel ne apropiem de sfârșitul lunii februarie 1945.

VI

Intrând în biroul generalului, în dimineața de 23 februarie, mai am încă prezente în minte frazele prin care Radio Moscova l-a atacat în emisiunea din ajun „în numele poporului român".

Generalul nu a venit încă. Pun pe masa lui de lucru cheile de la biroul lui Teohari Georgescu. Pentru a preveni anarhia totală, subsecretariatele de stat au fost dizolvate, printr-o decizie a Consiliului de Miniştri. Trecuseră de atunci zece zile, şi Teohari Georgescu continua totuşi să vină la birou, să fixeze audienţe, să dea ordine, ca şi cum nimic nu s-ar fi întâmplat. Generalul îmi ceruse deci să închid biroul lui Teohari Georgescu. Şeful lui de cabinet citeşte liniştit ziarele de dimineaţă. Îl rog să iasă şi să-şi ia ziarele. Trebuie să închid odaia cu cheia. În loc să-mi răspundă, începe să citească pe un ton ameninţător un articol apărut pe prima pagină a *Scânteii*.

— Ascultă. Asta o să te facă poate să mai reflectezi. *„Telegramă trimisă de Teohari Georgescu prefecţilor şi primarilor din ţară: «Conform deciziei luate de consiliul Frontului Naţional Democratic, sunt şi rămân pe postul care mi s-a încredinţat. Atrag în mod special atenţia dumneavoastră asupra următorului fapt: nu trebuie să executaţi ordinele date de generalul Rădescu şi îndreptate împotriva poporului. Prin atitudinea sa de dictator, generalul Rădescu s-a dovedit a fi duşmanul poporului»."*

— De ce îmi citeşti comunicatul acesta? Nu dovedeşte decât ceea ce ştim deja: că Teohari Georgescu se opune deciziilor Consiliului de Miniştri. De când Frontul Naţional Democratic, care nu este decât o organizaţie politică, are puterea să menţină miniştri?

— De la armistiţiu.

— Scuză-mă, dar asta e fals. Regele i-a acordat generalului Rădescu mandatul să constituie guvernul. Acest guvern există în mod legal, şi numai el poate să ia dispoziţii legale.

— Rădescu e duşmanul poporului.

— Asta-i părerea dumitale, și ea nu e împărtășită. În orice caz, Rădescu nu și-a prezentat regelui demisia. El este șeful guvernului.

— Va fi demis.

— Prima noutate. De la cine știi? Până atunci, părăsește, te rog, încăperea asta. Am primit ordin să o încui pentru a împiedica pe șeful dumitale de a se acoperi de ridicol.

Șeful de cabinet se scoală, palid. Flutură *Pravda*.

— N-ai citit *Pravda*? Evident, nu știi rusește. Am să-ți traduc eu: „Generalul Rădescu s-a demascat la conferința de la Aro. Este un antidemocrat".

— Dar Scala? Și faptul de a fi pus să se ocupe sala de către comuniști? Este un procedeu democratic, poate?

— Știi că avem mijloacele să deschidem ușa pe care o închizi dumneata astăzi.

— Să forțați ușa, vrei să spui. Dacă Teohari Georgescu vrea să recupereze cheile, n-are decât să se ducă să i le ceară generalului. Vor fi pe biroul său.

Șeful de cabinet vine spre mine, se oprește la un pas distanță și spune cu un ton devenit brusc mai scăzut și amenințător:

— Ești într-adevăr prea imprudentă, domnișoară.

— Cred că dumneata ești mai mult decât mine.

Se înclină ușor și îmi spune, cu vocea lui de toate zilele:

— La revedere, domnișoară. Pe mâine.

— Mâine nu vei mai fi aici.

— Tocmai. Sper să te văd la prânzul de gală de la Cercul Militar. Și, insistând: Prânzul acesta e oferit guvernului de către Comisia Aliată de Control.

— Știu, dar nu văd de ce ai veni și dumneata: Teohari Georgescu nu mai face parte din guvern.

A ajuns acum pe pragul ușii și mă privește îndelung:

— Pe mâine, deci, domnișoară. La Cercul Militar.

Când îi povestesc scena generalului, îmi răspunde:

— Se vor duce probabil. În ce mă privește, nu voi merge.

*

A doua zi, îndreptându-mă spre minister, văd tramvaiele acoperite de afișe: „Moarte lui Rădescu", „Moarte lui Fărcă- șanu", „Cerem arestarea lui Rădescu", „Jos guvernul", „Tră- iască URSS", „Trăiască glorioasa Armată Roșie".

Și această Armată Roșie care vine mereu să amintească la capătul afișului că lozincile nu sunt lipsite de temei.

Astăzi, tancurile sovietice parcurg orașul. 24 februarie este de altfel ziua Armatei Roșii.

Sosesc la minister. Generalul este suferind, și primesc ordin să suspend toate audiențele. Radu Ionescu, șeful Serviciului Secret, intră în odaie și îmi spune foarte calm:

— Am comandat sandvișuri pentru toată lumea. Și ceai.

Pe urmă, fără să adauge un cuvânt, intră la general. Sunt atât de mirată, încât o clipă nici nu răspund la telefonul care sună. Și, când ridic receptorul, aud vocea lui Gheorghiu-Dej.

— Vreau să vorbesc cu prim-ministrul.

— Îmi pare rău, dar nu-i posibil. Prim-ministrul este suferind.

— Dar trebuie să vină la prânzul de la Cercul Militar.

— Din păcate, nu va putea veni. Medicul îi interzice orice deplasare. Știți de altfel că de câteva zile locuiește în minister.

— Nu mă interesează. Trebuie să vină la dejun.

De când s-a înapoiat de la Moscova, Gheorghiu-Dej are o voce foarte sigură. Îl scuz încă o dată pe general și închid tocmai în momentul când intră Petru Groza, cu bastonul în mână.

— Trec să-l iau pe prim-ministrul pentru dejunul de la Cercul Militar. Cum se îmbracă? Militar sau civil?

— În haină de casă. E bolnav.

— Nu-i pe moarte, sper? spune zâmbind Petru Groza.

— O simplă gripă.

— Trebuie să-l văd neapărat.

— Nu va putea să vă însoțească.

— Între noi fie vorba, aș prefera să mă însoțești dumneata, frumoaso.

Pentru Petru Groza, toate femeile sunt „frumoase". Caut să-mi stăpânesc enervarea.

— Vă mulțumesc, Excelență. Sunt de serviciu astăzi.

— Eu, dacă aș fi femeie, n-aș lucra atâta.

Îi amintesc una dintre frazele clasice din discursurile lui: „Femeia trebuie să fie în câmpul muncii".

— Da, dar dumneata, dacă nu mă anunți la general, nu ești decât o sabotoare.

— Nu fac altceva decât să execut ordinele șefului meu, Excelență.

— E ultimul dumitale cuvânt?

Lui Petru Groza îi plac frazele definitive.

— Da, Excelență.

Răsuflu ușurată. A ieșit trântind ușa.

*

Radu Ionescu îmi întinde o țigară. A ieșit din camera alăturată și vorbește fără să se uite la mine.

— Fumezi? Tocmai i-am spus generalului că am atâția agenți benevoli, încât voi fi în curând obligat să-mi concediez personalul.

— Noii înscriși în PC sub presiunea sindicatelor?

— Da.

Trage un fum, după care, brusc, îşi striveşte ţigara în scrumieră.

— Comuniştii au primit ordin să atace Ministerul de Interne astăzi.

— Ce spune generalul?

Nu izbutesc să-mi domin tremuratul vocii.

— E foarte calm. Nimic nou pe aici?

— A telefonat Gheorghiu-Dej, iar Petru Groza tocmai a plecat. Voiau neapărat să-l ia pe general la dejunul oficial.

— Te-ai întrebat de ce *dejun* şi nu cină?

Ridic din umeri. Evit cât pot să vorbesc. Vocea îmi tremură prea tare.

— Comuniştii au ordin să atace imediat. Imediat, adică la câteva ore după dejun. Evident că era mai bine pentru ei ca generalul să nu fie la Interne în momentul acela. Ceea ce explică deplasarea lui Petru Groza în persoană.

Şi, văzând că tac:

— Vino să iei un sandviş.

— Nu.

— Ba da, o să ai nevoie. Ai să găseşti şi ceai în sala mare de audienţe.

N-am timp să-i răspund. Telefonul. Îi trece receptorul lui Radu Ionescu. Colonelul care asigură legătura dintre guvern şi Comisia Aliată de Control telefonează de la Cercul Militar ca să întrebe dacă generalul a plecat de la Interne.

— Generalul e bolnav. Nu va veni.

Şi Radu Ionescu conchide:

— N-o să mai avem mult de aşteptat. Du-te să-ţi iei un sandviş şi vino imediat înapoi.

*

Înapoi în birou. N-am timp decât să înghit o ceaşcă de ceai, privind pe fereastră camioanele încărcate cu manifestanţi care defilează prin Piaţa Palatului. Pe camioane, imense afişe roşii cu portretele lui Stalin şi ale Anei Pauker.

Un coleg a intrat în fugă în sala cea mare şi m-a chemat.

— Repede, repede, în biroul dumitale.

Am urcat scările în goană şi sosesc, cu sufletul la gură. Directorul de cabinet îmi întinde receptorul.

— Primeşte dumneata mai departe comunicările. Toate prefecturile din ţară sunt atacate. Avertizează-l succesiv pe general. Mă duc la cabinetul militar.

Abia a ieşit, că sună iar telefonul.

— Aici Craiova. Prefectura e atacată.

Se întrerupe. Vreau să dau fuga să-l anunţ pe general. Sună din nou.

— Prefectura din Focşani. Se trage asupra noastră.

Iar se întrerupe. Intru alergând la general. Este în picioare şi priveşte pe fereastră. Se întoarce spre mine:

— Ce e?

— Craiova, Focşanii. Sunt...

Generalul îmi lansează:

— La pământ! Aruncă-te la pământ!

Două ferestre sunt sparte. Gloanţele s-au înfipt în perete. Generalul stă tot în picioare. Vocea comandantului corpului de gardă care a intrat în încăpere este acoperită de vacarmul de afară. Biroul generalului este brusc invadat. Toată lumea aleargă. Telefonul sună întruna. Mă scol ca să mă duc să răspund. Fac doi paşi. Alt zgomot de sticlă spartă.

— La pământ!

Am ajuns în fine la telefon, dar abia aud. Afară mulţimea vociferează.

— Prefectura Brăilei. Suntem atacaţi.

De alături disting vocea comandantului corpului de gardă.

— Domnule general, echipe de șoc încearcă să ia cu asalt intrarea din strada Wilson.

— Ordonă gărzii să nu tragă. Repede.

Telefonul:

— Prefectul din Roman. Se trage asupra noastră.

Dau fuga la general. Comandantul gărzii, care iese și el alergând, mă îmbrâncește, și mă sprijin de ușă ca să nu cad.

Deodată, o detunătură ne încremenește pe toți. Îl aud pentru prima oară pe general strigând:

— Cine a dat corpului de gardă ordin să tragă?

Comandantul a revenit:

— Nimeni, domnule general. Soldații din gardă s-au întors de curând de pe front. Știu că au dreptul să se apere când sunt atacați.

— Aici nu suntem pe front!

Vocea șefului de cabinet militar precedă intrarea sa:

— Domnule general, armele erau încărcate cu gloanțe oarbe.

În biroul meu, unul dintre colegii de cabinet leșină.

— Medicul e la etajul întâi, îmi aruncă Radu Ionescu.

Mă duc după el și mă lovesc pe culoar de trei ruși în uniformă. Vorbesc toți trei românește și strigă care mai de care:

— Ați tras în popor!

Le răspund, calmată brusc:

— Veți obține toate informațiile la cabinetul militar. Poftiți pe aici.

Și mă întorc, renunțând să-l mai caut pe medic. Colegul meu e tot pe jos! Cineva îi aruncă apă pe obraz. Rușii continuă să urle pe românește. Șeful de cabinet militar îi conduce la general. Plec din nou după medic. Când revenim în odaie, colegul meu nu și-a revenit încă.

— Criză cardiacă, declară medicul.

În timp ce el se apleacă peste corpul instalat pe două scaune, intru la general. Rușii au plecat. Generalul discută cu Radu Ionescu. Se întrerupe o clipă ca să-mi spună:

— Puneți paltonul. E rece.

Prin geamurile sparte, aerul intră în valuri.

*

S-a înserat. De câtva timp, biroul este puțin mai calm, și am tocmai timp să-mi aprind o țigară, când aud un cântec urcând dinspre stradă. Mă reped la geam, urmată de toți cei care se află în birou. Deschidem larg fereastra, și cioburi de sticlă cad pe jos. Văd o masă nemișcată care intonează imnul național în Piața Palatului. În spatele meu, cineva reia refrenul. În dreapta mea, un coleg plânge. E o melodie, o simplă melodie, dar melodia asta ne ajută de câteva luni să ținem capul sus, să rezistăm în țara ocupată. Spațiul mare care se întinde de la grilajul Palatului Regal până la Ministerul de Interne este plin de bărbați și femei care nu au venit cu camioanele și nu poartă pancarte. Un strigăt puternic: „Trăiască regele", reluat în cor. Mi se pare că zăresc, agățat de grilaj, pe Mihai Fărcășanu și nelipsita sa haină de piele. Face un gest, pesemne că vorbește, fiindcă mulțimea nu mai strigă, nu mai cântă. Și din nou, într-un singur glas: „Trăiască Rădescu". În încăperea alăturată, generalul a deschis și el fereastra. Imnul național este reluat. Și deodată un automobil despică mulțimea, care se desparte în două valuri rapide. Aud răpăituri și țipete. Mașina trece din nou. Mitraliază mulțimea în dreapta și în stânga. Țipetele se întețesc. Nu mai văd mașina. Radu Ionescu lansează un ordin. Cineva strigă:

— Comuniștii trag în mulțime.

Generalul dă fuga pe culoar. Îl urmăm în pas alergător și ieșim și noi în Piață. Oamenii fug în dreapta și în stânga, înnebuniți. În mijlocul Pieței, generalul lansează niște ordine soldaților. Începem să ridicăm răniții și suntem curând înlocuiți de echipe sanitare. Ambulanțele transportă răniții: bărbați, femei și copii, care se opriseră o clipă pe stradă ca să cânte imnul național. Grupurile se încheagă din nou, tot mai dense. Ambulanța lângă care mă aflu este curând înconjurată de tineri ce privesc cu dinții încleștați răniții pe care echipele sanitare îi urcă pe tărgi. O femeie plânge. Alta leagănă un mort în brațe. Și, puțin câte puțin, cântecul se reia în toată piața. Tenace, dur, puternic.

Cineva mă apucă de mână.

— Vino, să mergem înapoi. Te căutam.

E directorul de cabinet. Cât timp am stat să cânt cu ei?

— Unde-i generalul?

— Tocmai a plecat și el.

*

Pe scară, mă încrucișez cu Radu Ionescu; mi-aruncă:

— Sus e o comisie rusească. Du-te repede. De astă dată, vor să te vadă pe dumneata.

Mi-arată un pachețel alb pe care îl ține în mână:

— Primele expertize realizate pe răniți. Gloanțe de calibru rusesc.

Coboară două trepte și se întoarce iar spre mine:

— Am identificat mașina. PC. Și mâine o să ne acuze că am vrut să masacrăm poporul.

Și, cum rămân împietrită pe scară:

— Haide, urcă odată! Rușii te așteaptă.

*

Rușii mă așteaptă, într-adevăr. Vor să mă duc la poliția rusească și să dau o declarație.

— În legătură cu ce?

— Dumneata ai încuiat birourile lui Teohari Georgescu?

— Da.

— Păi, în legătură cu asta.

Arunc o privire întrebătoare lui Gug Constantinescu, directorul relațiilor cu străinătatea, care așteaptă ca generalul să-i remită pentru Ministerul de Externe un decret semnat de rege. Îmi face semn să spun da.

— Voi merge mâine.

— De ce nu astă-seară?

— Sunt de serviciu.

— Trecem mâine să te luăm.

Și ies, în timp ce Gug Constantinescu murmură:

— Treceți, treceți. Cât despre dumneata, n-ai să te duci. Ai să faci declarația aici, pe loc, și ai să le-o dai. Te așteaptă generalul.

Când intru în birou, generalul scrie. Îmi cere să țin ușa lui închisă pentru toată lumea, fără excepție, și îmi dă instrucțiuni. Îmi întinde hârtia, pe care i-o duc lui Gug Constantinescu; acesta îmi spune, înainte de a pleca:

— Agitată zi, nu-i așa?

Dau la o parte de pe masa mea de lucru toate cererile rudelor celor deportați de origine germană. X e de cincizeci de ani în România; Y, de pe vremea... cavalerilor teutoni; Z nici măcar nu e de origine germană. Deportările continuă. În vagoane de vite închise, ca evreii, pe vremea nemților. Și încă, după trecerea primelor momente de furie, Antonescu a putut să stăvilească valul de deportări, și chiar să-l oprească. Dar acum!...

Telefonez la Radiodifuziune.

— Puteți să dispuneți de zece minute la radiojurnalul de seară, de la ora 10?

— Bineînţeles. Ce se întâmplă?

— Fiţi amabili şi trimiteţi o echipă de legătură şi un inginer de sunet la Interne. Prim-ministrul vrea să se adreseze ţării.

Intră directorul de cabinet:

— Te aşteaptă maşina. Du-te acasă şi încearcă să dormi puţin.

— Prefer să rămân aici.

— Nu-i vorba de ce preferi. La noapte va veghea o singură echipă, formată exclusiv din bărbaţi. Du-te să te odihneşti. Poate că vom avea nevoie de dumneata mai devreme decât crezi.

Îmi iau geanta şi paltonul şi cobor. În maşină, lângă Ivan, şoferul, un soldat înarmat.

S-o fi declarat stare de asediu?

*

În odaia mea e foarte frig. Pun radiatorul în priză, deschid radioul, îmi scot paltonul. În timp ce pun la fiert apa de ceai, aud cum se transmit marşuri militare. Cineva îmi bate în uşă. E Rodica, prietena cu care împart apartamentul, care m-a auzit venind şi vrea să afle ce s-a întâmplat. În timp ce îi povestesc ce am văzut, ea pregăteşte ceaiul. Când am ajuns în mijlocul povestirii, muzica militară se întrerupe şi este înlocuită de glasul crainicului. Tac. Jurnalul începe cu un comunicat al Marelui Stat Major.

În regiunea munţilor Tatra, trupele româneşti au ocupat cota 1225. Trupele germane au apărat cu îndârjire fiecare părticică de teren, şi au avut loc lupte sângeroase.

Tăcere. Vocea crainicului reia:

— Atenţiune, Atenţiune! nu părăsiţi postul. Peste câteva clipe prim-ministrul se va adresa ţării. Nu părăsiţi postul.

Ceaiul se răcește în cești. Dau să-mi aprind o țigară, și ard chibrit după chibrit fără să reușesc. Rodica se plimbă prin odaie. Mai auzim un „Nu părăsiți postul", pe urmă, imediat, vocea generalului.

„O mână de canalii devorate de ambiții, la ordinul a doi străini, Ana Pauker și ungurul Vasile Luca, încearcă să subjuge poporul român și, în acest scop, nu ezită să folosească armele teroarei.

Dar, în trecut, națiunea noastră a știut întotdeauna să-și apere cu îndârjire existența. Nu se va lăsa doborâtă acum de o mână de lași."

Rodica a venit lângă mine. Murmură:

— În sfârșit, îndrăznește. Cineva îndrăznește să le spună adevărul!

Îi fac semn să tacă.

„Se pretind democrați, și calcă necontenit democrația în picioare. Vor să asasineze țara. Pe tot teritoriul nostru, crimele lor sunt nenumărate. Voi avea în curând prilejul să vă vorbesc în amănunt. Astă-seară voi expune doar ce s-a întâmplat astăzi chiar, pentru a zădărnici toate mârșăviile pe care încearcă să le impute poporului și mie însumi, ca să-și camufleze mai bine crimele.

La Craiova, au atacat prefectura…"

Rodica s-a așezat acum lângă mine. O cuprind pe după umeri. Telefoanele care mi-au punctat toată ziua îmi răsună încă în urechi: „Aici Craiova, aici Roman, aici Focșani…"

„În fine, în capitală, crimele lor sunt și mai grave.

Au tras asupra Palatului Regal, și două gloanțe au pătruns în biroul mareșalului Palatului.

Au tras asupra prefecturii de Poliție.

Au atacat Ministerul de Interne, unde mă aflam, un glonte spărgând fereastra și pătrunzând în cabinetul meu de lucru.

Acum trei sferturi de oră, cetățeni care manifestau pentru rege în fața Palatului Regal au fost mitraliați dintr-un automobil.

Sunt doi morți și unsprezece răniți.

Iată rezumatul faptelor care s-au petrecut chiar azi.

Indivizii care s-au făcut vinovați de aceste crime nici nu îndrăznesc măcar să-și asume responsabilitatea și încearcă să o arunce asupra armatei, care chipurile i-ar fi provocat.

Afirm că acest lucru e fals. Armata a primit ordinul meu cel mai categoric să nu atace, și l-a executat.

Mai mult: armata a primit ordinul categoric să nu se apere decât dacă va fi direct atacată. În acest caz, armata a tras doar în aer.

Aș fi vrut să împiedic și asta.

Sufletul negru al celor fără Dumnezeu și fără patrie nu a șovăit să se încarce cu aceste păcate.

Iată faptele, iată oamenii care le-au săvârșit.

Trebuie să ne ridicăm cu toții, ca un singur om, spre a face față pericolului.

Eu și, alături de mine, armata ne vom face datoria până la capăt.

În ce vă privește, rămâneți toți la posturile voastre."

Rodica sare în sus, gesticulează, vorbește fără încetare.

— De luni de zile așteptăm ca cineva să spună asta. Suntem libcri, nu-i așa că suntem liberi, acum?

Plânge încontinuu.

Telefonul: directorul de cabinet.

— Ai ascultat?

Îi fac semn Rodicăi să nu se mai agite și, mai ales, să tacă.

— Da, aș fi vrut să fiu lângă voi toți.

— A fost mai tare decât ne așteptam. Pregătește tot ce ai ca pulovere, ciorapi și mănuși de lână.

— De ce?

— În timp ce vorbea generalul, adjutantul lui Bogdenko a anunțat că șeful lui vrea să-l vadă pe generalul Rădescu.

— Ei și?

— Cum, ei și? Bogdenko e și mai tare decât Vinogradov. Ți-am spus: pregătește-ți lucruri călduroase pentru Siberia.

— Nostim.

— Nu prea. Ca să vorbim serios, refă-ți puterile. Vei avea nevoie. Nu-i decât începutul, și e deja foarte grav.

— Generalul se duce la Bogdenko?

— Sigur. Nu-l cunoști?

— Cum e în momentul ăsta?

— Calm. Trebuie să închid. Noapte bună. Culcă-te imediat.

Pun receptorul la loc, și Rodica vine repede lângă mine:

— Internele?

— Da.

— Ce se întâmplă?

— Nimic altceva decât ce ai auzit în discurs. Aș vrea să dorm.

Iese, iar eu iau un somnifer cu puțin ceai rece.

*

Sunt buimacă și nu știu ce oră poate să fie. Lângă pat, telefonul sună desigur de mult.

Ridic receptorul.

— În fine. Credeam că n-ai să-mi mai răspunzi!

Recunosc vocea directorului de cabinet.

— În zece minute, mașina te va aștepta jos. Trebuie să vii imediat.

— Ce s-a întâmplat cu Bogdenko?

— L-a întrebat pe general de ce a atacat-o pe Ana Pauker, care e general în Armata Roşie. În fine, am să-ţi povestesc când vom avea mai mult timp. Vino repede! Aşteptăm încă o comisie.

Mă îmbrac, renunţ să mă mai pieptăn, îmi iau poşeta şi cobor scara alergând. Ivan mă aşteaptă jos. Mă uit la ceas: şase dimineaţa.

— Domnul director mi-a dat ziarele ca să le citiţi în maşină. Ştiţi, domnişoară, că n-au dat voie ziarelor să publice discursul generalului?

Şi începe să înjure. Îl potolesc şi urc în maşină. Bancheta din spate este efectiv plină de ziare. Pe drum, deschid ziarul comunist *România liberă*. Cu titluri mari:

Evenimentele din România. Opinia publică sovietică nu poate asista nepăsătoare la lupta dintre elementele democratice şi elementele fasciste din România. Nu este numai o chestiune de politică internă românească.

Încearcă, evident, să pregătească intervenţia sovietică. Până unde vor merge? Sub titluri cu litere roşii groase, o caricatură îl reprezintă pe Rădescu privindu-se în oglindă şi încercând un salut fascist. În spatele lui, portretele lui Hitler şi Mussolini, pe care îi ia drept modele. Cu două zile în urmă, în acelaşi ziar, aceleaşi litere groase anunţau deja:

Un rechizitoriu sovietic la adresa lui Iuliu Maniu. Programul FND şi rolul clicii reacţionare a guvernului Rădescu.

Ajungem la minister. Portarul îmi spune, deschizând uşa:

— Ce duminică, domnişoară! Ministerul e plin de comisii şi subcomisii aliate.

În biroul meu sunt instalaţi doi reprezentanţi ai misiunii britanice şi doi reprezentanţi ai misiunii americane. Îi poftesc să mă urmeze şi îi conduc prin toate birourile ca să le arăt zidurile ciuruite de gloanţe şi geamurile sparte. Par înmărmuriţi.

— Dar de unde s-a tras?

— Dintr-unul din apartamentele imobilului de peste drum. Apartamentul e ocupat de un ofiţer sovietic. Emil Bodnăraş îl vizita deseori. De vreo trei ori pe săptămână, de preferinţă seara.

Tac. Nu vor să-şi manifeste indignarea. Rusia e aliata lor. Se vor transmite probabil rapoarte la Londra şi Washington.

Coborâm acum în Piaţa Palatului. Le arăt petele de sânge şi le povestesc scena de asearã.

— E o democraţie de tip nou. Ce părere aveţi?

— Nu s-a tras de la Interne asupra manifestanţilor?

— Am fost atacaţi, şi comuniştii au forţat intrarea din strada Wilson. Gărzile au tras cu gloanţe oarbe.

— Au fost totuşi câţiva răniţi?

— În învălmăşeală, da. N-au fost răniţi de gloanţe. Suntem de altfel primii care regretăm aceste răniri. Oare trebuia să lăsăm ca ministerul să fie ocupat de comunişti?

Tac. Reiau:

— De altfel, aceste câteva victime vor fi scoase la vedere de către presa comunistă, care desigur nu va spune nici un cuvânt despre celelalte victime ucise de ei în Piaţa Palatului. Aţi văzut rezultatul expertizei făcute asupra răniţilor şi calibrul gloanţelor?

Unul dintre englezi îmi spune:

— Azi dimineaţă, Radio Moscova l-a numit pe general „călăul din Piaţa Palatului".

— Atunci epitetul va fi reluat mâine de presa comunistă şi transformat în lozincă.

Şi cum el dă din cap:

— Cunoașteți rezultatul conferinței de la Ialta?

Tăcere. Continui:

— Dacă vreți să mă urmați, am să vă conduc la general.

Generalul stă așezat la masa de lucru. Are fața trasă. Toată noaptea nu a făcut altceva decât să primească una după alta comisii aliate. În timp ce audiența are loc în încăperea alăturată, Radu Ionescu îmi întinde buletinele de la radio.

— Habar n-ai că tot ce-ai văzut ieri n-a fost decât un vis. Ascultă emisiunea Moscovei. Ai să vezi cum s-au petrecut lucrurile de fapt.

Și citesc:

În cursul după-amiezii, unitățile militare române masate în Ministerul de Interne au deschis focul și au tras asupra manifestanților pașnici.

— Ce unități militare române?

Radu Ionescu mă privește zâmbind:

— Asta aș vrea să știu și eu. Garda e compusă din circa o sută de oameni. Dar ascultă, nu e tot! Mai citește și asta:

Din ordinul comandantului sovietic, toți soldații și ofițerii români care se aflau pe teritoriul românesc au fost dezarmați.

— Începând cu garda de la Palatul Regal. Trebuie să-l văd pe general ca să-l anunț. E singur?

— Nu. Comisiile americană și britanică.

— Poate că-i va interesa și pe ei. După cum merg lucrurile, dacă ei nu intervin... Vrei să mă anunți?

Rămasă singură, reîncep să citesc ziarele.

*

A doua zi, 26 februarie, titluri foarte groase în *România liberă*:

Criminalul Rădescu a răspuns prin rafale de mitralieră la manifestația pașnică a peste 60 000 de cetățeni antifasciști.

Rădescu a încercat să declanșeze războiul civil.
Călăii poporului trebuie pedepsiți.

*

România liberă din 27 februarie nici nu-și mai ascunde sursa de informații:

Focul contra manifestanților a încetat abia după intervenția Comisiei Aliate de Control, a anunțat Radio Moscova.

Comisia aliată se găsea la dejunul de la Cercul Militar în timpul întregii scene. Cum a putut să intervină?

În același ziar, cu caractere groase:

Noi dovezi copleșitoare împotriva călăului Rădescu. Masacrul a fost pregătit după metodele lui Göring. Complicitatea Maniu–Brătianu.

Rădescu răspunde prin asasinate Conferinței din Crimeea.

Cum a transformat Rădescu ministerele în fortărețe.

Și, sub o caricatură în care generalul este decorat de Hitler, din nou formula sacrosanctă:

Radio Moscova a anunțat aseară: Detalii asupra atitudinii provocatoare a lui Rădescu la 24 februarie.

La citirea titlului următor nu mă pot împiedica să nu râd:

Înscenarea lui Rădescu nu are corespondent în istorie decât incendierea Reichstag-ului.

Personal, nu am asistat la incendierea Reichstag-ului. Am văzut numai cum un automobil cenușiu al PC îi mitralia pe cei care îndrăzneau să cânte imnul național.

*

Tot în 27 februarie, m-am trezit în toiul nopții: un apel telefonic de la Interne.

— Îmbracă-te repede. Nu știi cine a venit la București...

Bâigui, încă buimacă de somn:

— Cine?

— Vîșinski în persoană.

Mă așez în pat. Brusc, mi-am regăsit toată luciditatea.

— Unde e?

— Ți-am mai spus: la București.

— Am înțeles. Dar unde e în clipa asta?

— A ieșit de la Palatul Regal. Vino repede. Vei asigura legătura cu Palatul. Mașina va fi la dumneata peste zece minute.

Abia am timp să-mi vâr capul sub un robinet cu apă înghețată. Vîșinski, procurorul proceselor de la Moscova... Pesemne că Kremlinul a luat hotărârea să acționeze mai repede decât credeam noi.

La minister mă așteaptă un impresionant ibric cu cafea și rapoartele. Radu Ionescu îmi spune, aprinzându-și țigara.

— Înghite repede cafeaua. Nu se mai pune problema să dormi câteva zile.

—Vîșinski a fost la rege?

— Sigur. S-a dus direct de la aeroport la Palat. Iată scena: de-o parte regele și ministrul Afacerilor Externe. De alta, Vîșinski și interpretul. Vîșinski cere schimbarea imediată a guvernului: Rădescu neloial față de Uniunea Sovietică și călău al poporului. Îi indică regelui lista viitorilor membri ai guvernului. Lista completă, înțelegi, adusă ca atare de la Moscova. În fruntea listei, Groza.

— Și regele?

— Refuză. Îi spune lui Vîșinski că cererea URSS va fi luată în considerare, dar declară că trebuie să se conformeze Constituției și să consulte șefii politici din țară. Să respecte procedeele parlamentare.

— Și Vîșinski?

— Iese, cerându-i să se grăbească.

— Reprezentanții misiunilor britanică și americană erau de față?

— Îți închipui că Moscova a prevenit Londra și Washingtonul înainte de a-l trimite pe Vîșinski? Tare mai ești naivă! Sau încă mai dormi. Moscova a vrut o lovitură de teatru.

— Ce-o să facă regele?

— De unde vrei să știu? Va încerca probabil să câștige timp, ca să permită Londrei și Washingtonului să intervină. Acum, te-ai trezit de-a binelea? Bun. Menține contactul cu Palatul.

— Mă duc să-l văd pe Mircea Ioanițiu.

— Du-te imediat.

*

Mircea Ioanițiu este secretarul particular al regelui. Îmi confirmă cuvânt cu cuvânt scena și pare să fie plin de speranță.

— Este imposibil ca anglo-americanii să accepte un amestec atât de total în treburile noastre interne. Acordul de la Ialta nu poate fi o simplă comedie.

Și, văzând că tac:

— Ar trebui să-ți pui paltonul. E frig.

Și arată geamurile sparte și urmele de gloanțe care decorează, ca și la Interne, pereții încăperii.

— I-am alertat pe Burton Berry și Morfbanks. Mâine Londra și Washingtonul vor fi la curent. Sper să-ți dau știri mai bune atunci.

— Ce spune regele?

— E dârz. Așteaptă, ca noi toți, reacția anglo-americană. Să ne păstrăm speranța. Pe mâine!

Revin alergând la Interne. Mă așez la birou, cu privirea ațintită pe telefon. În timp ce mă însoțea, Mircea Ioanițiu mi-a promis să mă sune de cum are vreo știre.

*

Chiar a doua zi, manifestaţiile reîncep. Comuniştii îi pun pe toţi funcţionarii de stat şi pe muncitori să coboare în stradă ca să urle: „Moarte lui Rădescu". Bineînţeles că toate manifestaţiile au loc în Piaţa Palatului. Peste tot afişe mari, peste tot aceleaşi pancarte.

Generalul îşi petrece timpul în convorbiri cu Maniu, Brătianu şi Titel Petrescu.

Ziarele îşi înteţesc atacurile. Dar nici un ziar nu informează populaţia asupra prezenţei lui Vîşinski la Bucureşti.

Fac naveta între Palat şi Interne. Nici o reacţie din partea anglo-americanilor. Mircea Ioaniţiu ridică din umeri:

— Burton Berry încearcă de două zile să-l vadă pe Vîşinski, care nu i-a dat nici un semn de viaţă şi rămâne invizibil. Nu chiar de tot invizibil, de altfel.

Deschide fereastra. Tancuri sovietice grele străbat Piaţa Palatului, precedând un batalion al Armatei Roşii care defilează în sunetele unei fanfare.

— Minunată regie. Intimidare în toată regula. Ce părere ai?

— Ştii bine că Armata Roşie a pus mâna pe mai multe clădiri-cheie din Bucureşti.

Revenind la Interne văd alte trei tancuri ruseşti postate pe una din străzile laterale.

N-am închis ochii de două zile şi adorm fără să vreau, cu capul pe masă, în biroul meu.

*

Campania de presă atinge acum isteria şi nu mai încearcă să camufleze nimic. *România liberă* din 1 martie anunţă în sfârşit sosirea la Bucureşti a lui Vîşinski. Pe aceeaşi pagină, alături de fotografia lui, cu titluri groase:

Guvernul Rădescu trebuie să demisioneze, a transmis ieri Radio Moscova.

Oare criminalul a fost demis din funcțiile sale?

Un apel telefonic de la Palatul Regal. Mircea Ioanițiu:

— Nimic de la anglo-americani.

Trei ore mai târziu, alt apel:

— Vino imediat.

Alerg la Palat. Ioanițiu mă întâmpină, palid.

— Tocmai a plecat Vîșinski de aici. Nu mai vrea să aștepte. I-a înmânat regelui lista noului guvern și a însoțit-o cu o lovitură de pumn în masă. Plecând, a trântit ușa atât de tare, că au căzut bucăți de tencuială. Vrea răspunsul înainte de sfârșitul serii.

Probabil că am pălit la rândul meu, fiindcă Ioanițiu îmi întinde un scaun.

— Stai jos.

— Nu, mă întorc la Interne.

— Îl așteptăm pe general la Palat.

Murmur:

— Va să zică, e sfârșitul?

— Mă tem că da. Anglo-americanii ne-au lăsat baltă.

*

Se înserează când generalul pleacă de la Palat. Ține în mână un lănțișor pe care regina Elena îl purta mereu la încheietura mâinii. În timp ce regele îi cerea să demisioneze, regina i-a întins ultimului apărător al monarhiei române lănțișorul.

Se joacă, dus pe gânduri, cu lanțul și îmi spune:

— Urcă în biroul dumitale și ia-ți toate lucrurile. Odihnește-te. Acum, ai să ai timp.

*

A doua zi, la 2 martie, *România liberă* poate în sfârşit să anunțe ştirea cea bună:
Călăul Rădescu a fost izgonit de la putere.

*

Suntem sechestrați timp de douăzeci şi şapte de ore în birourile noastre de la Interne. Directorul de cabinet este trimis în fața Curții Marțiale. Noi, ceilalți, primim autorizația să mergem acasă, unde trebuie să rămânem la dispoziția poliției pentru orice supliment de anchetă.

Generalul Rădescu se află la ambasada britanică.

*

La 6 martie, guvernul Groza este constituit. N-am nevoie să citesc numele celor care îl compun. Numele acestea se aflau deja pe lista depusă cu nouă zile în urmă de Vîşinski pe biroul regelui Mihai.

*

Mi-am reluat obiceiul de la Câmpulung şi mă trezesc în mijlocul nopții ca să ascult emisiunile de la BBC şi Vocea Americii.

Astăzi, Rodica a chemat nişte prieteni dintr-un apartament vecin, care nu au radio, ca să asculte emisiunea. Suntem şase adunați în jurul radioului.

BBC îşi lansează cele trei acorduri surde. Tăcem toți.

Un comunicat de război. Vocea crainicului anunță imediat după aceea lista guvernului român. Fără comentarii. Ba da, unul singur, la sfârşitul emisiunii. Transilvania de nord trece sub administrația românească prin decizia guvernului sovietic.

*

Pe străzile măturate de ploaie, sunt mai puţine mani-
festaţii. Vântul a smuls afişele de pe ziduri. Câteva zdrenţe
atârnă ici şi colo, jalnice. Nu mai citesc decât „Moarte lui…“.
În curând alte nume vor veni desigur să completeze formula.
Teohari Georgescu e ministru de Interne. Foştii mei colegi
de redacţie pe care îi întâlnesc la clubul liberal spun acum
pur şi simplu „Comisia Sovietică de Control“, „aliată, adică
rusă“ a dispărut din repertoriu. Atacurile împotriva opoziţiei
sunt din ce în ce mai violente.

Într-o zi, ducându-mă la clubul Partidului Liberal, îi
găsesc acolo pe foştii mei colegi foarte agitaţi. Cred că scoa-
terea în afara legii a partidelor opoziţiei nu mai este decât o
chestiune de luni.

Îi întreb:

— Şi atunci, ce-o să facem?

Mă privesc, şi unul dintre ei îmi spune cu vocea foarte
calmă:

— Ascultă, doar n-ai să începi să te îndoieşti de noi. O
să continuăm lupta.

Mă duc lângă el. Ne strângem mâna în tăcere. Unul din-
tre noi începe să râdă. Şi deodată o bucurie mare izbucneşte
şi ne cuprinde pe toţi. Suntem tineri, puternici în dorinţa
noastră de libertate, şi tocmai am redescoperit acest lucru
toţi împreună.

Ieşind pe stradă, continuăm să râdem în lumina stfălu-
citoare de primăvară.

În faţa sediului PC din cartier o femeie foarte bătrână
priveşte în vitrină un mare portret al lui Stalin. Îl întreabă
pe un bărbat care iese din sediu:

— Spune-mi, maică, cine e?

Ca niște autentici gură-cască, ne oprim cu toții ca să auzim răspunsul.

— E Stalin, răspunde comunistul. Cel care i-a izgonit pe nemți din țara noastră.

— Dumnezeu să-l binecuvânteze, spune bătrâna. Când o să-i gonească și pe ruși?

Tânărul îi aruncă un mânios „bătrână tâmpită" și se îndepărtează.

Femeia rămâne foarte mirată în mijlocul străzii. Și atunci unul dintre noi se apropie de ea și îi murmură foarte blând:

— Curând, măicuță, curând. De îndată ce se va sfârși războiul.

„SUBSEMNATA, DECLAR…"

I

În 29 iulie ies din casa generalului Rădescu împingându-mi bicicleta de ghidon. Două maşini se opresc brusc şi mă prind între ele.

— Actele bicicletei. Suntem informaţi că ai furat-o. Urcă în maşină. Eşti arestată.

— De ce nu îndrăzniţi să spuneţi adevărul? Mă arestaţi fiindcă ies din casa generalului Rădescu. Sunt avocata lui.

Îmi deschid geanta şi le întind procura... şi actele bicletei.

— Nu ne trebuie procura. Eşti arestată. Hai, urcă, până nu te facem noi să urci.

Arunc bicicleta spre ei şi încep să alerg pe bulevard. Trec prin dreptul unui ceas care indică ora unsprezece şi jumătate. Mai am o jumătate de oră până la dejun. Trebuie să scap de ei şi să ajung să duc mesajul ascuns în coc. Simt că mă apucă cineva de braţe.

— Nu striga. Nu întoarce capul.

Întorc capul şi zăresc pe trotuarul din faţă o siluetă cunoscută. Strig:

— Horia!

O mână mi-a prins gâtul şi începe să strângă.

— Nu striga.

Îi strig celui care traversează acum strada:

— Anunţă la sediul Partidului Liberal că sunt arestată.

O voce complet străină îmi răspunde:

— Dar cum vă numiţi?

Lovesc cu picioarele pe cei doi bărbaţi care îmi ţin braţele. Reuşesc să mă desprind o clipă. Alerg spre cel care mi-a răspuns. Nu e prietenul meu. Doar silueta e asemănătoare. O mână mă prinde pe la spate şi îmi acoperă gura. Mă zbat. Mă sufoc. Sunt ridicată. Continui să mă zbat. Îmi lovesc capul de portiera automobilului.

Maşina demarează. Mi-e capul greu. Mi s-o fi desfăcut cocul? Simt în coaste, în dreapta şi în stânga, două revolvere.

— Dacă faci o singură mişcare, tragem.

Dau să-mi ating cocul. Mă răzgândesc şi renunţ să fac acest gest.

— Dacă strigi, tragem.

Automobilul opreşte în faţa Ministerului de Interne. Portarul a rămas acelaşi. Mă salută, foarte mirat. O a doua maşină opreşte în spatele nostru. Pe capotă, bicicleta. Mă pun să urc la etajul întâi. Nimeni pe culoare. Trecem prin dreptul fostului meu birou, apoi prin faţa biroului lui Teohari Georgescu. Mă împing în fostul birou al lui Radu Ionescu. În picioare, un bărbat blond. Alţi doi care fumează.

— În fine, uite terorista!

Izbucnesc în râs. Sunt mulţumită că nu m-au perchiziţionat şi cocul nu mi s-a desfăcut.

— Pesemne că vreţi să vorbiţi despre dumneavoastră. Mă arestaţi pe stradă fără mandat de arestare. Din punct de vedere juridic...

Individul blond vine spre mine.

— Ai face mai bine să-ţi ţii gura. Vrei să guşti din Siberia? După ce ai încuiat biroul lui Teohari Georgescu, mai ai nevoie de mandat de arestare?

— Va să zică, fiindcă am încuiat biroul cu cheia sunt teroristă? Totul e limpede!

— Eşti obraznică. O să avem ocazia să ne distrăm.

Ridică mâna. O palmă. Două. Trei. Nu mai pot număra. În sfârşit, s-a oprit.

— Cine erau persoanele pe care ţi-a cerut generalul să le vezi din partea lui? Cu cine ţineai legătura?

Obrajii îmi ard şi simt în gură un gust de sânge. Nu pot să vorbesc. Le întind procura. Îmi smulg poşeta din mână.

— Câte manifeste ai împărţit?

Ridic din umeri.

— Îţi dezlegăm noi limba, n-avea grijă! O să facem totul pentru asta. De atâta timp te pândim.

Apasă pe un buton. Doi militari intră în încăpere. Tipul cel blond îmi ia ceasul şi cordonul. Cei doi militari mă împing spre uşă. La birou, cei trei tipi îmi scotocesc în geantă.

La capătul celui de-al doilea culoar văd WC-ul. Cer permisiunea să mă duc. Cei doi soldaţi se privesc. Unul dintre ei spune:

— E contrar regulamentului. Dar du-te. Te aşteptăm în faţa uşii.

Intru, închid uşa, trag apa, îmi desfac cocul. Hârtia a căzut jos. Mă aplec, o rup în bucăţele mici de tot, le arunc în closet. Aştept o clipă, trag apa din nou. Nici o urmă de hârtie. Îmi refac puţin cocul. Trag apa. Ies. În tot acest timp am tuşit.

Oare vor observa că mi s-a deranjat coafura? Nu. Mă împing mai departe. Coborâm scara. La subsol, sunt încredinţată unor civili, doi la număr.

— Deţinuta s-a oprit pe drum?

— Nu.

Răsuflu. Soldaţii nu sunt deci comunişti.

Unul dintre militari adaugă:

— Carceră.

Alt culoar. Serie de celule. Din când în când, un ţipăt. O mână pe umăr:

— Aici.

Se deschide o uşă... Sunt împinsă în întuneric. Nu văd nimic. Încerc să mă aşez. Nu reuşesc. Vreau să mă răsucesc. Imposibil. Încăperea are dimensiunile unui sicriu, un sicriu în picioare. Vreau să mă sprijin de zid. Tresar: zidurile sunt acoperite de tablă umedă, îngheţată. Mi-e sete, îmi simt capul greu. Aud paşi. Tăcere. Apoi alt zgomot, foarte puternic, foarte aproape: bătăile inimii mele. Încetul cu încetul, încep să văd dansând în faţa ochilor stele roşii, cercuri galbene, alte cercuri galbene. Cercurile se învârt, se învârt... Îmi revin. Sunt întinsă pe cimentul de pe culoar. Îmi trec mâna peste faţă: am părul ud.

— Gata. A deschis ochii. Urcaţi-o la etajul întâi.

Doi oameni în civil mă ridică. Pistoale în coaste. Mă ţin de subsuori, mă împing. Nu înţeleg nimic. Unde sunt militarii? De ce sunt îmbrâncită? Deschid o uşă, mă împing într-o cameră. O fereastră deschisă. Aer. Afară e întuneric. Acelaşi bărbat blond:

— Ce legături asigurai din biroul din Piaţa Palatului?

— Nici una.

— Dacă vrei să scapi, semnează aici.

Îmi întinde o hârtie. Literele îmi joacă în faţa ochilor.

— Nu pot să citesc. Şi, chiar dacă aş putea, nu semnez nimic.

— O să-ţi pară rău. În curând toate uneltele reacţiunii o să-şi muşte mâinile şi o să plângă de părere de rău.

— Nu semnez nimic.

Bărbatul cel blond mă leagă la ochi, îmi trage mâinile la spate şi îmi pune cătuşe. Primele sunt prea largi.

— Renunţăm la cătuşe, tovarăşe?

— Nu. Pentru ea, nu ne dăm în lături de la nici un sacrificiu.

Izbucnesc toţi în râs.

— Să le încerc pe astea.

Cineva îmi suceşte încheieturile. Cătuşele mă strâng. Sunt grele. Am senzaţia că am să cad pe spate. Alunec pe scări, deşi mă susţin doi bărbaţi. Simt aerul răcoros. Suntem probabil pe stradă. Mă aruncă într-o maşină. Automobilul demarează. Revolverele în coaste.

— Dacă faci un singur gest, tragem.

Oare sunt încărcate revolverele?

Maşina mi se pare că rulează de când lumea. O frână bruscă. Un zgomot de porţi care se deschid. Trebuie să fie din fier.

Cineva deschide portiera şi mă împinge.

— Haide, coboară. Am ajuns.

*

Mi se smulge legătura de la ochi într-o încăpere care seamănă cu un compartiment de tren. Sus de tot, lângă plafon, o fereastră, mică, pătrată, închisă. Ca să ajungă cineva până la fereastră, ar trebui să se caţere pe patul suprapus, unde zăresc o siluetă care îmi întoarce spatele. Două picioare umflate şi jegoase ies de sub pătură. Simt revolverul în coaste:

— E interzis să vorbeşti. Ai înţeles?

Paznicul trage uşa. Mă aşez pe pat. Patul e o placă de tablă foarte rece. Mă dor ochii. Încerc să adorm. Nu pot dormi cu lumina aprinsă. Mă scol.

— Cum se stinge lumina?

Silueta de sus se întoarce încet. Faţa e luminată de o lampă foarte puternică. O faţă rotundă, tânără. Pete roşii pe pomeţi. Priveşte spre ochişorul de sticlă din uşă. Îşi duce încet mâna la obraz şi, făcând-o să lunece, îşi apasă un deget pe buze. Înţeleg. Nu trebuie să vorbim. Pot să ne vadă. Mă întind din nou pe pat. Pe burtă, din cauza cătuşelor. Încerc să ţin capul într-o parte, ca să pot respira. Paşi pe culoar. Un zgomot metalic. Lanţuri? Alţi paşi acum, care se opresc în faţa celulei noastre. Se deschide uşa:

— Scoală-te.

Vreau să mă ridic în picioare, dar nu reuşesc şi cad cu capul înainte, pe scândură. Paznicul râde zgomotos. Mă trage de braţ:

— Haide, vino, frumoaso.

Nu-mi mai simt braţele: în locul lor, o durere grea. Traversăm un coridor. Celule. Acelaşi ochi pe toate uşile. Un şir nesfârşit de ochi de broscoi care mă privesc.

Un birou. Patru bărbaţi. Unul mic şi gras, cu mustaţă. Altul: un botişor ascuţit ca de şobolan. Ceilalţi doi discută cu spatele spre mine.

— Uite! Arată bine, derbedoaica, cu brăţările astea. Ăsta-i modelul de brăţări pe care le va purta în curând toată reacţiunea. Nu aşa îţi ascundeai, la spate, brăţările de aur pe care le arborai la recepţiile americane. Deşi erau la fel de grele.

— N-am purtat niciodată brăţări de aur.

Aş vrea să le spun că am fost dintotdeauna prea săracă spre a-mi cumpăra brăţări de aur, dar mă răzgândesc. La ce bun? Revăd pe birou poşeta mea. O privesc cu duioşie, aproape ca pe o fiinţă omenească. Singurul lucru care mă leagă de lumea de afară. Bărbatul care seamănă cu un şobolan scoate din geanta mea un pachet de Pall Mall.

— Dacă ești drăguță să ne spui care ofițer american ți-a dat țigările astea, pun să ți se scoată cătușele.

— Am cumpărat țigările cu cinci sute de lei pachetul.

— Știi că avem mijloacele să te facem să vorbești.

Brațele mă trag cu toată greutatea lor înapoi. Omul-șobolan ia o cheie de pe birou și vine spre mine.

— Ai să semnezi foaia asta.

Zgomotul de cheie în cătușe. Mă îndrept puțin, dar brațele îmi atârnă încă și mai grele. Omul-șobolan se duce să se așeze. Altul se scoală și înaintează spre mine. Mă dau înapoi și mă sprijin de perete. Mă apucă de încheietura mâinii și mă trage spre mijlocul încăperii.

— Cine ți-a permis să te sprijini? Semnează.

Mă împinge spre birou. Pe hârtie literele dansează, dansează. „Inventarul deținutului."

— În afară de poșetă și de bicicletă, nu am nimic.

Încep toți să râdă, în afară de omul-șobolan, care-mi aruncă:

— Toate reacționarele sunt cretine. Inventarul a ce ai pe tine.

Altul intervine:

— Da' greu mai pricepi. Haide, dezbracă-te.

Mă dau cu un pas înapoi. Mi s-a făcut pielea de găină.

— Haide, dezbracă-te.

Acum urlă. Rămân încremenită pe loc.

— Ești surdă? Dezbracă-te!

Sunt înghețată, îmi tremură picioarele. Mă mai dau cu un pas înapoi. Regăsesc peretele, mă sprijin.

Doi dintre ei s-au sculat și vin spre mine. Omul-șobolan urlă:

— N-ai voie să te sprijini de perete. Dezbracă-te!

Cei doi mă înșfacă. Mă zbat. Ei râd. Odaia se învârte în jurul meu. Capul îmi rămâne prins în rochia pe care au tras-o de pe mine. Furoul alunecă. Nu mă pot abţine, închid ochii şi lovesc cu pumnul şi cu piciorul în dreapta şi în stânga. Cineva mă apucă şi mă dă cu capul de pereţi. Aud zgomotul. Încă o palmă. Mi-au dat drumul. Deschid ochii, mă întorc, regăsesc peretele, mă lipesc de el. Ei râd din nou şi îmi aruncă o salopetă. Mă aplec s-o iau. Capul mi-e atras de podea ca de un magnet. Nu reuşesc să apuc salopeta. Un bărbat o ia şi mi-o întinde.

— Aşa, târfă reacţionară, o să te îmbrăcăm ca pe o păpuşică. Faci multe nazuri, dar noi suntem drăguţi, noi suntem răbdători!

Salopeta e jegoasă. Miroase urât, şi-mi face greaţă. O strâng la gât ca să nu alunece pe umăr: e prea mare!

— Dacă semnezi aici, îţi dăm drumul.

Nu mai e foaia cu inventarul. O foaie bătută la maşină: „Subsemnata, declar că…"

— Nu pot să citesc.

Un revolver e îndreptat spre mine.

— Semnează, ori te omorâm.

— Faceţi-o, haideţi, faceţi-o!

Am ţipat. O clipă de tăcere. Omul-şobolan aşază calm revolverul pe masă, vine spre mine, îmi întinde un scaun:

— Stai jos!

Pe urmă îmi desface mâinile încleştate la gât şi trage salopeta de mâneca dreaptă.

— Ia te uită, are umerii bronzaţi, târfa de fascistă!

Scuipatul lui curge de pe umăr pe spinare.

Izbucnesc în râs. De ce râd şi nu plâng? Râd, râd cu lacrimi, nu mă pot opri.

— E isterică.

Râsul meu continuă pe tot lungul culoarelor prin care trecem. Celula. Zăresc prin fereastră nişte zori palide. Cel

puțin, cred că sunt zorile. Mă prăvălesc pe placa de tablă.
Nu mi-au pus cătușele. Ce vor să mă pună să iscălesc? Ce
știu ei de fapt? Închid ochii. Am impresia că mi se umflă
capul, repede, repede, ca un balon, în timp ce picioarele se
întind. Și dinții, dinții se lungesc. Deschid gura. Din fiecare
dinte crește o scândură pe care se plimbă niște bărbați cu
cizme. Aud pașii lor răsunând în interior. Mi-e sete.

*

E foarte cald în celulă. Salopeta mi se lipește de piele.
Miroase atât de urât, că fiecare efluviu îmi face greață. De
altfel, nu am mâncat și băut nimic de când m-au arestat.
Ieri? Ieri a fost? Se deschide ușa. Doi paznici care îmi par
enormi. Unul dintre ei ține în mână o foaie și mă arată cu
degetul.

— 55.

Pe urmă, către silueta de sus:

— Te-ai trezit, Iulișca? Bun, și 54 e în regulă.

Depun pe scândura mea două gamele și o cană cu apă.
În fiecare gamelă, un cocoloș de mămăligă.

De pe patul de sus apar pe rând un picior, pe urmă celă-
lalt. Femeia coboară pe patul meu. Pentru prima oară o văd
în picioare. Aceeași salopetă ca a mea, dar sfâșiată la burtă.
O burtă enormă. Gravidă! Fața e foarte tânără. Nici un rid,
numai pete roșii. Își ia gamela și începe să mestece zgomotos
ca să-și acopere vocea. Îmi spune simplu:

— Budapesta.

E deci unguroaică.

Ușa se deschide. Alt paznic.

— Iulișca, vino. La aer.

Înghit greu cocoloșul de mămăligă, uscată, tare. Mă în-
tind. Cât timp am dormit? Oare chiar am dormit?

Ușa tocmai s-a deschis iar, și paznicul se dă la o parte ca să lase să treacă un bărbat cu ochi albaștri și aerul destul de blând. Primul care îmi spune bună ziua. Se așază pe marginea patului meu, mi-apucă mâna.

— De ce nu vrei să semnezi?

— Ieri, nici nu puteam să citesc. N-aș fi putut să țin în mână un crcion.

— Te sfătuiesc prietenește să iscălești tot ce-ți vor cere ei.

— „Ei"? Cine sunt ei? Dumneata, cel puțin, vorbești românește fără accent.

— Ai distribuit manifeste T?

— Am distribuit multe manifeste. T era unul dintre ele.

— De ce ai făcut asta?

— Dacă presa ar fi liberă, n-ar fi nevoie să o facem!

— Te sfătuiesc să nu mai repeți fraza asta. N-ai nimic de câștigat dacă ești obraznică.

A plecat. Soarele intră în celulă și se izbește de lampa tot aprinsă. Mă simt incapabilă să mă concentrez. Două ploșnițe se plimbă pe peretele din față. Ele sunt libere să se plimbe. Cât timp am stat să le privesc? Ușa se deschide iar.

— 55. La aer. În curte n-ai voie să întorci capul. Privești drept înaintea ta. Ai înțeles?

Mai întâi sunt condusă la WC.

— Lasă ușa deschisă.

Îmi vine să-l lovesc, să mă lovesc, să lovesc pe toată lumea. Mă rețin, las ușa deschisă.

O luăm pe culoar în sens invers. Ieșim în curte. Deasupra observ o clădire mare. Închisoarea are aerul unui grajd. Curtea: un spațiu pătrat, două trotuare. Îmi târăsc pașii de la un capăt la celălalt al trotuarului. Imobilul cel mare din față pare pustiu. Nu-l cunosc. Aș vrea tare mult să știu în ce car-

tier suntem. Pe celălalt trotuar, pași. Vrea să întorc capul.
O mână umedă mi se așază pe ceafă.

— Privește înaintea ta sau îți suprim „aerul".

Soarele dogorește. Trebuie să fie amiaza. Picioarele îmi
sunt tot mai grele. Salopeta e udă de transpirație. Cerul este
foarte albastru. Nici un nor. Nici unul.

Zgomot de uși care se deschid. O mașină pătrunde în
curte. Coboară omul-șobolan și începe să urle.

— Cine i-a acordat „aer" reacționarei ăsteia putrede?

Paznicul îmi trage câțiva pumni. Omul-șobolan continuă
să urle:

— Cățea, viperă, târfă...

Paznicul mă aduce înapoi în celulă. Iulișca este din nou
instalată pe patul ei. Nici o expresie pe față. Mă întind. Dacă
naște aici? Orele trec, nu trec? Iulișca tace. Privește probabil
în tavan. Număr pașii care trec pe coridor ca să încerc să
adorm.

*

Afară e întuneric și pașii nu încetează pe culoar. Timpul
îmi pare încărcat de zgomote de pași. O detunătură. Un
țipăt. Sus, Iulișca nu se mai foiește de pe o parte pe alta.
Pesemne că doarme. Pașii. Ușa:

— 55, la anchetă.

Mi se face deodată frig.

În birou, fețe noi.

— Dorești ceva?

— Nu.

— O țigară?

Mi se întinde pachetul. Iau o țigară. Cineva îmi dă foc...
Trag primul fum și totul începe să se învârtă în jurul meu.
Fac câțiva pași de-a-ndăratelea ca să mă sprijin de perete.

— N-ai voie să te sprijini.

Îmi vine să vomit.

— Ai recunoscut că ai împărțit manifeste T.

— Manifestele înlocuiesc ziarele pe care le-ați suspendat.

— Aici nu ești la bară, ca să pledezi.

— Am observat.

— Eu observ mai ales că ești obraznică. Știi bine că manifestele T pretindeau că anglo-americanii vor o pace dreaptă și rușii o pace rusească.

— Anglo-americanii nu și-au trimis miniștrii de Externe ca să impună României un guvern. Fără alegeri.

— Reciți lecția pe care ai învățat-o de la călăul Rădescu.

— Nu, spun ce gândim toți.

Mă aștept să fiu bătută. Dar nu-și părăsesc scaunele.

— Ce s-a discutat la Maniu săptămâna trecută?

— Săptămâna trecută eram la Sinaia.

— Ai să dai o declarație despre ce ai discutat acum două zile cu cealaltă unealtă a reacțiunii: Mircea Ioanițiu.

— Nu l-am văzut pe Mircea Ioanițiu acum două zile.

— Cum l-ai cunoscut?

— Am fost colegi de facultate.

— Stai jos și scrie ce ai discutat cu secretarul regelui.

— N-am discutat nimic cu el.

— Unde se ascunde Mihai Fărcășanu?

— Nu știu.

— Unde se ascunde Vintilă Brătianu?

— Nu știu.

— Rezumatul discuției dintre Brătianu și Burton Berry?

— Nu știu.

— Rezumatul discuției dintre Maniu și Mețianu? Dacă ne-o povestești, îți dăm drumul.

Mă prefac că reflectez ca să încerc să recapitulez. Vor să compromită toată opoziția cu declarațiile mele.

— N-am nimic de scris. Nu știu.

Cel care privea pe fereastră vine spre mine:

— Ai să asculți acum ce-am să-ți citesc. Pe urmă ai să iscălești. Altfel, te omor pe loc.

„Subsemnata, declar că am căzut de acord cu Mircea Ioanițiu, secretarul regelui, că depozitul de arme trebuie încredințat lui Vintilă Brătianu. În urma convorbirilor dintre Maniu, Brătianu, Burton Berry și Mețianu, convorbiri pe care am avut sarcina să i le relatez lui Rădescu, s-a decis crearea unei organizații subversive numite T, adică Teroare. Scopul acestei organizații este să suprime pe toți capii democrației noastre instaurate datorită luptelor și sacrificiilor poporului, și să arunce țara în ghearele fascismului. Șeful suprem al organizației este generalul Rădescu.“

Nu protestez și îi las să citească mai departe. Sunt naivi că îmi dezvăluie astfel tot planul lor, dinainte. În ce scop vor să înscenze toată afacerea asta? Sunt foarte lucidă. Anchetatorul continuă:

„Recunosc că am prestat următorul jurământ: «Jur să nu dezvălui niciodată nimănui existența acestei organizații și a acelora dintre membrii ei pe care îi cunosc. Dacă vreodată îmi voi călca în picioare jurământul, pot să fiu considerată trădătoare și împușcată. Fac acest jurământ liberă și fără constrângere».

Semnalul acțiunii trebuie să fie dat de generalul Rădescu, după indicația regelui.“

Nu mă mai pot abține. Îmi vine să râd.

— Degeaba continuați să citiți toate minciunile astea. Sunt prea gogonate.

— Cățea reacționară ce ești, dacă nu semnezi te împușcăm.

Ridic din umeri.

— Vă pierdeți timpul în zadar.

— Teroristă nemernică, ai să semnezi.

— Nu, teroriști sunteți voi.

Palme. Pumni. Mă zbat. Sunt aruncată la pământ. Sunt călcată în picioare.

— Semnează! Te omor! Semnează!

Unul dintre ei mi-a imobilizat brațele. Altul, picioarele. Un al treilea scoate dintr-un sertar un soi de mânecă prinsă la ambele capete și umplută, cu ce?

— Semnezi?

Tac. Se apleacă, îmi pune o batistă groasă pe gură și biciuie aerul cu mâneca. Văzduhul șuieră.

— Semnezi?

Privesc mâneca fluturând deasupra capului meu. Tac.

— Bine, atunci, țineți-o voi.

Prima lovitură mă atinge la coapsă. A doua, în plin obraz. Totul șuieră, se învârte. Mă zvârcolesc. Toți țipă. Și eu? Mușc, mușc batista din gură. Coapsa, încă o dată coapsa. Cercurile. Galbenul se rotește, se rotește, se apropie. Nu mai știu nimic.

*

De când stau întinsă pe pat? Am avut un coșmar? Iulișca are capul foarte mare. Ba nu, burta. Dacă naște? Lumina asta… Vreau să mă întorc. Coapsa mă arde. O ating. Salopeta e lipită de piele. Încerc să o desprind. Țip. Nu mă pot scula. Reușesc să pun mâna pe piele. O retrag udă: sânge!

Pași. Se opresc. Ușa. Un bărbat în alb. Are în mână o seringă. Se apropie, îmi trage salopeta, dezgolește brațul.

Îmi face o injecție. Tremur, mi-e frig, nu mai știu cum să-mi țin capul. Se apleacă, se apleacă, se umflă. Mă cufund.

*

Mă trezesc, încă amorțită. Afară s-a luminat. Pe pat, un cocoloș de mămăligă. Încerc să mă scol. Cred că îmi amintesc că... am visat? Am fost într-adevăr pe coridoarele acelea? Omul-șobolan parcă îmi întindea o foaie de hârtie. Ce am semnat? Am semnat ceva? Nu știu. Vreau să mă scol în picioare, dar nu reușesc. Injecția. Ce conținea fiola? Oare am visat? Oare am iscălit? O să-i aresteze?

*

Trebuie să fi trecut mai multe zile. Nu știu câte. Nu reușesc să le număr. Un singur gând: după injecție, am semnat ceva sau nu? Am visat sau nu?

O dată pe zi sunt târâtă la WC. Ușa rămâne deschisă. Paznicii râd în hohote.

— Bine mai arăți! Parcă ai fi a doua zi după noaptea nunții. Frumoasă mai ești.

*

Stau așezată pe marginea patului, cu picioarele atârnând. Îmi privesc picioarele, care seamănă acum cu ale Iulișcăi. Umflate, jegoase. Tot timpul mi-e sete. Aici, apa are un gust ciudat, sălciu, grețos. Și n-am dreptul decât la o cană pe zi.

Azi, din nou, se opresc pașii în fața ușii.

— 55, la anchetă.

Va să zică n-am semnat toate declarațiile. Cu toată perspectiva anchetei, simt parcă o ușurare.

Pe birou, obiecte noi: reflectoare. Se aprind, se sting, îndreptate spre ochii mei. Mi se dictează întrebări și răspunsuri.

Refuz să scriu. Ochii mă ard. Chiar dacă-i închid. Simt puncte de foc în pleoape.

— Scrie: „La ședința «conspirativă» au participat Brătianu, Maniu, Burton Berry, Mihai Fărcășanu, Vintilă Brătianu, Mircea Ioanițiu...“

Continuă. Nume, nume. Peste cincizeci.

Murmur:

— O sală întreagă, nu-i așa?

Omul-șobolan urlă:

— Ce vrei să spui?

— Că toate persoanele astea ar putea umple o sală mare. Pentru o ședință „conspirativă“ eram cam mulți.

Reușesc acum să gândesc chiar sub loviturile care plouă peste mine. Vor să distrugă toată opoziția, să-l atace și pe rege. Rolul meu în piesă: să dau declarații care să permită arestarea principalilor șefi politici. În cazul unei eventuale note de protest aliate, declarațiile mele ar putea oricum să servească.

Sunt lovită în continuare. Strig:

— Nu semnez nimic, nimic.

Sunt condusă într-o celulă mai mică și fără scândură pe care să mă întind. Ciment pe jos. E foarte cald. Mă ghemuiesc pe ciment. Se deschide ușa:

— N-ai voie să te așezi. Nu te sprijini. Stai în picioare sau plimbă-te.

Lumina e mai puțin violentă. Cimentul e ud.

*

Din nou în birou. Jocul reflectoarelor reîncepe.

— Avem aici declarațiile lui Țețu care certifică faptul că ai ținut legătura între el și Rădescu. Uite-le aici. Cum l-ai cunoscut pe Țețu?

— Am fost colegi de facultate.

— Ştii că Rădescu nu avea voie să vadă persoane politice?

— Ţeţu nu era o persoană politică.

— După tine, şeful activ al unei organizaţii subversive nu-i om politic?

— Ce organizaţie subversivă?

— Organizaţia T, din care ai declarat că ai făcut parte.

Răsuflu uşurată. Declaraţia pe care am semnat-o pesemne după injecţie. Putea să fie mai grav.

— Ai amuţit?

Am început să râd.

— Gura. N-ai de ce să râzi, târfă nenorocită! Ai recunoscut în declaraţia ta că ai executat ordinele lui Ţeţu şi ai prestat jurământ în faţa lui.

Eu, prestând jurământ în faţa lui Ţeţu, tabloul e irezistibil. Nu mai simt durerea din picior, din coapsă, din braţe. Râd aproape cu poftă.

Omul-şobolan vine spre mine. Îmi ia cu grijă capul între mâini şi începe să-l lovească de perete. În gură, gust de sânge. Sunt pe jos. Cineva urlă:

— E nebună de legat.

Omul-şobolan scoate din sertar aceeaşi mânecă. Nu mai ştiu nimic...

*

Zac pe scândură. Iulişca a venit lângă mine. Plânge. Pentru prima oară o văd plângând. Mă apucă de mână de fiecare dată când paşii par să se oprească la uşa noastră. Pe urmă începe să îmi facă semne. Vrea să-mi vorbească. Îşi pune mâinile pe burtă, apoi mi-arată coridorul cu degetul. Îşi îndreaptă apoi degetul spre mine. Ţine acum în mâini o sticlă imaginară şi se preface că bea, bea. Ochii i se măresc, îngroziți. Îi fac un semn interogativ. Nu înțeleg, nu vreau să înțeleg. Încearcă alfabetul muților. Niciodată nu aș fi crezut că un joc învățat la grădiniță mi-ar putea servi într-un asemenea moment, și mai ales pentru asemenea confidențe. O urmăresc greu. Știe probabil foarte prost românește și stâlcește cuvintele: paznici... beau; n-au voie... să părăsească închisoarea... după plecarea personalului de anchetă... Începe să tremure, nu reușește să continue. Își pune iar o mână pe burtă, mă arată cu cealaltă, întruna.

Deodată e foarte cald în celulă. Mă scol dintr-un salt. Îmi iau capul în mâini, fac doi pași, ajung la ușă. Mă întorc, fac alți patru pași, ajung la perete, mă întorc, fac alți patru pași, ajung la ușă, mă întorc, fac alți patru pași, ajung la perete, mă întorc...

*

Noaptea trece mai greu. Nu pot deloc să adorm.

Se deschide ușa, doi paznici mă trag de mână. În biroul de anchetă. Omul-șobolan nu-i acolo; nici ceilalți. Doar paznicii și, pe masă, sticle de băutură.

*

Înțeleg acum tremuratul isteric al Iulișcăi. Unde au dus-o? În altă celulă?

Anchetele. Noaptea, când anchetatorii sunt plecați. Cei care miros a alcool. Cei care n-au voie să părăsească închisoarea...

*

Altă anchetă. Îmi simt picioarele grele. Ca și cum aș purta lanțuri.

— Scrie, scrie:

Că Rădescu e șeful complotului;

Că Maniu e șeful complotului;

Că Brătianu e şeful complotului;

Că americanii sunt şefii complotului;

Că englezii sunt şefii complotului.

Urlu:

— De ce să nu scriu mai degrabă că deţinutele sunt la dispoziţia paznicilor?

Palme, pumni. Revolvere îndreptate spre mine.

— Ruşii vor să te ancheteze.

— Poate că sunt mai civilizaţi ca voi!

— Ai să te duci în Siberia.

— *Scânteia* zice că Siberia e foarte frumoasă.

— Te omorâm pe loc.

— Faceţi-o, haide, faceţi-o! M-am săturat, să-tu-rat!

Omul-şobolan loveşte cu pumnul în masă.

— Semnează.

— Nu.

Sunt târâtă în celula cu ciment pe jos. Nu mă mai ţin pe picioare. Mă prăbuşesc.

*

Îmi revin în simţiri. În birou. Doi bărbaţi mă ridică şi mă susţin.

— Scrie, scrie: „Declar de bunăvoie că:

Am vrut s-o ucid pe Ana Pauker;

Am vrut să-l ucid pe Gheorghiu Dej;

Am vrut să-l ucid pe Bodnăraş;

Am vrut să-l ucid pe Teohari Georgescu;

Am vrut să-l ucid pe Vasile Luca."

— Nu credeţi că-s cam mulţi?

Palme.

— Toate reacţionarele de genul tău vor fi în curând în închisoare.

— Asta e închisoare, sau bordel?

— Te omorâm pe loc.

— E tot ce-mi doresc. Vă rog, faceți-o.

*

Zile și nopți. Nopți și zile. Câte au trecut? Anchetele de noapte continuă. Ziua, vizitele bărbatului cu privirea blândă. Ce rol are bărbatul cu privirea blândă?

De două zile, sunt și mai nervoși.

— Semnează, semnează.

Acum, nimic pe lume nu m-ar mai putea face să semnez. Mi-e totuna! Noaptea, același coșmar, mereu același. Rareori, visez că am murit și mă simt ușoară, ușoară. Când sunt trează, aud țipete, focuri de armă. Mai ales mi-e teamă de pași. Când se apropie. Când se opresc în dreptul ușii.

Din nou, bărbatul cu privirea blândă. Mi-aduce un pahar cu lapte.

— Peste două zile pleci.

— Unde?

— Ai să vezi!

Lapte, o felie de pâine. Înghit laptele, nu reușesc să mestec pâinea. Mi se clatină dinții. Continuă să mă târască, noapte de noapte, la anchetă. Aceleași întrebări. Nici nu mai răspund. Insultele, revolverele, palmele, pumnii, mâneca, apoi capul de pereți, tot mereu capul de pereți, toate astea mă lasă indiferentă!

Într-o seară, omul-șobolan:

— Dacă începi să povestești tot soiul de lucruri la proces, ai să vii din nou aici. Ai să fii îngrijită și mai bine.

„Proces." Tresar. Primul luminiș. Va avea loc un proces. Voi putea vorbi.

Oare voi putea spune tot?

＊

În sfârşit, un duş. Am putut să fac duş. Mă rugam, ori de câte ori intra în celulă bărbatul cu privirea blândă:

— Aş vrea să fac un duş.

De ce mi l-a acordat acum? Din cauza procesului?

Sunt singură într-o sală mare care miroase urât. Cimentul e lunecos. O fereastră opacă. Zgomote de maşini. Strada. Oameni care trec în sus şi în jos, sunt liberi să treacă în sus şi în jos. Voci în faţa ferestrei.

Mă spăl. Am râie.

Aş vrea să mă uit în stradă, aş vrea să mă uit în stradă. Îmi pun salopeta. Lovesc în geam cu pantoful. Cioburi. Văd strada. În căruţe, soldaţi care pesemne revin de pe front. O căruţă s-a oprit în faţa ferestrei. Un soldat îmi lansează:

— Eşti nemţoaică?

Probabil crede că numai nemţii pot fi arestaţi.

Încep să plâng şi nu reuşesc să-i răspund. Intră paznicul, mă vede plângând în faţa geamului spart, nu ţipă, spune doar trăgându-mă de mână:

— Haide, vino!

Îmi târăsc paşii pe coridor şi plâng întruna. Paznicul nu mă bruschează. Cred că n-am să mai pot niciodată să mă opresc din plâns. „Eşti nemţoaică?"

＊

Din nou anchetă. În birou, figuri necunoscute. Un bărbat îmi aruncă rochia.

— Scoate-ţi salopeta.

Mă îmbrac greu în faţa lor. Mă privesc cu o ură ciudată. Braţul drept mi-e vânăt. Spinarea mă doare. Nici măcar faptul de a-mi pune rochia nu mă bucură. Aparţine altor

vremi, altei lumi. Nu voi mai face niciodată parte din lumea
aceea. De ce nu m-au împușcat, de ce?

O noapte fără anchetă. În noaptea următoare se deschide
ușa.

— Vino.

Ieșim în curte. O legătură peste ochi. Mașina. Aceleași
revolvere în coastă. Și, ca și la sosire, rulăm la nesfârșit. Unde
mă duc?

II

Agentul îmi scoate legătura. Sunt în același birou de la
Interne. Cât timp o fi trecut de când am fost aici prima oară?
O lună? Mai mult? Mai puțin? Bărbatul blond nu mai e
aici. Agentul care m-a condus îi întinde geanta mea funcțio-
narului. Inventar. Sunt înaintată cu hârtii în regulă de către
Serviciul secret (viitoarea Securitate) Ministerului de Interne.
Închisoarea în formă de grajd era deci Securitatea.

Trec în altă încăpere. Sunt dezbrăcată și percheziționată
de o femeie. Acum, mă pun să cobor scara. Spre carceră? Mili-
tarii mă încredințează altui gardian. Pornim pe un culoar.

— Am ajuns.

O celulă de două ori mai mare decât cea de la Securitate.
O bătrână pe jos: îi curg balele. Alta între două vârste, întinsă
pe pat. Celula are o chiuvetă. Dau fuga și învârt robinetul.
Apă, în fine apă proaspătă. Mă spăl, beau, mă spăl.

Am impresia că n-am să mă spăl niciodată destul!

*

Umblu în sus și în jos prin celulă, șchiopătând. Toată
durerea s-a concentrat în coapsa dreaptă, pe care nu o pot

atinge fără să țip. Vorbim în șoaptă. Cele două femei – mamă și fiică – sunt rusoaice. Fiica vorbește germana și reușesc să înțeleg ce spune. Au fugit din Odessa. În timpul crizelor de epilepsie ale mamei, mă retrag într-un colț. Mi-e teamă să nu ne strângă de gât pe amândouă. Pare într-adevăr nebună, bâiguie propoziții de neînțeles, în care numele lui Stalin și Hitler revin frecvent, urlă, își smulge părul din cap, se rostogolește pe jos, în convulsii. Paznicii deschid ușa ca să contemple mai bine scena, care pare să-i amuze copios. Unul dintre ei înaintează în celulă, și bătrâna îi apucă un crac al pantalonului cu degetele ei scheletice, și trage, trage. Cu toate loviturile pe care i le dau, ceilalți paznici abia cu greu ajung să-și elibereze tovarășul. Bătrâna pare să-și fi concentrat toată forța trupului ei în gheara care înșfacă tot ce îi este la îndemână.

Paznicii au încuiat ușa. Bătrâna zace mai departe pe jos, cu spume la gură.

*

N-am putut să închid ochii toată noaptea. Bătrâna a avut două crize. Simt cum nebunia ei mă cuprinde și pe mine încetul cu încetul și, când ea începe să urle, îmi vine s-o acompaniez în surdină. Aștept ancheta, care nu vine. La fiecare oră îmi pun capul sub robinet, și las apa să curgă, să curgă. În curând devine o obsesie. La primul țipăt al bătrânei, țipăt care anunță o criză, alerg la chiuvetă.

Încetul cu încetul văd apărând zorile. Pași pe culoar. Schimbarea paznicilor. După câteva minute, aud lovituri surde în perete. Rusoaica dă fuga și își lipește urechea de perete. Ascultă, pe urmă îmi face semn să mă apropii. O voce de bărbat spune pe nemțește:

— A venit una nouă la voi?

Răspund pe românește:

— Da, ce se întâmplă afară?

— Nu știu. Cum te cheamă?

— Adriana Georgescu.

— Dumneata? Din cauza dumitale sunt aici.

Simt cum mă năpădește brusc o sudoare rece. Cine e? I-am pronunțat numele? Injecția? Vocea mi-este complet străină.

— Cine ești?

— Ion Marinescu.

— Nu te cunosc.

— Nici eu pe dumneata. Treceam pe stradă când te-au arestat. M-ai strigat și…

Pași pe coridor. Se opresc în fața celulei de unde venea vocea. Deschid ușa, intră. Nu mai putem vorbi.

Dau fuga la chiuvetă. Las apa să-mi curgă pe față, pe păr, pe brațe. Cercurile galbene au reînceput să se învârtească în fața ochilor mei.

Crezusem că e Horia. Îl strigasem. L-au arestat din cauza mea. Cât timp a trecut de atunci? De când este aici? E absurd, absurd. Nu-i vinovat. Dar cum să-i fac să înțeleagă? Nevinovat, nevinovat!

Pesemne că am strigat, fiindcă bătrâna a ridicat fața spre mine și acum rânjește.

Nimeni nu poate face nimic. E absurd, toate astea sunt absurde.

*

De îndată ce e liniște pe coridor, alerg la perete și chem, ciocănesc, chem. Ion Marinescu nu mai răspunde. L-or fi luat de acolo? Unde l-or fi dus? Abia am timp să mă îndepărtez de perete cu un salt. S-a deschis ușa. Paznicii ne aduc supa. Bătrâna lăpăie ca un câine lichidul gălbui care i se scurge pe gât, pe bărbie, pe mâini. Fiica ei, așezată lângă mine pe pat, o privește aproape nepăsătoare și spune:

— O să ne trimită acasă. Știi ce înseamnă asta: să ne trimită acolo?

Fac un semn afirmativ și încerc să o determin să tacă.

— Nu, nu știi. Nu poți să știi. Nimeni nu poate să știe. Viața liberă de acolo e mai rea decât închisoarea de aici. Iubeam trei ființe: bărbatul meu: a dispărut; au venit să-l ridice într-o seară, trebuie să fie în vreun lagăr; fratele meu: l-au omorât nemții; iar asta, mama mea... vezi și tu.

— Nu ți-e frică să vorbești așa?

— Frică? Nu, nu mi-e frică. M-am săturat să-mi tot fie frică. Oricum, tot o să mă omoare!

— Poate că nu o să te omoare?

— Vorbești ca o comunistă. Ca o naivă. Nu ești co-munistă?

— Dacă eram comunistă, aș fi fost liberă.

— Ași. Toată lumea așa crede la început. Și eu am cre-zut. Am luptat pentru ei. Ar fi prea lung să-ți explic. Eram învățătoare.

— Ascultă, taci din gură. Poate că ne aud.

— Ți-am mai spus că m-am săturat să-mi tot fie frică. Altă mare descoperire a lor: frica! Frică să vorbești prea mult, frică să nu vorbești destul, frică să vorbești în somn, frică de străini, frică de copiii tăi, frică de bărbatul tău, frică de tine însăți. Asta-i cel mai grav: frica de tine însăți. Am ho-tărât după plecarea mea din Odessa să nu-mi mai fie frică. Spun tot ce-mi trece prin gând. Tot, la toată lumea.

Se apleacă spre mine și îmi spune, misterios:

— Am descoperit ceva: dacă nu mi-e frică, sunt liberă. Chiar și aici, nu-mi pot face nimic, nimic. Dacă ieși cândva

de aici, poți să spui la toată lumea că ai cunoscut-o pe Var-
vara, cea căreia nu-i mai e frică. O să devină ceva tot mai rar,
un om căruia să nu-i fie frică. Poți să le spui secretul meu.
Spune-le: „Varvara a descoperit secretul libertății." Ai să-ți
aduci aminte, nu-i așa? Ai să le spui așa, Varvara…

E tot mai surescitată și vorbește tare. Bătrâna, la rândul
ei, a început să urle cerând moartea lui Stalin și a lui Hitler.
E pe pragul unei crize. Varvara căreia nu-i mai e frică…

Automat, mă scol și-mi vâr capul sub robinet. Las apa
să curgă, să curgă…

*

Mi se clatină dinții. În timpul crizelor de epilepsie ale
bătrânei, încep să tremur, și dinții îmi clănțăne în gură cu
un zgomot sec. Varvara a căzut într-o stare de apatie totală.

Mă apropii de ea și vreau să o consolez:

— Ai să vezi, într-o zi toate astea se vor schimba.

Clatină din cap și îmi spune cu o voce atonă:

— Nu va exista nici un mâine.

Ba da, vor exista zile de mâine. Va fi procesul. Ce se pe-
trece afară? De ce nu mă mai cheamă la anchetă? Două zile
de când sunt aici. Sunt aici de două zile.

Aș vrea să deschid fereastra, dar e închisă ermetic. Celula
e plină de un miros îngrozitor. Bătrâna nu poate să se ducă
la toaletă și își face nevoile pe ciment. Paznicii nu ne dau
voie să curățăm, și excrementele se îngrămădesc.

Tot timpul îmi vine să vărs…

*

Se deschide ușa. Doi paznici îmi fac semn să îi urmez.
Plecăm. Intrăm într-un birou, unde un bărbat semnează
niște hârtii.

„Transferată la Curtea Marțială."

Sunt încredințată unor soldați, cu care cobor o scară. Credeam că mă duc la anchetă, nu mi-am luat rămas-bun de la „Varvara căreia nu-i mai e frică“.

Când ieșim în stradă în fața ministerului, îmi amintesc cuvintele pe care mi le-a spus gâfâind: „Am descoperit secretul libertății.“

*

Soldații mă urcă într-un camion și sar și ei sus după mine. În camion, vreo treizeci de persoane. Recunosc patru colegi de la *Viitorul* și, într-un colț, pe Țețu, care strigă:

— Adriana!

Agenții urlă:

— N-aveți voie să vorbiți între voi.

Camionul demarează.

Toți băieții mă privesc fix strângând din dinți. Oi fi având un cap de mort. Ochii lor sunt plini de spaimă. Suntem atât de ocupați să ne vorbim din ochi, că nu aruncăm decât priviri distrate străzilor pe care le străbatem, oamenilor cu care ne încrucișăm și care se opresc ca să se uite la noi.

Trecem pe lângă un ceas: ora șase. E o căldură grea, de zăpușeală. Pe undeva se pregătește o furtună.

Camionul se oprește. Suntem la Curtea Marțială. Un soldat mă ajută să cobor și mă conduce într-un birou, pe a cărui ușă stă scris „Comandantul Curții Marțiale“.

Un colonel, din spatele unei mese, mă privește și întreabă cu glasul neutru:

— Ați fost șefă de cabinet la generalul Rădescu?

— Da.

Scrie ceva pe o foaie de hârtie pe care i-o întinde unul dintre agenții Securității, care rămâne în picioare în spatele scaunului lui.

— La revedere, domnișoară. Mulțumesc.

De la o închisoare la alta, tonul s-a schimbat brusc. Soldații mă conduc în curte. Băieții sunt aliniați doi câte doi. De fiecare parte a rândului, soldați înarmați. Soldatul care mă însoțește mă introduce în rând:

— Aici, domnișoară.

Mă aflu lângă un bărbat în vârstă, cu fața trasă. Traversăm curtea. În timp ce umblăm, bărbatul de lângă mine spune:

— Sunt Antim Boghea, socialist.

Soldatul nu face nici un gest ca să ne impună tăcerea. Omul continuă:

— Ești Adriana Georgescu?

Murmur:

— Da.

— Șchioapeți. Te-au bătut?

— Da.

— Și pe mine.

— Cine sunt ceilalți?

— Nu știu, o să-i cunoaștem.

Șirul se oprește în fața unui gard din sârmă ghimpată. Trebuie să fie linia de demarcație dintre cazarmă și închisoare. Un soldat deschide gardul și ne lasă să trecem unul câte unul. Intrăm într-o sală mare cu vreo treizeci de paturi. Bărbații dau fuga unii spre alții și se întreabă: „Cine ești? Dar tu, dar tu?"

Un soldat vine la mine:

— Domnișoară, dacă vreți să treceți alături.

N-am avut timp să aflu numele tuturor băieților. Le spun bună-seara, îl urmez pe soldat în încăperea alăturată. E aproape o odaie, cu pat adevărat, cearșafuri curate și o fereastră zăbrelită dând spre stradă. Alerg la fereastră. Un tramvai trece foarte aproape și pot vedea siluetele care se agită în interior. Văd și oamenii intrând și ieșind din prăvălia de peste drum.

Nu știu cât timp am stat la fereastră ascultând strada cum mișcă, trăiește.

Sting lumina și mă culc, pentru prima dată, după cât timp, într-un pat adevărat. Soldații fac de gardă în fața cazărmii. Mă năpădește brusc un simțământ de siguranță, și adorm foarte repede.

*

A doua zi, soldații vin să mă ia pentru amprente. Un agent îmi introduce mâinile până la încheietură într-o substanță neagră și spune, întorcându-le:

— Astea-s sârme, nu degete.

— Fă și dumneata o cură la Securitate, și o să le ai la fel.

Nu spune nimic și îmi întinde o cârpă înmuiată în benzină, cu care în zadar încerc să-mi frec mâinile ca să-și recapete culoarea naturală. Renunț repede și îi fac semn soldatului că sunt gata.

Îmi spune, în timp ce mă conduce înapoi:

— Ziua puteți sta în camera băieților.

*

Când intru în încăpere, îi găsesc pe băieți râzând în hohote. Unul dintre ei sare în sus și ține în mână niște ziare. Un coleg de redacție îmi arată unde să mă așez:

— Instalează-te comod ca să poți savura mai bine povestea de adormit copiii pe care o să ți-o citim. Ascultă: *România liberă* din 30 august:

Senzațională descoperire a organizației teroriste și fasciste T. Numeroase arestări printre tineretul liberal și național-țărănesc.

Responsabilitatea politică a șefilor celor două partide istorice.
Organizația T urmărea suprimarea șefilor guvernului și a șefilor
democrați. Descoperirea unui material de propagandă fascistă.
Teroriștii au mărturisit. Rolul generalului Rădescu.

Altul îmi întinde ziarul.

— Uită-te bine la fotografie.

O fotografie sub titluri cu litere groase:

Tipografia și depozitul de arme și muniții al organizației T.

— Arme? Muniții?

— La proces o să ne fie ușor să dovedim că nu-s armele
noastre. Tocmai ne-au luat amprentele. N-au decât să le com-
pare cu cele de pe arme.

Un băiat se urcă pe un scaun și cere să se facă liniște:

— În privința armelor, am să vă povestesc o istorioară
foarte frumoasă, și cât se poate de adevărată. Când au venit
să mă aresteze, au răsturnat casa cu susu-n jos. Erau câteva
manifeste într-un colț, dar pesemne că nu li s-au părut sufi-
ciente. Au continuat deci să scotocească peste tot. În fine,
au găsit în hol două scrumiere.

Noi hohote de râs. Băiatul gesticulează ca să impună
tăcere.

— Da, două scrumiere! În timpul bombardamentelor,
părăseam orașul cu un prieten care avea mașină. Pe câmp,
în jurul Bucureștiului, am găsit niște grenade de mână explo-
date. Am adus două acasă și le-am transformat în scrumiere.
Agenții le-au luat cu ei. Corpuri delicte. Dacă nu erau intero-
gatoriile, anchetele, toată povestea asta ar fi fost un adevărat
caraghioslâc!

Dacă nu erau anchetele de la Securitate...

Alt băiat cere să se facă liniște și citește la rândul său:

Punerea în circulație a unor manifeste clandestine de carac-
ter fascist și a unei foi de propagandă intitulată Flacăra *dădeau*

de bănuit, de câtva timp deja, că există grupări politice cu o activitate subversivă.

În urma unor anchete și arestări, autoritățile democrate au descoperit „tipografia clandestină" unde își tipărea această organizație fițuicile fasciste. Materialul tipografic, materialul tipărit, ca și mărturisirile inculpaților au făcut lumină în jurul planurilor de activitate ale acestei organizații și al complicităților politice. Organizația urmărea suprimarea membrilor guvernului prin mijloace teroriste. Teroriștii au mărturisit că voiau să-l ucidă pe președintele Consiliului, Petru Groza. Șeful organizației, Remus Țețu, a declarat că a primit instrucțiuni direct de la generalul Rădescu. Țețu redacta ziarul clandestin Flacăra cu un tiraj de 1 500 până la 2 000 de exemplare, la „domiciliul său conspirativ".

Râd și eu alături de ceilalți, și îi spun lui Țețu:

— Ascultă, frate, să ne înțelegem: 1 500 sau 2 000 de exemplare, e totuși o mică diferență.

Țețu nu pare să guste gluma și ridică din umeri.

Băiatul continuă să citească:

Este interesant de remarcat că declarațiile lui Maniu au fost tipărite cu același roneotip Boston ca și Flacăra. Recrutarea membrilor organizației s-a făcut după sistemul gărzilor de fier, cu jurăminte mistice într-un cadru misterios. Membrii organizației care nu rămâneau credincioși jurământului urmau să fie împușcați.

— Păi bine, Țețule, devii un personaj foarte important. Mă și văd îngenunchind în fața ta și prestând jurământul. Cadru mistic. Tu porți mască, iar eu sărut pulpana robei tale sacre.

Cel care a vorbit așa stă culcat pe un pat și râde cu lacrimi. Și, cum Țețu nu răspunde:

— Dar de ce dracu' montează ei toată afacerea asta de terorism în jurul unui simplu manifest? Presa nu vorbeşte decât de T. Un soldat mi-a spus adineauri că fiecare emisiune de radio începe cu aceste cuvinte: „T înseamnă Teroare".

— Sunt ridicoli, intervine altul. La ce poate să servească asta? Vor avea loc alegerile, şi nu vor mai putea rămâne la putere.

Antim Boghea îl întrerupe:

— Să nu ne bucurăm prea tare, şi mai ales să nu fim atât de optimişti. Dacă fac atâta zgomot în jurul unui manifest – iartă-mă, Ţeţule – destul de pueril, şi care în nici un caz nu conţine nimic grav, îşi vor da probabil şi mai multă osteneală pentru alegeri, care nu vor fi libere decât cu numele. Voi toţi sunteţi încă nişte copii. Eu sunt un vechi socialist, şi le cunosc bine metodele. Când au avut nevoie, au înscenat procese mari, fără să aibă măcar pretextul unui manifest. Nu-i exclus ca toată povestea asta să fie ticluită în vederea conferinţei internaţionale care trebuie să se deschidă la Londra în 11 septembrie. Ruşii vor probabil să le dovedească aliaţilor că singurul partid cu adevărat democratic din România este Partidul Comunist. Cât le priveşte pe celelalte, ele sunt toate de tip fascist, cum o va demonstra procesul de la Bucureşti. Da, ăsta trebuie să fie scopul ruşilor. De altfel, m-am exprimat prost: nu al ruşilor, ci al staliniştilor. Poporul rus, asta-i altceva, n-are nici un cuvânt de spus.

Nu mai râdem. Cuvintele lui Antim Boghea apasă greu. Iau la rândul meu ziarul ca să continui lectura cu voce tare:

Rolul generalului Rădescu. Reiese din declaraţiile lui Remus Ţeţu şi ale Adrianei Georgescu, precum şi din prezenţa în organizaţie a unor colaboratori direcţi ai generalului, că Rădescu a fost inspiratorul organizaţiei T, căreia îi transmitea regulat instrucţiuni.

Întrerup lectura ca să strig:

— Ce colaboratori direcți? În afară de mine, nu mai văd pe nici unul printre voi. Și pe urmă, nu am semnat niciodată o asemenea declarație.

— Citește mai departe.

— *Reiese de asemenea din declarațiile membrilor organizației că Maniu și Brătianu erau la curent cu planurile și activitatea organizației teroriste.*

Mai cunoșteau existența ei: Bebe Brătianu, profesorul Danielopolu, Mihai Fărcășanu, Carandino și alți membri ai clicilor reacționare. Dacă teroriștii vor răspunde de acțiunile lor criminale în fața Curții Marțiale, nu este mai puțin adevărat că nu trebuie să ignorăm rolul politic jucat de clicile lui Maniu și Brătianu.

Fuziunea cu rămășițele lui Antonescu și ale gărzilor de fier, folosirea metodelor hitleriste nu sunt decât urmarea inevitabilă a politicii duse dintotdeauna de către Maniu, lucru ce nu trebuie ignorat de opinia publică, chiar dacă Maniu nu se află în boxa acuzaților.

Vacarmul reîncepe. Un băiat strigă:

— Adică: chiar dacă n-am reușit, cu toate metodele folosite, să smulgem inculpaților declarațiile necesare pentru a-i aduce pe Maniu și pe ceilalți în boxa acuzaților.

Unul dintre ceilalți colegi de la *Viitorul* se apropie de mine citind:

Georgescu Adriana: avocat, membră a Tineretului Liberal, fostă șefă de cabinet la Ministerul de Interne, a difuzat publicațiile clandestine, a făcut parte din organizația T, a asigurat legătura dintre Țețu și Rădescu. Dovezi: propriile ei declarații, ca și cele ale lui Țețu.

— Privește toată lista. Numai în dreptul numelui tău e cuvântul „dovezi". De ce?

Și continuă:

— Erai singura care îi cunoșteai personal pe Maniu, Brătianu, Rădescu. Probabil că se bizuiau mult pe declarațiile tale. „Dovezi." Dacă scriu asta, pesemne că nu le au. Dacă le-ar fi avut, Maniu, Brătianu, Rădescu ar fi acum închiși în camera de alături. Or, nu sunt.

Și, după o ezitare:

— Spune-mi: ce ți-au făcut acolo?

O tăcere adâncă în toată sala. Toate privirile sunt ațintite asupra mea.

Murmur:

— Veți afla la proces.

Apoi, în tăcerea care continuă, iau câteva ziare și trec în odaia de alături.

*

Sunt singură în odaia mea, cu capul lipit de zăbrele.

Ieri, a venit să mă vadă Istrate Micescu. E unul din marii noștri avocați, jurisconsult eminent, o somitate a baroului, din care de altfel a fost scos.

— Șaptezeci și trei de avocați s-au înscris să vă apere. Voi fi al șaptezeci și patrulea. Voi fi martor.

Îmi spune și că Maniu, Brătianu și Titel Petrescu au înțeles perfect toată afacerea. Arestându-i pe membrii tineri ai partidelor lor, comuniștii vor să arate opiniei publice internaționale că aceste partide îi învață pe membrii lor metodele fasciste și astfel să le discrediteze. Cât despre opinia publică românească, ea s-a lămurit și așteaptă alegerile. E un proces înscenat pentru uzul străinătății. Trebuie să ne ținem tari.

După plecarea lui Istrate Micescu, m-am dus să-i găsesc pe băieți ca să le reproduc convorbirea. Am deschis larg fereastra, și am început să cântăm imnul național. Pe stradă, trecătorii s-au oprit, la fel automobilele și un tramvai. Toată strada cânta cu noi. Cinci minute mai târziu, procurorul militar a intrat în încăpere cu doi agenți ai Securității. Unul dintre agenți a strigat:

— Închideți ferestrele! Cât despre cântăreață, duceți-o la Văcărești să se liniștească și să vadă ce o așteaptă după proces.

„Cântăreața" sunt eu. Procurorul militar nu a spus nimic. Aștept să fiu transferată la închisoarea Văcărești.

*

În mașină, între doi soldați care îmi oferă țigări:

— De ce vă trimit la Văcărești? Pentru că ați cântat imnul național? Păcat că n-ați avut timp să-i omorâți!

— Ziarele spun prostii.

— N-ați vrut să-i omorâți pe șefii guvernului?

— Nu, cred că aș fi incapabilă să omor pe cineva.

— Păcat.

— Da, păcat.

*

Soldații au oprit mașina și au cumpărat fructe și țigări. Se urcă iar lângă mine și îmi întind pachetul.

— Pentru dumneavoastră.

Mă simt deodată liberă, și le strâng mâinile.

*

Oprim în fața închisorii. O firmă mare: „Penitenciarul de femei Ilfov". Urc scările ținând sub braț pachetul primit de la soldați. Am mai fost o dată aici, pentru o clientă de drept comun, o tânără inculpată de crimă. Primul meu succes: a fost achitată.

Îi revăd capul sprijinit de zăbrelele vorbitorului, cu gestul care mi-a devenit acum familiar. „Nu-s vinovată, știți, nu-s vinovată." Plângea.

E alt paznic acum. Când intrăm în vorbitor, tocmai strigă la nişte ţigănci aşezate pe jos, care îşi alăptează copiii.

Soldaţii mă încredinţează paznicului.

— În prevenţie până la proces.

Înainte de a ieşi, îmi lansează:

— Noroc, domnişoară!

Paznicul îşi ia un aer important:

— Va să zică, tu eşti terorista. Am să te anunţ doamnei directoare.

Deschide uşa din dreapta şi îmi spune să intru. În încăpere, trei femei, dintre care una foarte grasă, care ocupă ea singură un birou. Şi, cum ele stau şi mă privesc, spun:

— Bună ziua.

Femeia cea grasă strigă:

— Aici nu se spune bună ziua, ci: „Sărut mâna cu respect, doamnă directoare".

Nu-mi controlez deloc nervii. Râd cu lacrimi. Directoarea ţipă în timp ce paznicul, aplecat spre ea, îi spune ceva la ureche. Vine lângă mine şi mă împinge spre celelalte două femei, care îmi iau amprentele.

Aud un cor care cântă undeva în închisoare *Tatăl nostru care eşti în ceruri...*

Directoarea mă întreabă cum am putut eu, „o tânără cu un aer atât de blând", să conduc o bandă de terorişti. Îi explic că, în afară de patru băieţi – pe care nu i-am mai văzut de destul de mult timp –, i-am cunoscut pe toţi ceilalţi abia la Curtea Marţială. Ea reîncepe să strige:

— Eşti o „mincinoasă ipocrită". Eu, care te credeam o tânără de treabă! Duceţi-o la sabotaj. Şi nu uita: aici trebuie să spui „Sărut mâna cu respect, doamnă directoare".

*

În perete, o uşă dreptunghiulară foarte mică, pe care o deschide paznicul. Trebuie să mă aplec ca să intru într-o încăpere mare, prost luminată, în care domneşte un miros greţos. Paturi suprapuse. Trei rânduri de culcuşuri. Doi paşi distanţă între fiecare rând. Tăcere adâncă la intrarea mea. O bănuiesc ostilă. O femeie lansează:

— Ie-te-te şi la puştanca asta.

Alta comentează:

— Nu fă pe nebuna. Uită-te la ea, îşi târăşte piciorul!

Mă urc anevoie pe culcuşul indicat de paznic. Cearşaful de o culoare îndoielnică este plin de ploşniţe. Sunt mai multe decât în toate celulele de la Securitate şi Interne laolaltă. Paturile au început să mi se rotească în faţa ochilor, şi mă întind. Ridic picioarele şi le sprijin de perete, acoperindu-le cu ziarul pe care mi-l dăduse adineauri „doamna directoare" spunându-mi: „Citeşte asta şi nu ne mai veni cu baliverne". Astfel că citesc în *Scânteia*:

T înseamnă Teroare. Echipele morţii renasc cu aceleaşi elemente. Aceleaşi, dar încă şi mai primejdioase decât în trecut, fiindcă lecţia pe care democraţiile i-au dat-o lui Hitler nu le-a folosit la nimic.

— Hei, tu, aia cu picioarele în sus, dă-mi onorul, ca gardian-şef, şi coboară la raport.

O femeie îmi întinde mâna.

— Haide, coboară, puştoaico.

Femeile s-au aliniat pe două şiruri. Paznicul spune cu un aer marţial:

— Noapte bună, fetelor!

— Să trăiţi, răspunde corul fetelor.

Iar îmi vine să râd. De îndată ce se închide uşa, două femei se apropie de mine.

— Din ce bandă eşti?

Megafonul a început să urle:

„Vorbește Moscova: faptul că zeci de fire leagă între ele organizațiile teroriste ale lui Rădescu, Maniu și Brătianu nu poate surprinde pe nici un observator care e câtuși de puțin la curent cu istoria politică a României.“

Femeile au început să țipe:

— Gura! Ce ne tot piscază cu poveștile lor!

Cea de lângă mine începe iar:

— Ți-ai înghițit limba? Din ce bandă ești?

Megafonul continuă:

„Vă vom da acum lista teroriștilor: Georgescu Adriana, unealta călăului din Piața Palatului…“

— Din ce bandă? Sunt „unealta călăului din Piața Palatului“.

Vecina mea pare încântată:

— Zău așa? Va să zică, ai vrut să le faci de petrecanie la toți? Și lui Ana Pauker? Am fost cu Ana Pauker în închisoare, la Dumbrăveni. Avea bucătăria ei, personală, cum s-ar zice. Băftoasă. Peste câtva timp, poate ai s-o ai și tu. Primea tot felul de pachete din Rusia. Fată de treabă, zău că da. Îmi dădea cafea cu lapte și cozonac și tot îmi povestea de „Max“, Lenin, tipii ei, zău așa. Ziceam da, da, și-i mâncam cozonacul. Pe urmă au luat-o rușii. Acum, uite-o că s-a întors. Face pe cucoana mare și se plimbă cu mașina. S-a făcut că nu mă cunoaște într-o zi când am văzut-o pe stradă.

Își ia un aer prețios și îmi întinde mâna:

— Eu îs Florica Ungureanu. De cincisprezece ori la zdup. Mă mai odihnesc și eu, zău așa.

Și Florica Ungureanu le strigă celorlalte:

— Fetelor! Puștoaica-i șef de bandă. E terorista care a vrut să le facă de petrecanie la tot guvernu'.

— Bravo, puștoaico. Ești șef de bandă?

Mă simt ca un leu în cușcă. S-au adunat toate în jurul meu ca să se uite la mine. Una din ele mă pipăie și-și dă cu părerea:

— Ești din banda lui Puica?

— Puica?

— Aia de-a omorât o actriță ca să-i ciordească bijuteriile. Lângă teatru. Dacă ți-ar fi mers cu Ana Pauker, ai fi avut și tu bijuteriile lui Stalin.

Intervine alta:

— Proasto. Terorista-i politică. La fel ca Ana Pauker. Ana a pus o bombă ca să omoare parlamentu' și terorista avea o bandă ca să omoare guvernu'. Ăștia nu fac decât să se certe între ei, politicii.

— N-am vrut să omor pe nimeni.

— Ia nu mai face pe mironosița. Cu noi nu-ți merge. Zice sau nu la radio că ești teroristă? Da. Atunci?

Florica Ungureanu reia:

— Și ziarele. Pe pagina întâi. Avem și noi baftă să-ți vedem mutra.

Intervine alta:

— Da' nu ți-au pus poza în ziar, ca mie. Sunt mai ceva ca tine. Poza mea pe prima pagină și cu litere groase: *Gaby, femeia cu opt logodnici.*

Pe urmă, cu falsă modestie:

— Pe toți i-am omorât.

— Nu te mai lăuda atâta, cârpo, îi aruncă alta, care, așezată pe vine peste o căldare, cu fustele suflecate, își face nevoile.

— Du-te de te mai spală la fund, târfă! Ți-a căzut curul.

Cea astfel interpelată sare și o înșfacă de ciuf pe „Gaby cu opt logodnici". Celelalte dau fuga. Bătălia a devenit generală. Megafonul transmite muzică. La celălalt capăt al sălii, cinci femei, cu sânii dezgoliţi, dansează isteric.

Profit de vacarmul general ca să mă sui din nou în culcuş. „Gaby cu opt logodnici" s-a desprins prima din încăierare şi vine lângă mine. Trebuie să-mi împart patul cu ea. Mă învaţă cum să omor ploşniţele: „Iei o foaie de ziar, scuipi pe ea, ocheşti ploşniţa şi o striveşti". Dansând, femeile au răsturnat căldarea. Ferestrele sunt închise ermetic. Mirosul se răspândeşte prin încăpere.

N-am dormit toată noaptea. În zori, responsabila celulei îmi spune:

— Hei, terorista, crezi că eşti la bal? Ia te uită ce confeti ai făcut. Hai, fuga, coboară şi mătură.

„Confeti"-le sunt foile de ziar. „Metoda Gaby." Dezgustată să tot strivesc la ploşniţe, am aruncat toată noaptea pe jos ziarele pe care mi le întindea Gaby. Mătur.

Responsabila s-a îmblânzit.

— Eşti o teroristă de treabă. Eşti de serviciu la corvoadă.

— Ce corvoadă?

— Corvoada căldărilor. Hai, ia-le de aici.

Iau două căldări şi o urmez pe responsabila. Ieşim în curte şi stăm la coadă în faţa a două closete primitive, în care trebuie golite căldările. Pe cimentul din curte, nişte ţigănci se despăduchează unele pe altele, căutându-se în păr, molatec întinse la soare.

La înapoiere, sala mă aclamă. Gaby le impune tăcere şi îmi spune cu multă demnitate:

— Ştii, teroristo, te potriveşti cu noi. Eşti populară.

Declaraţia ei de prietenie se soldează cu altă corvoadă la căldări, pe care trebuie să o prestez în semn de recunoştinţă.

*

De cât timp mă aflu la Văcărești? Ziua, dorm pe jos. Noaptea, vânez ploșnițe urmând fidel „metoda Gaby". Când mai apuc să gândesc, mă gândesc la proces. Megafonul transmite zilnic alte comentarii ale postului de radio Moscova.

„Șeful organizației T a recunoscut că a avut intenția să continue cu actele de terorism și a cerut membrilor organizației să-și pregătească armele în vederea unei misiuni speciale. În manifestele lor, fasciștii au îndrăznit să spună că într-o bună zi războiul dintre URSS și Aliați va fi inevitabil."

Cum putea „organizația" să-și *continue* actele de terorism pe care nu le comisese niciodată? Încerc să îmi ordonez ideile. Nu îmi mai amintesc exact ce conținea *Flacăra*. De altfel, nu era manifestul cel mai interesant. Ce i-o fi spus Țețu generalului în ziua aceea? Mare copilărie că l-am dus pe Țețu la general. Toată povestea asta e grotescă.

Megafonul nu mai încetează:

„Organizația poseda birouri și sedii secrete. Organizația avea și un cod cifrat. Întâlnirile dintre agenții organizației erau fixate prin telefon într-un limbaj dinainte convenit. Rapoartele se înaintau pe cale ierarhică. Existau *trei* tipuri de rapoarte: rapoartele de executare a misiunii și rapoartele excepționale. Primele erau săptămânale și conțineau în încheiere formula tip: «Dacă are arme și de ce calibru»."

Aș vrea să mai am puterea să râd. „Trei tipuri de rapoarte", care sunt două, formula tip menționând calibrul armelor, toată pălăvrăgeala asta, toate clișeele repetate pe toate tonurile la anchetă și reluate acum de Radio Moscova și presa comunistă.

Ce oi fi semnat din toate astea? Injecția? Capul mă arde, mă arde.

*

În seara aceea, după ce ne-a urat „Noapte bună, fetelor"
și a așteptat să-i răspundem în cor „Să trăiți", paznicul îmi
spune că mâine, de îndată ce voi deschide ochii, va veni să
mă ia pentru „judecată".

Mare surescitare în sală.

— Ascultă, dacă te pun la zid, lasă-mi mie pantofii. Sunt
faini.

Florica vrea să-mi dea o bluză roșie:

— Să mi te faci frumoasă, fetițo. Mănâncă ceva, că arăți
de parcă ai fi ieșit din rahat.

— Dă-i pace cu zdrențele tale. Vrei s-o facă pe mironosița.
Ascultă, puștoaico, smiorcăie-te tot timpul. Smiorcăie-te
până-l înmoi pe judecător. Fă-te că leșini.

— Cum să leșin?

— Dă-te cu căpățâna de bancă. Mâine, când picurătoarea
o să-și pornească tramvaiele, cine o să mai fie ca tine? Singură
cu treizeci și doi de tipi. Sunt frumoși, tipii tăi?

— Ce înseamnă „picurătoare"?

— Ceasul, cârpo. Fii mai populară.

Continui să strivesc ploșnițe.

A doua zi, în zori, s-au adunat în jurul meu ca să-mi dea
ultimele sfaturi.

— Leșină.

— Plângi cât poți.

— Zi-le că ai copii, că nu trebuie lăsați orfani; asta ține
întotdeauna.

O țigancă mi-aduce o iarbă pe care a descântat-o în ajun.
Alta mă învață o formulă ca să moară președintele.

Abia mă țin pe picioare. Paznicul mă încredințează unor
soldați. Se luminează de ziuă, străzile sunt pustii, orașul mai
doarme încă.

*

La Curtea Marţială sunt condusă în biroul comandan-
tului închisorii. Lângă el, aşezat la birou, omul-şobolan.
Comandantul se scoală şi iese spunând:

— Pe curând, domnule Nicolski.

Mă simt nespus de bogată prin faptul că-i cunosc numele.
Se scoală, şi-aruncă ţigara şi vine spre mine. Nu mă dau
înapoi.

— Ascultă, vreau să fiu drăguţ cu tine şi să-ţi dau un sfat.
Dacă nu-l urmezi, s-ar putea să-ţi pară rău. Mă înţelegi, nu-
i aşa? Mai întâi, să nu fii obraznică la proces, aşa cum ai
fost la anchetă.

Zâmbesc, calmă, destinsă: îi cunosc numele, îi cunosc
numele!

— Şi pe urmă, nu povesti nimic despre anchetă la proces.
Un singur cuvânt de prisos, şi ţi-ai semnat sentinţa. O să
te omorâm.

Continui să zâmbesc:

— Altceva nici nu cer. Asta-i tot?

Intră un soldat:

— Pot să iau deţinuta?

— Ia-o, şi să nu mai aud de ea.

Înainte de plecare, îi spun, foarte calmă:

— Pe curând, Nicolski.

*

În curte, băieţii sunt aliniaţi doi câte doi. Îmi reiau locul
lângă Antim Boghea, care îmi strânge mâna.

— Ne-am temut pentru dumneata. Cum a fost la Văcă–
reşti?...

— Nu prea rău. În afară de ploşniţe.

— Ai fost cu politicele?

— Nu, cu dreptul comun. Ce zi e azi?

— Vineri 7 septembrie.

Un ofițer ne lansează un ordin. Șirul se pune în mișcare. Auzim în spatele porților închise vacarm de mulțime. Antim Boghea îmi spune:

— Oamenii care vor să asiste la proces.

— Procesul nu trebuie să fie secret. De ce nu sunt lăsați să intre?

— PC găsește probabil că e mai prudent așa. Și îi înțeleg.

Pornim pe un culoar și suntem introduși în boxa acuzaților. În sală, uniforme englezești și americane. Îl strâng de mână pe Antim Boghea.

— Au venit.

— Da. Va trebui să încercăm să spunem cât mai mult posibil.

Un băiat în spatele meu se agită:

— Londra și Washingtonul vor afla mâine. Misiunile lor sunt în sală.

Îmi încleștez dinții: va trebui să spun tot, tot.

Se anunță curtea. Toată sala se scoală în picioare. Intră curtea: generalul Ilie Crețulescu, colonelul magistrat Iorgu Negreanu și colonelul Niță Nicolau. Interogatoriile de identificare încep. În afară de trei socialiști, mai în vârstă, nici unul dintre noi nu are treizeci de ani. Băieții sunt în majoritate studenți la Drept sau la Politehnică. Odată interogatoriile de identificare isprăvite, președintele întreabă dacă avem avocați. Profesorul Veniamin, unul dintre avocați, răspunde afirmativ: șaptezeci și trei de avocați s-au înscris pentru apărare. Curtea nu reține decât treizeci și doi.

Mă ridic.

— Aș vrea să relev un incident. Aș vrea de asemenea să fie consemnat în procesul verbal al ședinței.

Preşedintele îmi dă cuvântul. Ochii băieţilor sunt aţintiţi asupra mea.

— Domnule preşedinte, domnul Nicolski, de la Securitate, care în timpul anchetei a uzat şi abuzat de ameninţările cele mai diverse, m-a convocat acum circa o oră în biroul comandantului Curţii Marţiale ca să-mi spună textual: „Un singur cuvânt de prisos, şi ţi-ai semnat sentinţa. Dacă vorbeşti, o să te omorâm".

Preşedintele spune:

— Tocmai aţi declarat la interogatoriu că sunteţi şi dumneavoastră avocat. Ar fi trebuit deci să-i răspundeţi domnului Nicolski de la Securitate că nu mai e cazul să intervină, dat fiind că vă aflaţi actualmente sub jurisdicţia Curţii Marţiale.

Stau jos. Băieţii mă lovesc pe umăr murmurând: „Bine jucat, ai fost tare", în timp ce Antim Boghea îmi şopteşte la ureche:

— Poate că o s-o plătim destul de scump, dar merită.

Un avocat cere amânarea procesului, apărarea neavând timpul necesar să studieze dosarele. Alţi trei i se alătură. Un al patrulea contestă legitimitatea legii conform căreia am fost aduşi în faţa Curţii Marţiale, un al cincilea...

Abia îi ascult. Mă gândesc la cuvintele, la frazele pe care le voi spune, îi privesc pe membrii misiunilor britanică şi americană, care iau note. Sala mi se învârte în faţa ochilor, şi aş vrea să spun totul cât mai repede. Avocaţii cer un nou termen de judecată. Şedinţa se suspendă. Curtea deliberează asupra incidentelor relevate de apărare. Procesul este amânat pentru luni 10 septembrie, la ora nouă dimineaţa.

※

Suntem din nou adunaţi în sala cea mare a închisorii. Împart cu băieţii pachetul de ţigări oferit de un avocat în momentul suspendării şedinţei, şi fumăm citind ziarele.

Antim Boghea ne aduce marea ştire: Maniu, Brătianu şi Titel Petrescu au cerut să fie audiaţi ca martori. Un băiat se caţără pe un scaun, imită cele trei sunete surde de la BBC şi lansează: „Comunicat al Marelui Stat Major al libertăţii. Operaţiuni victorioase pe toate fronturile. Repliere a trupelor inamice. Detaliu strategic: în sală, reprezentanţi ai misiunilor anglo-americane. Moralul trupelor: excelent".

Cântăm, râdem, ne simţim teribil de tineri.

*

S-a înserat, când un băiat năvăleşte în încăpere strigând:

— Repede, trebuie să ne baricadăm. Nicolski şi toată echipa de la Securitate vor fi aici într-o clipă. Tocmai i-am văzut coborând din două autobuze oprite în faţa sârmei ghimpate.

— Nu spune prostii. Preşedintele i-a spus Adrianei că Securitatea nu mai are nici o putere asupra noastră.

Deschid uşa şi văd într-adevăr pe Nicolski şi cinci agenţi pe coridor. Le strig băieţilor:

— Toată lumea la mine în cameră. Să ne baricadăm: sunt aici.

Ne înghesuim toţi în camera mea. Patru băieţi blochează uşa. Alţi trei deschid fereastra dinspre stradă şi le strigă trecătorilor:

— Salvaţi-ne. Securitatea vrea să ne răpească. Aparţinem aşa-zisei organizaţii T.

Oamenii se opresc pe stradă. În spatele uşii, Nicolski urlă:

— Deschideţi uşa, reacţionari nemernici!

Spun:

— Nu vom deschide uşa decât procurorului militar. Să vină procurorul militar să ne spună să deschidem uşa.

Agenţii sparg uşa. Urlăm în cor:

— Procurorul militar!

Uşa e spartă.

— Cu sau fără procuror militar, o să ştim noi să vă omorâm, adunătură de reacţionari împuţiţi! vociferează un agent.

Am amuţit cu toţii. Intră procurorul militar, urmat de Nicolski.

— Trebuie să-i urmaţi. Vă însoţesc.

Este livid. Agenţii ne încercuiesc în timp ce Nicolski ţipă:

— Cine le-a dat viperelor ăstora ziare? Cine le-a permis să fumeze?

Agenţii ne îmbrâncesc spre uşă în pumni. Soldaţii privesc scena.

*

Ţin ochii închişi. Nu îndrăznesc să-i privesc pe băieţi. Ne vor omorî? Băieţii n-au nici o vină. Doar eu am vorbit. Ne vor omorî pe toţi?

O frână bruscă. Am ajuns. Cu încăpăţânare, ţin ochii închişi. Maglaşu, un socialist, aşezat lângă mine, îmi strânge mâna.

— Suntem la Securitate.

Îmi vine să ţip. Orice, numai asta nu! Voiam să mă omoare, dar asta nu voi mai putea suporta.

Sunt despărţită de grup, împinsă pe coridoare. Sunt aruncată într-o celulă. Am căzut pe jos. Nu-i nimeni în celulă. Toate scenele pe care le-am trăit la Securitate îmi revin în minte, îmi joacă în faţa ochilor, mă împresoară. Îmi iau capul în mâini şi repet la nesfârşit: „Dacă nu mi-e

frică, sunt liberă; dacă nu mi-e frică, sunt liberă". Fraza
Varvarei, Varvara „cea căreia nu-i mai e frică".

Dar mie mi-e frică, groaznic de frică.

*

Am adormit în zori. N-am fost luată la anchetă. Mă
trezește un paznic:

— Haide, vino.

S-a luminat. Ieșim în curte. Paznicul mă îmbrâncește.

— Mai repede, putoare.

Ajungem în fața unei gherete, în care se află un plutonier.
Lângă el, un agent, cu dosare în mână.

— Uite-ți dosarul.

Citesc declarațiile pe care le-am dat. Răsuflu ușurată.

„Subsemnata, recunosc că am făcut parte din organizația
T, că am prestat jurământ, că am vrut să răstorn guvernul
prin forță." Asta-i tot. Pe masă, alte dosare sunt deschise
alături de al meu. Mă prefac că citesc cu atenție declarația
mea și arunc o privire asupra celui al unui băiat. „Subsem-
natul, recunosc că am vrut să omor pe Ana Pauker, Teohari
Georgescu, Vasile Luca și *probabil* pe Gheorghiu-Dej."

„Probabil." Râd. Băiatul ăsta, cu toate loviturile, și-a
păstrat simțul umorului.

Agentul urlă.

— Ai terminat de citit, putregai reacționar?

Paznicul mă îmbrâncește. Revin în celulă.

*

Alt paznic îmi aduce supa într-o gamelă. Arunc supa pe
jos de îndată ce iese. Mă tem să nu vrea să mă otrăvească.
Mi-e teamă de orice.

Noapte. În fața celulei se opresc pași. Se deschide ușa:

— 17, la anchetă.

În birou, Nicolski şi alte trei figuri necunoscute.

— Semnează aici.

Citesc: „Subsemnata, declar că am luat cunoştinţă de dosarul meu şi am fost bine tratată la anchetă“.

— Semnezi, căţea?

— Nu, prefer să scriu.

— Ţi-a venit mintea la cap?

Scriu: „Subsemnata, declar că mi-am văzut dosarul în prezenţa unui agent al Securităţii şi al unui plutonier de la Curtea Marţială, şi nu a avocatului meu, şi că am fost maltratată la anchetă“.

Nicolski ridică mâna ca să mă lovească. Altul îl reţine:

— După proces.

— Lepră reacţionară, o să-ţi treacă ţie obrăznicia. Ai s-o faci pe Mata-Hari în Siberia.

— Cine-i Mata-Hari?

— Nu-ţi mai rostogoli aşa ochii ca o tâmpită şi şterge-o în celulă, până nu te fac bucăţele.

O „şterg“ în celulă.

*

Nu reuşesc să adorm. Toată noaptea, paznicii trec în sus şi în jos prin faţa celulei. Repet obsesiv fraza Varvarei: „Dacă nu mi-e frică, sunt liberă; dacă nu mi-e frică, sunt liberă“.

*

A doua zi, paznicul deschide uşa:

— Haide.

Mă împinge în curte. Un camion. Mă urc. Băieţii îmi strâng mâna. Unul dintre ei îmi şopteşte:

— Ne duc din nou la Curtea Marțială.

Sunt foarte palizi, dar zâmbesc. Procesul se va relua.

*

E foarte cald în sală. Intrând, aruncăm o privire în public: reprezentanții misiunilor sunt din nou acolo.

Se anunță curtea. Stupefacție generală. Curtea nu mai e aceeași! Ieșirea președintelui, după intervenția mea, pesemne că a displăcut Partidului Comunist. Noul președinte se numește Alexandru Petrescu. Antim Boghea îmi spune:

— Este fostul director al închisorilor sub Antonescu. Acum câteva luni, mai figura încă pe lista criminalilor de război.

Președintele prestează jurământul punând mâna pe cruce. Un zgomot sec, crucea s-a rupt în două! Tumult în sală. Ședința se suspendă. Un ziarist strigă:

— Asta-i sabotaj. Mâna reacțiunii.

Un avocat îi răspunde:

— Sau a Domnului.

Curtea reapare. Au renunțat să mai presteze jurământ. Se declară deschisă cea de-a doua ședință. Avocații relevă incidente de incompetență. Procurorul neagă temeiul lor – este vorba despre recentul nostru sejur la Securitate – și închide incidentul citind actul de acuzare: *Organizare de grupuri clandestine, subversive, tipărire și răspândire de foi clandestine, organizare a unor centre de rezistență, posturi de radioemisie și atentate plănuite contra conducătorilor democrați ai țării pentru a tulbura ordinea existentă în țară, depozitare de arme.*

A sfârșit de citit actul de acuzare.

Mă scol în picioare.

— Domnule procuror, despre ce arme este vorba? Dacă tribunalul ar avea amabilitatea să compare amprentele noastre cu cele de pe arme, acest argument nu ar mai sta în picioare.

Președintele intervine:

— Acuzată, nu ai cuvântul. Să trecem la interogatoriul acuzaților.

Băieții își fac depozițiile. Nu se recunosc vinovați. Spun că au iscălit ce li s-a dictat la anchetă sub lovituri ori sub presiuni morale: fiindcă le era foame sau fiindcă le era frică. Cei care au iscălit imediat nu au fost loviți.

Un tânăr blond declară că nu a citit și răspândit niciodată *Flacăra*.

— Ești acuzat că ai montat un aparat de radioemisie.

— Aș vrea foarte mult să mi-l arătați, domnule președinte. Cunoștințele mele tehnice se rezumă la instalarea unui gramofon.

Președintele spune:

— Nu mai ai cuvântul. Următorul.

Următorul e Ion Maglașu, socialist, fost șef al sindicatelor maritime. Se scoală, își spune numele și prenumele și se adresează președintelui:

— Cum îndrăzniți să declarați corp delict o carte de vizită de mulțumiri primită de la ambasada britanică fiindcă am semnat în registrele lor la *Victory Day*? Cum îndrăzniți să spuneți că sunt fascist? I-am cunoscut personal la congresele socialiste de la Londra pe domnii Bevin și Attlee. Vor fi foarte mirați să afle că sunt fascist, eu, care reprezentam la acele congrese mișcarea socialistă românească.

Procurorul strigă:

— Ești un trădător al clasei muncitoare și spărgător al mișcării sindicale.

Maglașu ridică și el tonul:

— De ce? Fiindcă am organizat alegeri sindicale cu toată interdicţia guvernului? Oare eu sunt fascist, sau guvernul? Ştiţi ca şi mine că guvernul.

Preşedintele îi ia cuvântul. Evident, e mai prudent. Şedinţa se suspendă. Se va relua după-amiază. Ieşind, îi strângem toţi mâna lui Maglaşu.

*

Mâncăm sandvişuri în camera de la închisoare şi citim ziarele.

O delegaţie a guvernului se află la Moscova. Tătărăscu, ministrul Afacerilor Externe, este primit de Vîşinski.

Nimic despre amânarea procesului. Editoriale în legătură cu T. Un titlu: *Gărzi de Fier la T.* Alături, cu litere groase: *Dreptul de a fi liberi.*

Râd.

— Au umor.

Unul dintre băieţi spune:

— Parcă aş fi la teatru. Piesa e burlescă, rolurile sunt prost distribuite, nu, nu prost distribuite, ci inversate. De o parte, curtea: preşedintele este un criminal de război, procurorul a ucis un evreu, sub nemţi. De partea cealaltă: acuzaţii, aparţinând singurelor partide care nu au colaborat cu nemţii, partidelor care au realizat lovitura de stat din 23 august şi au răsturnat regimul Antonescu!

Maglaşu ridică din umeri:

— Nu există roluri inversate. Totul e în ordinea firească. O dictatură este înlocuită prin alta. Un fascism prin altul. În august 1939, Molotov a strâns mâna lui Ribbentrop. În august 1939, Rusia şi Germania au semnat un pact şi şi-au împărţit câteva ţări. Cei care nu au văzut în pactul acela decât un simplu act diplomatic s-au înşelat. Are bătaie mult mai lungă. E deci normal să fim mereu de partea cea proastă, adică bună, în boxa acuzaților.

Intervine altcineva:

— Nici una din acuzațiile lor nu stă în picioare. O să fim achitați.

Antim Boghea îl potolește:

— Nu fi prea optimist. Să așteptăm să vedem ce se va întâmpla la conferința de la Londra. Graba asta ca să termine cât mai repede procesul... Parcă și văd delegația sovietică citind la conferință sentințele noastre, pe care probabil că le-au luat cu ei de la Moscova. Sentințele s-au dat deja. Să nu ne facem iluzii.

Băieții protestează:

— Se vor ține alegeri și atunci nici un singur comunist nu va mai rămâne la putere.

Maglașu spune cu o voce obosită:

— Și dacă, la Ialta, anglo-americanii ne-au cedat sovieticilor? De ce nu cunoaștem încă rezultatele Ialtei? Dacă la Ialta...?

Toată lumea țipă:

— Asta-i o prostie. Ești nebun!

Maglașu reia:

— N-aș vrea să fiu cobe. De altfel, sper să aveți voi dreptate.

Un băiat intră alergând:

— Ascultați, copii, am aflat numele celorlalți doi tipi care au condus ancheta cu Nicolski: Bulz și Stroescu.

Un băiat se scoală și strânge pumnii, spunând:

— Bulz și Stroescu. Nicolski, Bulz și Stroescu.

Altul murmură:

— Trei nume pe care nu le vom uita. Nu-i așa că nu le vom uita, că nimic nu ne va putea face să le uităm?

Unii după alții repetăm:

— Nu le vom uita.

E ca un jurământ, primul jurământ pe care l-am prestat împreună.

*

Şedinţa de după-amiază începe într-un vacarm indescriptibil; afară, comuniştii „manifestează". Din stradă ne parvin vociferări: „Moarte teroriştilor, moarte lui Ţeţu, moarte Adrianei Georgescu, moarte lui Antim Boghea, moarte…"

Antim Boghea se apleacă spre mine:

— Vezi deci că nu se dau în lături de la nici un sacrificiu.

Ridic din umeri. Nu sunt obsedată decât de o singură idee: să pot vorbi. De nimic altceva nu-mi pasă. Parcă aş avea febră, şi aş vrea să dorm. Dar mai întâi trebuie să vorbesc.

Preşedintele îi dă cuvântul lui Ţeţu.

— Recunosc că am tipărit *Flacăra*. Guvernul suprimase revista *Academia*. *Scânteia* ceruse deja arestarea mea. Am intitulat *Flacăra* „ziar oficial al organizaţiei T" ca să ridiculizez guvernul. Îmi trebuia un titlu ca să pot enumera toate libertăţile suprimate de regim. Guvernul, nu noi, ar trebui să se găsească în boxa acuzaţilor. Am fost să-l văd pe generalul Rădescu, pentru că-l admir. Era bolnav. Adriana Georgescu îmi ceruse să prepar o reţetă pentru el. Ştiţi că am o farmacie. Am rugat-o să-i duc medicamentele personal. Voiam să-l cunosc. Asta-i tot. Dacă guvernul nu ar fi interzis revista mea, n-aş fi avut nevoie să tipăresc manifeste.

Preşedintele îi retrage cuvântul.

— Nu te afli aici ca să insulţi guvernul.

Avem fiecare dreptul doar la trei minute de depoziţie. Avocaţii protestează în zadar.

În sfârşit vine şi rândul meu. Mă scol în picioare. Ce să spun mai întâi? Strâng pumnii. Îmi aud vocea, o voce albă şi parcă din afara mea:

— Domnule președinte, am fost ridicată din stradă. Tocmai trecea un bărbat care semăna cu unul din colegii mei. L-am strigat. Era un necunoscut. În prezent se află la Ministerul de Interne. De ce? În virtutea cărei legi? Domnule președinte, Securitatea ne-a ridicat acum două zile de la Curtea Marțială ca să ne forțeze să dăm declarații cum că am fost bine tratați la anchetă. Dacă am fost bine tratați, de ce mai avea nevoie Securitatea de aceste declarații? De fapt, iată cum am fost maltratată la anchetă: insultată. Amenințată. „Dacă nu semnezi, te așteaptă moartea sau Siberia." Lovită. Dată cu capul de pereți, sistematic. Biciuită cu o mânecă umplută cu nisip. Regim celular. Înfometată. Lipsită de „aer". Carceră. Ținută ore întregi în vârful picioarelor, până leșinam. Injecție ca să fiu drogată. Pălmuită. Scuipată în obraz. Cer o expertiză medicală ca să pot arăta medicilor rezultatul altor metode de anchetă pe care prefer să nu le spun în fața unei săli întregi. Cer o comisie formată din medici comuniști și neutri.

În sală, oamenii se scoală în picioare, se agită. Avocații strigă. Președintele spune, cu un aer plictisit:

— N-aveți alte declarații mai interesante de făcut?

— Cer expertiza medicală.

— Continuați-vă declarația sau trec la următorul.

— Recunosc că am fost șefa de cabinet a generalului Rădescu și membră a Tineretului Liberal. Recunosc că am fost avocata generalului Rădescu și că l-am vizitat, în această calitate, la domiciliul său forțat. Am depus la anchetă procura care îmi dădea dreptul să o fac. De altfel, nu cunosc nici un text de lege care să oblige la domiciliu forțat pe cineva fiindcă a fost prim-ministrul unei țări și a pronunțat un discurs anticomunist. Nu cunosc nici o asemenea lege într-o țară democrată. Aș dori să-mi arătați textul de lege în virtutea căruia generalul Rădescu a primit domiciliu obligatoriu.

— Reveniți la problemă sau vă retrag cuvântul.

— Sunt în plină problemă, domnule președinte. Guvernul a decis să facă din domnii Maniu, Brătianu, Titel Petrescu și Rădescu șefii unui complot născocit de Comitetul Central al PC. Securitatea și-a închipuit că e suficient să ne tortureze ca să obțină declarațiile necesare spre a aduce pe toți capii opoziției în boxa acuzaților. Securitatea își închipuia oare cu adevărat că, chiar dacă am fi dat aceste declarații, nu aveam să spunem în fața tribunalului prin ce mijloace ne-au fost smulse? Putem arăta care sunt aceste mijloace. Cer expertiza medicală.

— Dacă mai continuați pe tonul acesta, vă retrag cuvântul.

— Domnule președinte, nimic pe lumea asta nu ne va împiedica să spunem adevărul. Iar adevărul este că acest proces e o farsă înscenată de guvern, care vrea să transforme țara într-o imensă închisoare. Cât despre organizațiile teroriste, ele sunt apanajul dictaturilor, nu al partidelor democratice care cred că guvernele se schimbă în urma alegerilor. Aparținem unor partide ale căror „metode teroriste" sunt alegerile.

Președintele agită clopoțelul.

— Nu vă aflați aici ca să faceți procesul guvernului. Recunoașteți că ați răspândit *Flacăra*?

— Dacă ar exista libertatea presei, nu aș fi fost obligată să o fac.

— Cum îndrăzniți să spuneți că libertatea presei nu există?

— Domnule președinte, cu siguranță că ați citit ziarele în care se vorbește de proces. Ați văzut atunci că toate ziarele reiau pur și simplu frazele de la Radio Moscova. Presupun că acest lucru nu mai are nevoie de nici un comentariu.

— Sunteți obraznică.

— Ba nu, spun adevărul. Cer expertiza medicală.

— Vă manifestați admirația pentru Rădescu.

Mă exasperează. Strig:

— Nu admirația, cultul, domnule președinte.

Cuvintele mele au avut efect.

În sală, comuniștii urlă:

— Călăul din Piața Palatului!

Strig și mai tare, ca să le acopăr vocile:

— Și propoziția asta a fost lansată ca lozincă de Radio Moscova!

Se creează un asemenea vacarm, încât nu mai reușesc să vorbesc. În dreapta mea, un băiat spune:

— De câte ori pronunți numele lui Maniu, Brătianu sau Rădescu, ai un an în plus.

Izbutesc să vorbesc din nou:

— V-am mai rugat, domnule președinte, să comparați amprentele noastre cu cele de pe armele a căror fotografie am văzut-o în ziare. De ce nu o faceți?

Președintele și-a ieșit din fire:

— Îți retrag cuvântul.

— Cer expertiza medicală. Curtea este obligată să cunoască anumite metode de anchetă foarte speciale ale Securității.

— Nu mai ai cuvântul.

Avocații cer și ei expertiza medicală. Băieții se scoală unul câte unul: „Am fost lovit, pălmuit, amenințat".

Președintele urlă:

— Trecem la audierea martorilor.

Îmi simt capul golit și, din nou, sala se învârte în fața mea. Nu mă mai pot ține pe picioare fără să amețesc. Martorii defilează. Îi văd și îi aud ca printr-o perdea subțire de ceață. Protestează: au fost aduși la tribunal cu mandat de arestare. Văd trecând miniștri liberali din guvernul Rădescu, despre care trebuia să dau declarații la anchetă. Toți ne sunt favorabili, dar par destul de îngrijorați: Maniu, Brătianu și Titel Petrescu nu au putut veni să depună mărturie, deoarece camioane cu echipe de șoc au blocat ușile caselor lor.

Aș vrea să dorm, să nu mă mai trezesc.

Suntem aduși înapoi în camera de la închisoare. Retez orice încercare de discuție a băieților, refuz să mănânc și trec în camera mea, unde mă prăbușesc pe pat. Aș vrea să dorm, să dorm.

*

A doua zi, defilarea martorilor continuă. Nu am închis ochii toată noaptea, le urmăresc anevoie depozițiile.

Redactorul responsabil de la *Universul Literar* depune în fața președintelui formele articolelor mele cenzurate de nemți.

— Domnule președinte, acuzata nu este fascistă. Mă aflam la redacție atunci când a fost căutată de Siguranță, sub nemți.

Președintele are un aer foarte contrariat când spune:

— Mulțumesc. Următorul.

Următorul este Istrate Micescu. Începe prin a ataca guvernul. Președintele îl întrerupe:

— Domnule profesor, ați venit să depuneți mărturie pentru acuzata Adriana Georgescu, aparținând unei organizații teroriste, ai cărei membri îi vedeți pe toți reuniți în boxă.

Istrate Micescu replică:

— Domnule președinte, văd reuniți în boxă tineri dintre care majoritatea mi-au fost studenți la Drept. Există însă o mare deosebire între acești tineri și adunătura de derbedei care urlă pe stradă cerându-le moartea. Cred că adevărații

teroriști sunt pe stradă. Cât despre Adriana Georgescu, fostă
studentă de-a mea, mă mir că îndrăzniți să susțineți că a făcut
vreodată parte dintr-o asemenea organizație. Ea, care…

E uimitor că președintele nu îl întrerupe. Trebuie să fie
intimidat de Istrate Micescu, altfel nu l-ar lăsa să mă laude,
și mai ales să ia în derâdere procesul. Istrate Micescu este
un maestru în mânuirea ironiei. Șfichiuitor, mușcător, este
pe cale de a-i da președintelui o lecție magistrală de jurispru-
dență și de a-i demonstra lipsa de temei juridic a tuturor arti-
colelor de lege în virtutea cărora ne aflăm în acest moment
în boxa acuzaților. Președintele caută în zadar să-l întrerupă.
Urmărim toți cu nesaț depoziția lui. De mai bine de o lună
suntem obligați să trăim, să respirăm într-o atmosferă de
prostie care ne-a fost poate la fel de nocivă ca și loviturile
și tortura fizică. Pentru prima oară de mai bine de o lună
ascultăm o ființă inteligentă, vedem cum precumpănește
inteligența. Respir mai bine, știu acum că n-au decât să ne
bată, să ne tortureze, să ne suprime chiar, dar nu vor reuși
niciodată să degradeze spiritul.

Depoziția lui Istrate Micescu durează două ore. De în-
dată ce a sfârșit, președintele suspendă ședința. Curtea se
retrage. Un băiat spune:

— Vor avea nevoie de o pauză lungă ca să-și recapete
puterile. Micescu i-a nimicit pur și simplu.

Micescu vine să ne strângă mâna. Și, când dau să-i
mulțumesc:

— Eu vă mulțumesc fiindcă nu v-ați lăsat înjosiți și ne-ați
permis ca nici noi să nu fim. Și adaugă, dus pe gânduri:
Cel puțin, pentru moment.

*

Când intru în camera de la închisoare, un băiat îmi întinde ziarul:

— Trebuie să-ţi citeşti depoziţia de ieri, în viziunea *României libere*. Ziaristul n-a reţinut decât cuvântul „cult" şi a brodat pe tema asta. În rest, pesemne că a dormit. E numai fantezie.

Intervine altul:

— Ba nu, n-a dormit. Pur şi simplu a trecut pe acolo celula comunistă a ziarului.

Citesc:

Adriana Georgescu are un cult... pentru Rădescu. Cum era de aşteptat, acuzata Adriana Georgescu neagă de la bun început orice apartenenţă la organizaţia T şi la ziarul Flacăra, *afirmând cu dezinvoltură că nu a aflat de existenţa lor decât la închisoare. După care îşi mărturiseşte mai ales adeziunea la misticism, urlând într-o manieră patetică sacrosanctul ei cult pentru călăul de la Palat.*

Antim Boghea mă întrerupe:

— Nu mai citi balivernele lor. Bineînţeles că nu menţionează cererea ta de expertiză medicală şi nu comunică declaraţiile tale privind Securitatea. Cât despre rest, pot foarte uşor să ţi-l rezum; eşti una din cele mai periculoase teroriste pe care le-a cunoscut istoria şi ai declarat că nu ai vrut să colaborezi la *Flacăra* pentru că făcea glume de prost-gust şi tu eşti prea mare cucoană ca să le accepţi.

Sunt uluită.

— Am spus eu asta?

— Sigur că n-ai spus! Dar ce contează? Trebuiau umplute câteva coloane şi, cum bietul ziarist nu putea să redea declaraţia ta şi să spună adevărul...

Boghea îmi întinde un sandviş. Refuz, mi-e imposibil să înghit ceva. Reia:

— Mai este un articol în *România liberă*, dar acesta umoristic. Numai că titlul e imprudent, dacă cititorii l-ar lua în serios; uite: *Adriana luptă pentru libertate*.

Și, cum vreau să-l citesc:

— Nu merită. Titlul e singurul lucru adevărat din articol.

Alt băiat cere să se facă liniște:

— Luați loc, stați comod. Oferiți țigări la toată lumea și ascultați-mă. Articolul e mai lung, dar este caracteristic, tipic, clasic, genial.

Și, cum băieții protestează:

— Credeți-mă, e foarte amuzant. Fără întreruperi. Promiteți? Bine, atunci încep.

M-am așezat pe un pat. Un băiat îmi întinde o țigară, în timp ce celălalt începe să citească.

România liberă *din 12 septembrie: cititorii sunt deja informați că scopul acestei organizații este constituirea de grupuri teroriste înarmate care să asasineze pe conducătorii vieții noastre politice. Organizația își asigurase serviciile unei mici tipografii...*

Întrerup:

— Nici măcar nu-i nostim.

— Vine, vine. Trec peste introducere și ajung la miezul subiectului: Curtea Marțială.

Întregul lot de inculpați a fost tradus în fața curții marțiale. Istoricul proceselor care s-au desfășurat în fața curții marțiale este desigur foarte lung și peste toate mai planează încă rezonanța profundă și gravă a judecății acestei curți, așa cum a fost ea cunoscută în trecutul încă recent al vieții noastre politice. Ne amintim cu toții de procesele acelea. Compăreau atunci în fața curții, ca în fața unui pluton de execuție, grupuri de luptători patrioți antifasciști, oameni din popor care își făcuseră din ideea de luptă un crez și, din viața lor sacrificată pe cel mai aspru câmp de bătălie și la cea mai înaltă datorie cetățenească, un stindard.

În această sală a curții marțiale, în interiorul acestor ziduri care se micșorau, sufocându-i pe cei care cădeau între mâinile reacțiunii, în spatele acestor ferestre care nu se deschideau spre exterior, ci înăbușeau ermetic strigătul de protest și vehemența celor jertfiți; printre băncile acestea goale altădată, ca într-un cimitir pustiu, se luau atunci în atmosfera inchizitorială a regimului totalitar, sub frunțile mânioase și privirile înspăimântătoare ale judecătorilor și procurorului, și ale curții și grefei, și ale agenților hitleriști răspândiți prin sală, se luau atunci cele mai ucigătoare, mai cumplite hotărâri.

Se judecau atunci reprezentanții poporului în atmosfera cea mai teribilă, în cea mai oribilă dintre terori.

Acuzații erau singuri. Singuri în boxă, singuri în fața curții care nu auzea și nu vedea, care nu înțelegea că sufletul acuzaților, înlănțuit de moarte, striga spre ei.

Plutonul care executa decizia macabră luată între asemenea ziduri se găsea, el cel puțin, în exterior, pe câmp, sub razele albe și reci ale soarelui care nu răsărise încă, în aerul care, el cel puțin, putea să fie respirat până la capăt, până la moarte.

Dar în sala aceasta a curții marțiale moartea părea încă și mai sumbră, mai macabră, mai înfricoșătoare.

Era curtea marțială a anilor de teroare; era curtea marțială a dictaturii lui Antonescu și a ocupației germane a României.

Iar condamnații, fără apărare și fără drept de apel, erau luptători pentru libertatea poporului, patrioți.

Lotul Teroriștilor în fața curții marțiale.

În fața curții marțiale este adusă acum o bandă de tineri din altă lume. Se spune despre ei că aparțin înaltei societăți, că sunt cultivați și, în majoritate, foarte eleganți. Instanța militară îi judecă pentru că au pregătit acte de terorism, au încercat să facă să reînvie „echipele morții" ale gărzilor de fier. Este elita reacțiunii, banda celor care se plimbau odinioară pe Calea Victoriei aplaudând diviziile Panzer, care se îndreptau spre Londra după ce ocupaseră Parisul, sau cămășile negre care voiau să atace și să cucerească, cu submarine și avioane invizibile, baza americană de la New York. Reacțiunea se regrupează și îi protejează pe acești teroriști fini și eleganți care pot – pentru că nu au fost supuși unui regim de teroare sau de constrângere – să apară în fața tribunalului ca la o serată de bal, în boxa intimă și elegantă a sălii de judecată.

Și, pentru prima oară la un proces, curtea marțială are în fața ochilor niște culpabili adevărați. Pentru prima oară, ea are în fața ochilor inamici periculoși și perfizi ai poporului și, pentru prima oară – în perfect acord cu poporul –, ea trebuie să judece sever și fără milă, drept, dar categoric, cum numai poporul știe și trebuie să își judece inamicii. Și pentru asta nu trebuie stat mult pe gânduri. Culpabilitățile sunt stabilite, ele pot fi verificate rapid.

Aici se judecă nu numai un lot de teroriști, ci și resturile organizate ale unei armate care – dacă a fost învinsă – nu a fost distrusă și urmărește fără ocolișuri restaurarea tragediei noastre naționale. Aici se judecă nu numai cei care se găsesc în boxa acuzaților, dar și toți dușmanii poporului, toată reacțiunea.

Față de reacțiune nu ne este permis să avem nici cea mai ușoară curtoazie, nici cea mai mică ezitare, nici cea mai mică milă, pentru că ea nu ezită să recurgă la metode teroriste ca să se impună și n-ar fi avut niciodată, cum nici nu a avut în trecut, nici o curtoazie, nici o ezitare, nici o milă pentru oamenii din popor, dacă din lipsă de vigilență, din lipsă de decizie, de cinste și de devotament pentru interesele poporului, problema unei noi dictaturi teroriste şi dictatoriale s-ar pune din nou pentru poporul nostru.

Aplauzele şi strigătele umplu încăperea. Toţi vorbesc odată, se agită.

— Stilul, ador stilul.

— Perla e „dictatura dictatorială".

— Nu, nu, e descrierea curţii marţiale „înainte" şi „după".
Două tablouri, acelaşi decor. *Înainte de regimul Groza* decorul era sinistru: „În interiorul acestor ziduri care se micşorau sufocându-i pe cei care... în spatele acestor ferestre care înăbuşeau ermetic strigătul de protest... sub frunţile mânioase şi privirile înspăimântătoare... ca într-un cimitir pustiu... atmosferă inchizitorială" etc. etc. ...*În timpul regimului lui Groza*, indicaţii mai sobre: boxa acuzaţilor este „intimă şi elegantă".

— Eu prefer „razele albe şi reci ale soarelui care nu răsărise încă". Ce curios fenomen astronomic!

— Dar asta e magnific: „Suntem eleganţi ca la o serată de bal". Adriana, vrei să te ridici ca să-ţi putem admira toaleta?

Rochia mea e murdară şi ruptă. Aş vrea să râd, dar, şi în interiorul meu, mă simt murdară şi ruptă. Şi, cum nu spun nimic:

— Dar tu n-ai descoperit nici o perlă?

— Ba da, trei, şi foarte grave. Întâi: la anchetă, au vrut să-mi smulgă declaraţii asupra participării anglo-americane la complot. În articol ei vorbesc patetic de diviziile Panzer care se îndreptau spre Londra după ce au ocupat Parisul şi... treceau prin Bucureşti? Să trecem peste faptul complet fals şi să reţinem morala: n-am putut să-i compromitem, să încercăm atunci să-i atragem de partea noastră... Al doilea: *nu ni s-a aplicat un regim de constrângere sau teroare,* răspuns indirect la cererea de expertiză medicală. Al treilea: „Și pentru asta nu trebuie stat mult pe gânduri. Culpabilitățile sunt stabilite, ele pot fi verificate *rapid*", conferința de la Londra a început, ne trebuie sentințele cât mai repede.

Și, cum toată sala tace și mă simt vinovată de a le fi stricat biata lor bucurie:

— Dar să știți că-mi place și „dictatura dictatorială".

*

După-amiază, la reluarea ședinței, biroul președintelui este acoperit de telegrame pe care le citește solemn: „Sindicatele țării cer verdictul suprem pentru acuzați".

Un avocat spune:

— Încă o cheltuială inutilă pentru PC.

Strigăte și vociferări în sală. Defilarea martorilor continuă. Avocații cer expertiza medicală. Președintele nu răspunde și continuă audierea martorilor.

— Cum vrei să acorde expertiza medicală și să amâne dezbaterile? îmi spune Antim Boghea. Conferința de la Londra a început la 11 septembrie. Sunt grăbiți. Staliniștii au nevoie de sentințe înainte de sfârșitul conferinței.

— Da, dar staliniștii trebuie să fie deceptionați. Nu i-au putut avea pe șefii opoziției. Prada cea mare le-a scăpat.

— Se vor mulțumi cu noi. În lipsă de altceva... În orice caz, vor avea sentințele mâine.

— Mâine?

— Păi sigur, bineînțeles.

Trebuie neapărat să vorbesc imediat. Mă scol.

— Domnule președinte, cer expertiza medicală.

— Nu aveți cuvântul.

— Domnule președinte, cer expertiza medicală.

— V-am mai spus că nu aveți cuvântul.

— Totuși cer expertiza medicală.

— Curtea vă respinge expertiza medicală.

Avocații vorbesc, protestează. Am o clipă de ezitare, pe urmă mă decid.

— Atunci cer curții să mă asculte și să constate singură rezultatul metodelor de anchetă. Asta, știți și dumneavoastră, nu-mi puteți refuza.

Sala s-a sculat în picioare. Mi se pare că toată lumea țipă în același timp. Abia îi ascult; aud mai ales cum îmi bate inima. Strâng frenetic pumnii: numai de aș rezista.

Președintele strigă:

— Curtea reclamă ușile închise. Evacuați sala.

Sala este evacuată în mijlocul tumultului general. Reprezentanții misiunilor anglo-americane refuză să-și părăsească locurile. Agenții comuniști, răspândiți prin sală, încearcă să-i facă să iasă. Refuză. Alt scandal. Au rămas pe loc. Președintele pare furios, dar declară totuși deschisă ședința secretă.

Antim Boghea are doar timpul să murmure:

— Curaj! Reprezentanții misiunilor sunt încă aici.

Mă strânge de mână. Mă scol. E o asemenea liniște, încât îmi aud pașii. Am impresia că mă văd din exterior, asistând la scenă. Nu eu ajung în fața mesei tribunalului, nu eu deschid gura ca să-mi arăt dinții care se clatină, se mișcă; nu eu apuc mâna președintelui ca să-l fac să-mi pipăie craniul plin de cucuie, nu eu îmi trag liniștită mâneca rochiei ca să-i arăt râia și brațul tumefiat și vânăt. Sunt eu, nu sunt? Sinceră să fiu, nu mai știu. E o asemenea tăcere în spatele meu, încât ghicesc respirațiile oamenilor.

Președintele tace, privește, tace.

Tocmai am spus:

— Atunci, domnule președinte?

Dă din cap.

— Se întâmplă.

Nu știu cum am lovit cu toată puterea în masă cu pumnul. S-a auzit un mic zgomot sec și insuportabil.

— Se întâmplă, domnule președinte? Când erați directorul închisorilor, sub Antonescu, se întâmpla și ca agenții beți ai Siguranței să convoace noaptea deținutele pentru suplimente de anchetă de un gen destul de special? Și, de vreme ce aveți aerul că nu înțelegeți, voi fi foarte clară. Când erați directorul închisorilor, sub Antonescu, se întâmpla la fel...

Mă aud vorbind. Mă mir că pot vorbi cum o fac, repede, calmă totuși, cu o voce albă care îndrăznește să spună toate cuvintele, să descrie toată scena. Nu-l mai văd pe președinte, nu mai știu unde sunt, nu mai știu de ce povestesc toate acestea, dar continui, continui. Aud numai tăcerea din jurul meu și sunetul vocii mele albe. Cred că nici nu mai reușesc să înțeleg ce spun, și cu toate astea e atât de clar.

Am tăcut. Cred că am adăugat:

— Asta e tot, domnule președinte.

Acum, nu mai e agitație, e tumult. Președintele agită frenetic clopoțelul. Avocații, acuzații, cei care au rămas în sală vociferează. Tot zgomotul acesta mă obosește. Aș vrea să-i fac să tacă, aș vrea să tac și eu, să tacă toată lumea. Președintele suspendă ședința. Va trebui să revin la locul meu. Va fi greu. Nu vreau să mă întorc, nu vreau să mă mișc. Avocații s-au precipitat spre mine. Cred că i-am dat la o parte ca să ies. Nu mai știu cum am părăsit sala.

*

A doua zi, avocații își încep pledoariile. E 14 septembrie. Am febră mare și abia ascult ce spun. Cei treizeci și doi de avocaţi care au fost admişi să pledeze vor fi desigur scoşi din barou şi riscă să fie arestaţi. O ştiu şi ei şi totuşi îndrăznesc să spună ce gândesc, tot ce gândesc.

Parcă aş fi la teatru. La repetiţia generală a unei piese pe care o cunosc pe dinafară. Pe stradă manifestanţii comunişti strigă: „Moarte teroriştilor! Trăiască pacea!"

Mă aplec spre Boghea:

— Ce pace? Dar războiul cu Japonia?

— Cum, nu ştiai? Războiul cu Japonia a luat sfârşit la 2 sau 3 septembrie.

Biroul preşedintelui e acoperit de alte telegrame. Un avocat spune:

— În această boxă a acuzaţilor sunt foşti ofiţeri care au însoţit Armata Română care, parcurgând 1 200 de kilometri, a eliberat 56 de oraşe, 3 624 de sate, a pierdut 4 933 de ofiţeri, 4 789 de subofiţeri şi 158 839 de soldaţi; din acea Armată Română care a fost citată pe ordinele de zi ale mareşalului Stalin şi care figurează drept a patra în efortul de război aliat. Feldmareşalul Runstedt a declarat că una din cauzele dezastrului german a fost tocmai pierderea resurselor româneşti.

Capul îmi arde, categoric nu mai reuşesc să urmăresc ce se spune. Rolul meu s-a sfârşit, am ieşit din scenă. Nu mai visez decât la odihna absolută, totală. Aud fraza finală a ultimului avocat:

— Acuzaţii sunt nevinovaţi.

Şedinţa se suspendă.

Un băiat spune:

— Delegaţia guvernului român s-a întors ieri de la Moscova.

Maglaşu replică:

— Desigur cu sentinţele noastre.

Curtea revine.

— Acuzații au ceva de adăugat? Adriana Georgescu?

Mă ridic cu greu.

— Nu am nimic de adăugat.

Băieții se scoală rând pe rând. Nu au nimic de adăugat. Președintele privește pe fereastră. Procurorul se uită în tavan. Un judecător citește ziarul. Un băiat cere achitarea. Președintele suspendă ședința în vederea verdictului. Suntem readuși în camera închisorii unde trebuie să așteptăm sentința. Când trecem pe lângă sârma ghimpată, ziariștii străini vor să se apropie de noi. Paznicii îi împiedică. Odată ajunși în cameră, un băiat spune:

— Erau ziariști străini.

Altul răspunde:

— Da.

Oboseala e generală.

Cineva întreabă:

— Dacă ne trimit în Rusia?

Maglașu îi răspunde:

— În Rusia sunt deja peste 100 000 de prizonieri români. Cred că le e de-ajuns. Mai sunt destule închisori aici pentru noi. Și pe urmă, nu suntem destul de importanți. Procesul acesta le va servi la altceva: ca să arate comuniștilor ce nu trebuie să facă, gafele pe care să le evite: probabil că de acum înainte, pentru proces, Securitatea, în loc să bată, să tortureze și să violeze, pur și simplu o să-i drogheze pe acuzați: e mai ușor și mai puțin vizibil. Acuzații se vor recunoaște vinovați și nu vor mai acuza pe judecători și guvernul. Veți vedea, vor face foarte mari progrese. Afacerea T a servit drept repetiție generală. Dacă anglo-americanii, avertizați de misiunile lor asupra modului exact cum s-a desfășurat procesul, reacționează, nu vor mai avea loc și alte reprezentații. Dacă nu...

Îmi privesc mâinile. Nu mă mișc, nu vorbesc. Se deschide ușa. Apare procurorul și ne citește sentințele: Remus Țețu: 7 ani; Adriana Georgescu: 4 ani.

Continui să-mi privesc mâinile. Aud restul estompat, ca printr-o perdea de ceață: 5 ani, 3 ani, 2 ani, 1 an și 6 luni, 1 an, 1 an, 6 luni, 6 luni, 6 luni, 6 luni, 2 luni, 2 luni, 2 luni, 1 lună, 1 lună, 1 lună, 1 lună, 1 lună, 3 achitări și 5 disjungeri.

Lunile, anii, cifrele dănțuiesc în fața ochilor mei.

Antim Boghea îmi spune:

— N-ai să-i faci, acești 4 ani. Vor avea loc alegerile.

— Nu prea credeai în alegeri până astăzi.

— Dacă alegerile sunt o farsă, vom găsi noi un mijloc ca să te scoatem. Ne-ai dat o lecție de rezistență atât de magistrală, încât vom căuta să ne amintim de ea.

Surâd și îi întind mâna.

— Să nu ne lăudăm prea mult. N-avem stofă de buni teroriști.

— N-am vorbit de terorism, ci de rezistență. Cât despre mine, mi-au dat numai trei luni ca să mă poată aresta din nou. Sunt un vânat mai prețios afară.

Unul dintre avocați intră în odaie, vine la mine și îmi strânge mâna:

— Totuși ați câștigat. N-au putut să-i înfunde pe nici unul dintre șefii politici. Cât despre sentințe… În tot timpul procesului, Nicolski a stat în camera de alături. Și pe urmă, până la alegeri, mai există posibilitatea recursului.

De vreme ce mi-e egal totul, de ce i-am strigat avocatului:

— Ce recurs? Încă n-ai înțeles că sunt stăpâni peste țară? Încă nu?

— Uiți de conferința de la Londra.

— Mi-o amintesc mai ales pe cea de la Ialta. De atunci, își permit orice.

Maglașu intervine:

— Nu încă, nu orice. Dar poate veni și asta.

Unul dintre noi râde.

— Când am să ies din închisoare am să încerc să „înființez“ o organizație teroristă. Cel puțin voi ști de ce am stat la închisoare!

Altul replică:

— Eu voi face una cu prestarea jurământului într-un cadru mistic.

Râdem cu toții. Încă mai avem puterea să râdem.

Agenții ne evacuează din încăpere.

În fața sârmei ghimpate, un camion îi așteaptă pe băieți ca să-i transporte la Jilava. Strâng mâini, mâini. Fac eforturi ca să zâmbesc. Jilava e o închisoare subterană.

Boghea îmi mai spune:

— Adriana, ești foarte curajoasă. Dar nu s-a terminat. Vei avea nevoie de curaj și de-acum înainte. Mai întâi, trebuie să mănânci. Ai înțeles? Trebuie să te poți ține pe picioare când ne vom duce împreună să le facem o vizită lui Nicolski, Bulz și Stroescu. Promiți?

Au urcat toți. Murmur: „Promit“, privindu-i. În picioare, unul dintre ei îmi face un semn. Și imnul național izbucnește, urcă, urcă. S-au ridicat toți în picioare și privesc în direcția mea făcându-mi semn să cânt cu ei. Mă crispez ca să nu izbucnesc în plâns și cânt. Camionul demarează. După ce a dat colțul, alerg în sala de închisoare acum goală. Pe jos zac ziare.

Intră un soldat și îmi spune:

— Domnișoară, mâine de dimineață vă ducem la Văcărești. V-am adus țigări.

Îmi întinde pachetul. Îi strâng mâna.

Văcăreşti... Voi avea patru ani la dispoziţie ca să-mi perfecţionez „metoda Gaby", ca să învăţ să strivesc bine ploşniţele. Acum aş vrea să plâng şi nu mai reuşesc. Mă întind pe pat. Ceea ce trebuie să fac este să încerc să dorm ca să nu mă mai gândesc. Să dorm ca să uit. Sunt atâtea lucruri de uitat!

III

Burează. O vreme umedă şi întunecată. Mi-e frig. Zgomotul regulat al ploii pe pavaj mă moleşeşte, nici nu mă mai simt capabilă de disperare. Sunt aşezată între doi soldaţi, în maşina care mă duce la Văcăreşti. Unul dintre soldaţi spune:

— Urâtă vreme.

Privesc casele cu ferestre larg deschise spre timp. În spatele acestor ferestre, copiii probabil se îmbracă să meargă la şcoală. Fierbe apa pentru ceai. O femeie se trezeşte, se întinde, spune poate căscând: „Urâtă vreme". Soldatul îmi oferă ţigări.

Urmăm cheiul Dâmboviţei, care este sură şi murdară ca întotdeauna. Şi totuşi, deasupra zidurilor caselor, mai departe decât siluetele trecătorilor care se duc la birourile lor, la treburile lor, înfriguraţi şi grăbiţi, întinderile vaste tot mai există, şi marea, şi soarele, şi stâncile acelea pe care mă căţăram cu genunchii jupuiţi ca să privesc cerul de cât mai aproape posibil, cât mai direct posibil. Oare voi mai putea reveni la stâncile acestea vreodată? Şi, dacă se va întâmpla să mai revin la ele, voi mai şti să le escaladez, să privesc cerul, să mă arunc în mare, să mă întind pe nisipul fierbinte? Nu voi fi atunci prea obosită ca să mai ştiu să o fac, ca să mai ştiu să o doresc?

Am ajuns, soldații mă predau paznicului șef, care îmi spune cu un aer prețios:

— Eu, dacă eram în locul judecătorilor, te împușcam.

Îi spun tot „bună ziua" directoarei, care îmi strigă:

— Aici trebuie să spui: „Sărut mâna cu respect, doamnă directoare".

Scena se repetă fidel. Dar sunt prea obosită ca să mai râd.

— Haide, șterge-o, la bucătărie până deseară. Să nu vadă pe nimeni până la stingere. Ca să se învețe să mai fie obraznică.

Paznicul mă încredințează bucătăresei șefe. Curăț cartofi, saci întregi de cartofi. Bucătăreasa șefă mă lovește din când în când peste degete.

— Mișcă mai repede, teroristo.

Femeia care o ajută este o hoață celebră, cel puțin așa se laudă.

— Dă-i pace. Vezi bine că e palidă. Ce te doare, fetițo?

— Capul. Coapsa. Dinții.

— Oi avea ceva molipsitor?

Ridic din umeri și beau apă. Beau apă tot timpul. Bucătăreasa șefă se supără iar.

— Nu mai bea atâta. O să faci broaște în burtă. Ești o puștoaică de treabă, știi. Ai țigări. Dacă n-ai fi fost o puștoaică de treabă, te-aș fi trimis la grădină.

— Există o grădină aici? O grădină adevărată?

— Ce înseamnă asta, o grădină adevărată? O grădină ca toate grădinile, cu zarzavaturi. Ce înseamnă asta, o grădină adevărată?

*

Masa de prânz. Mănânc la bucătărie ciorbă de cartofi și o bucată de pâine. Gaby întredeschide ușa și-mi lansează:

— Va să zică, teroristo, ai scăpat de ciuruială? Ai avut baftă.

Nu știu ce să-i răspund. Ea vine spre mine și îmi spune:

— Dacă nu halești pâinea, dă-mi-o mie. Am s-o vând.

Bucătăreasa o dă afară strigând:

— Nu trebuie să vorbești cu ea. Interzis să vorbească cineva cu ea până deseară.

Spăl gamelele, ligheanele, cimentul de pe jos. Pe urmă reîncep să curăț cartofi pentru seară.

*

După cină, paznicul mă ia de acolo „pentru rugăciune". În curte, sub ploaie, deținutele, aliniate și stând drepți, cântă. Îmi iau locul în ultimul rând. Femeile din șirul meu gesticulează, râd. Vecina îmi trage un pumn în burtă:

— Ia nu mai cânta! Că tot n-o să te lase să o ștergi de-aici mai repede.

Cuvintele rugăciunii ajung până la mine, amestecate cu zgomotul ploii, cu râsetele înfundate ale femeilor.

„Facă-se voia Ta acum și în ora morții noastre. Amin."

Rugăciunea s-a încheiat, paznicul ne numără una câte una înainte de a ne lăsa să intrăm în „salon", unde ceremonia reîncepe.

— Noapte bună, fetelor.

— Să trăiți.

De îndată ce se închide ușa, toată lumea îmi înconjoară culcușul.

— Ești regina teroriștilor. Ai scăpat cu patru ani.

Țiganca aceea care îmi dăduse iarba fermecată se bate cu pumnul în piept.

— S-ar zice că iarba mea l-a zăpăcit de cap pe judecător.

Alta o întrerupe:

— Ia nu te mai lăuda atâta, cârpo. Zi, puștoaico, ai leșinat?

— Ai plâns, ia zi, teroristo? Cum au vorbit judecătorii?

Gaby intervine:

— Ia mai daţi-i pace. O să vedeţi mâine în ziar.

Megafonul urlă la rândul său:

„Fidelitatea guvernului Groza faţă de cauza aliată i-a permis să..."

Îmi astup urechile. Nu mai vreau să ştiu de nimic.

— De ce-ţi astupi urechile?

Gaby îmi face semn să întorc capul. O fată şade pe căldare, cu fustele ridicate. Lângă ea, un bărbat brunet, subţire, de o eleganţă căutată. Probabil că el a vorbit. Gaby îmi murmură:

— E directorul închisorii.

Directorul se apropie de patul nostru.

— Scoală-te în picioare când îţi vorbesc.

Mă scol.

— Te-am întrebat de ce-ţi astupi urechile.

— E interzis să-mi astup urechile?

Mă zgâlţâie:

— Nu fi obraznică, viperă reacţionară. Nu fi obraznică, sau îţi trag o pereche de palme să-ţi aminteşti până la moarte. De ce-ţi astupi urechile?

— Mă doare capul. Am febră.

Directorul îmi atinge gâtul.

— Nu arzi suficient ca să te trimit la doctor. De altfel, eşti mai frumuşică aşa, cu obrajii rumeni.

Şi începe să-mi arunce în faţă toate înjurăturile din lume. După care iese, demn.

Gaby mă ajută să mă urc iar în pat. Totul mi se învârte în faţa ochilor. Femeile se dezbracă şi stau la coadă în faţa căldării. Încetul cu încetul mirosul caracteristic pune stăpânire pe sală. Gaby striveşte ploşniţe. Celelalte ţipă şi se bat între ele. Privesc în perete. Gaby adoarme în sfârşit, iar eu rup fâşii din ziarul pe care mi l-a lăsat. Nu reuşesc să strivesc nici o ploşniţă. Criminalele se culcă primele. După ce au mai stat şi şuşotit într-un colţ, se vâră în pat şi hoaţele. Cele două femei care ocupă patul de sus vorbesc neîncetat. Una dintre ele a ascuns un neamţ. „I se vârâse sub piele, Hans ăsta al ei. Nu era neamţ, era Hans, ce vrei, un bărbat ca oricare altul!" Urmăresc anevoie povestea ei de dragoste. Vecina ei se laudă că şi-a omorât fratele, mama şi sora. Era şefă de bandă.

Mereu e zgomot în jurul căldărilor. Cred că suntem vreo şaizeci în sală. Ţipete în somn. Văd cum se face ziuă. Acum toată sala doarme. Am reuşit să strivesc o ploşniţă. Gaby sforăie cu un mic zgomot regulat, care mă face să mă gândesc la trenurile care pleacă din gări, la peroane, la toate plecările. Mă cufund la rândul meu în somn.

*

Trebuie să fi trecut câteva săptămâni. Mi-e greu să număr zilele; sunt toate exact la fel. Nu pot coborî din pat decât ajutată de Gaby. Lucrez tot la bucătărie. Munţii de cartofi îmi joacă în faţa ochilor. Cuţitul mi se roteşte în mână. Mă tai. Las să-mi cadă cuţitul din mână.

Bucătăreasa şefă mă târăşte în biroul directoarei.

— Doamnă directoare, sărut mâna cu respect. Asta-i bolnavă. Să nu fie molipsitoare. N-am nevoie de ea. Daţi-mi alta.

Directoarea îmi lansează:

— Nu cumva să-mi fii contagioasă. O să fac un raport la Ministerul de Justiţie şi Ministerul o să-mi răspundă dacă poate să te vadă doctorul.

Şi către paznic:

— La *ambulatoriu*.

Ambulatoriul trebuie să fi servit pe vremuri drept antrepozit. E o sală mare cu ciment pe jos. Plafonul e de sticlă.

Trei geamuri sunt sparte, și ploaia cade cu un mic zgomot regulat pe ciment. Paznicul încuie ușa după ce mi-a declarat:

— Aici ai aerisire. Poate că ai să crapi mai repede și o să avem mai mult loc.

Nu mă pot sprijini decât pe partea stângă. Durerea din coapsa dreaptă a ajuns și la gambă.

Nu mai sunt obișnuită cu tăcerea și adorm greu.

*

Într-o zi, paznicul îmi spune intrând:

— Va să zică, ești aici de două săptămâni și n-ai crăpat încă?

Două săptămâni... Capul îmi arde tot timpul, și am pierdut complet noțiunea timpului. Mi-e frig și, de îndată ce mă cufund în somn, revine coșmarul.

— Va să zică, ai deschis ochii. Când veneam să te văd dimineața îi țineai închiși și povesteai tot soiul de chestii. Caraghioasă mai ești când visezi.

Habar n-aveam că vorbeam în coșmar. Tare aș vrea ca paznicul să tacă!

— Ai o vizită. Vezi ce drăguț sunt. E contra regulamentului, dar cum oricum tot ai să crăpi...

Apare Gaby, îi zâmbește paznicului cu un aer complice și vine să mă îmbrățișeze.

— Ești pe lista doctorului, fetițo.

Paznicul iese.

— Îmi dai rochia ta, spune? Am un tip în închisoare. Nu că ar fi grozavă rochia asta a ta, dar oricum, tot e altceva... E un tip din banda mea. Unu' mișto. Mi-o dai?

— Da.

Paznicul revine cu două deținute, care mă ajută să mă scol în picioare. Fac doi pași și cad. Ele mă ridică și mă susțin. Ca să ajungem la spitalul închisorii trebuie să trecem strada. Paznicul ne însoțește. Intrăm într-o sală unde deținutele fac coadă. O zăresc pe Gaby. Rochia mea abia îi ajunge până la genunchi, dar oricum „tot e altceva".

*

Sala de radiologie. Gaby care își scoate rochia. Întuneric. Pe urmă vocea medicului.

— 235, ai un obiect de metal la tine. Scoate-l.

Gaby scoate un mic țipăt:

— Ah! stiloul!

Pe urmă, îmi aruncă peste umăr:

— Nu scotoci în rochie.

Ceea ce de altfel e inutil, fiindcă nici nu reușesc să mă mișc singură.

De îndată ce se aprinde lumina, medicul scotocește rochia și găsește un stilou și un port-țigaret pe care mi le dăduse un avocat la sfârșitul procesului, din partea lui Istrate Micescu. Sunt articole interzise. Gaby mă privește speriată. Îi zâmbesc.

Medicul îmi spune că plămânii sunt în stare bună. În schimb, am un infiltrat de puroi la coapsa dreaptă. Adaugă, în timp ce scrie în registru:

— O să te operăm. Nu pot să te țin la spital fără acordul Ministerului Justiției, al directorului general al închisorii și al responsabilului politic.

Pe drumul de întoarcere Gaby mă susține:

— Să nu mă torni la directoare. Nu ți le-am furat. A fost în glumă. Și, dacă mă torni, tot pe tine o să te pedepsească. Așa că, vezi și tu, pentru tine ți-o spun.

Evident, de vreme ce sunt „obiecte interzise".

*

Nefiind așadar contagioasă, revin, din ordinul directoarei, în „salon" și îmi reiau locul în pat lângă Gaby. Gaby are mâinile umede: amândoi plămânii ei sunt prinși.

Nu mai reușesc deloc să vorbesc. Gaby se plânge fiindcă trebuie să strivească singură toate ploșnițele și eu gem în somn.

Chipurile și siluetele sunt foarte estompate. Mi se pare că plutesc. Plutesc pe un covor de vată care se atinge la intervale regulate de niște stânci ieșite din apă. M-am lovit la coapsă. Sunt în apă și, când apa mi-a ajuns la gură, vata face un salt și începe să plutească în aer.

*

Deschid ochii. Nu mai văd peretele pe care se plimbau voioase ploșnițele zilnice. Lângă umărul meu, două picioare. Picioarele dispar sub pătură. O voce spune:

— Hei, fetelor, terorista care a venit pe targă a deschis ochii.

Suntem câte două în pat.

O bătrână îmi sprijină capul și îmi dă să beau.

— Să nu crăpi, ești prea tânără pentru asta! Sunt de planton. Dida, zisă Șobolanca.

Șobolanca are o față rotundă și murdară. Își plimbă mâinile cu pielea crăpată pe fața mea și îmi repetă necontenit:

— Să nu crăpi, ești prea puștancă să crăpi.

— Unde sunt?

— La spitalul închisorii.

Beau trei pahare cu apă și încerc să mă ridic. Totul mi se învârte în fața ochilor, și leșin.

*

Un foc îmi arde coapsa. Țip. Deschid ochii. Sunt în sala de operație. Cu picioarele și mâinile legate. Fețe care se apleacă peste mine. Cineva întreabă:

— Inima?

— Foarte slabă.

— Anestezia?

— Imposibilă.

Mi-e sfâșiată coapsa. Un cuțit în coapsă. Ba nu, în cap. Îmi vâră un cuțit în cap. O voce:

— O septicemie n-ar fi exclusă.

Alta:

— Pregătiți drenurile. Oxigen, repede oxigen!

Cuțitele se agită în capul meu. Un zgomot foarte aproape de mine, în mine, dinții care îmi clănțăne în gură, se lovesc unii de alții, dansează. Eu oi fi urlând tot timpul? Mă cufund.

*

Din nou în spitalul închisorii. Singură într-un pat. Șobolanca îmi șterge fața cu o cârpă umedă.

— Să nu crăpi, fetițo, să nu crăpi. Ești prea tânără. Nu te mișca. Ai niște tuburi în dreapta.

Sunt legată de pat cu niște curelușe. Tot timpul ba leșin, ba îmi revin în simțiri. Când deschid ochii, încerc să număr paturile.

În mijlocul încăperii, două căldări. Aceeași îmbulzeală în jurul căldărilor, aceeași coadă în fața căldărilor. Fereastra nu se deschide niciodată.

*

Femeia din patul alăturat e pe punctul să nască. De îndată ce se zăvorăsc ușile seara, toate femeile se adună în jurul patului Bujincăi, patroana spirituală a salonului. Şi se deapănă aceleaşi amintiri, în fiecare seară aceleaşi amintiri: primul furt, prima dragoste, prima închisoare.

Din când în când, ţipete.

— Gunoaielor, gura! Vreau să dorm!

Vecina mea îşi ţine mâinile pe burtă şi urlă:

— Crăp, crăp. Bujinca, ajutor!

— Ia nu te mai lăuda! De o săptămână tot ragi şi văd că eşti încă aici.

Alt ţipăt:

— Crăp, crăp!

Bujinca, pe care o înconjoară toate femeile dornice de amintiri, urlă:

— Gura, sau îţi arunc găleata cu rahat în cap.

Şi, obţinând tăcerea în felul acesta, îşi continuă povestirea:

— ...Dacă ar şti bătrânul, mi-am zis, dacă ar şti. Un şmecher, bătrânul meu, a aflat, şi gata, „să nu te mai prind pe-aici, târfă împuţită", şi du-te naibii. Atunci, am luat-o din loc, dacă bătrânul nu mă mai voia. „Târfă, îmi zicea, târfă." Bine zis, mi-am spus, mai ales că tipul nici gând n-avea să „repare", cum zicea bătrânul. „Ce-oi fi vrând să repare? îi ziceam. Ce am în burtă?" Atunci, am venit la Bucureşti. Am găsit o consăteancă. „Vino cu mine, mi-a zis, cunosc cartierele bune." Pe urmă am lucrat pe cont propriu, pe Griviţa. Nu prea câştigam. Atunci am intrat la bordel. Aşa, cel puţin, nu trebuia să umblu eu după ei. Veneau la domiciliu. Furtişagurile nu mi-au plăcut niciodată. Aşa că, era mult mai bine. Vine unul pe care-l înhaţ. Porcul! Mă închiria pe două zile de la patroană, plătea bine. Avea o căsuţă la ţară, pe-aproape. Ar fi mers, cu noi doi, dacă nu avea mania catafalcului. Ţinea un coşciug în căruţă. Trebuia să facem dragoste în el. Mie nu-mi plăcea. Ah, porcul! El trebuie să-mi fi dat sifilisul. Pe urmă, m-am făcut hoață, pe contul meu. Așa l-am cunoscut pe Burtică și am făcut gașca.

Vecina mea țipă:

— Gura, Bujinca, gura. Nu mai povesti. Plodul, o să iasă rece din burta mea. Mort, Bujinca, mort.

Bujinca urlă:

— Fată odată și nu ne mai bate la cap.

Șobolanca se așază în genunchi pe burta ei ca să-l facă „să iasă mai repede". Femeia urlă, urlă. Paznicii privesc prin geamlâc. După stingere, nu mai au voie să intre în sală. Nimeni nu mai are voie. Nici măcar infirmierul.

— Haide, Veronica, screme-te, haide, o încurajează Șobolanca.

Un urlet. Scâncete de copil. Nu mai văd nimic. Toată lumea s-a îmbulzit în jurul patului. Cineva țipă:

— E băiat. Repede, foarfeca!

Pesemne că i se taie cordonul ombilical. Copilul continuă să țipe. O frază îmi revine în minte și dănțuiește în capul meu: „Și ușoare, albe, adormite lăuze…"

Îmi vine să vomit.

*

Femeile continuă să se agite în jurul copilului. Numai Bujinca doarme. Două femei o zgâlțâie.

— Avem un tip în salon. Scoală-te, merită să-l vezi.

Una dintre ele scoate un țipăt:

— E rece, fetelor; Bujinca e rece.

Bujinca a murit. Femeile s-au împărțit în două grupuri. Primul e adunat în jurul patului Veronicăi și se ocupă de copil; al doilea urlă și geme în jurul patului Bujincăi. Încep să bocească. Scâncetele copilului acompaniază bocetele lor.

În zori, ușile se deschid, și paznicii iau copilul și moarta.

Femeile şi-au găsit altă ocupaţie: s-o consoleze pe Vero-nica, mama disperată care plânge după copilul ei şi ai cărei sâni s-au umflat şi o fac să urle de durere.

*

Directorul general al închisorii se numeşte Bazalan. Vine după masa de prânz ca să constate oficial decesul. Se opreşte lângă patul meu îşi îmi aruncă:

— Mai bine erai tu în locul ei, lepră reacţionară.

Închid ochii şi nu-i răspund.

*

Dida, zisă şi Şobolanca, a fost de cincisprezece ori în închisoare. E sifilitică, dar are numai două cruci, câtă vreme celelalte din salon au cel puţin trei, dacă nu chiar patru, iar Şobolanca e foarte mândră de a fi atât de „sănătoasă“. Nu-şi doreşte decât un singur lucru: să moară beată. Se milogeşte în fiecare seară de cele două plantoane de la secţia chirur-gicală ca să-i aducă puţin alcool, „numai cât să-şi moaie gâtlejul“. De altfel, de îndată ce rosteşte cuvântul „alcool“, începe să lăcrimeze. Fiind foarte bătrână, are voie să se ducă la secţia bărbaţilor ca să cumpere ţigări. Pe ea se sprijină tot micul comerţ de tutun din spital. M-a îndrăgit pentru că semăn cu fiica ei şi îmi repetă tot timpul: „Trebuie să rezişti. Eşti prea puştoaică să crăpi“. Într-o zi, revenind de la secţia bărbaţilor, îmi aduce un pachet de ţigări „din partea unui tip care te cunoaşte“. Începe să plângă şi-mi cere câteva ţigări. Îi dau tot pachetul, îmi vine tot timpul să vomit şi nu reuşesc să fumez. Se aşază pe patul meu şi îmi spune:

— Au venit mulţi noi, d-ăia politici. Cică a fost o încăie-rare în faţa Palatului. Nişte tipi care au cântat imnul naţional.

Scrie în *Scânteia*. Cu litere mari de tot. Cică a fost măcel,
n-a fost de joacă. Celulele-s pline de băieţi tineri.

— În ce zi suntem, Şobolanco?

— 12 noiembrie.

La 8 noiembrie a fost ziua regelui.

— Şobolanco, fă-mi rost de nişte ziare.

În toiul nopţii, Şobolanca se furişează lângă patul meu
şi îmi dă ziarele. În timp ce eu citesc, ea stă de pază în faţa
geamlâcului ca să vadă dacă nu trec cumva paznicii, deşi
ziarele exprimă, toate, punctul de vedere al partidului.

România liberă din 11 noiembrie:

*Noi amănunte despre incidentele din Piaţa Palatului.
Manifestanţii fascişti au pornit în grupuri mici de la sediile parti-
delor politice. Printre manifestanţi au fost identificate două
sute de prostituate.*

*Agresiunea din Piaţa Palatului: primele rezultate ale
anchetei. Manifestanţii au făcut declaraţii senzaţionale. Poziţia
guvernului Groza este definitiv consolidată. Sub masca unei
manifestaţii monarhice, Maniu şi Brătianu au organizat
acţiuni anarhice contra ordinii de stat. Manifestanţii s-au
dedat la acţiuni fasciste. Soldaţi şi păzitori ai ordinii publice
au fost ucişi. Ieri, la înmormântarea victimelor agresiunii din
8 noiembrie, 750 000 de cetăţeni au cerut, în cadrul unei uriaşe
manifestaţii, arestarea lui Maniu şi Brătianu.*

Îi întind ziarele Şobolancei. N-am izbutit să citesc decât
titlurile. Mâinile îmi tremură prea tare. Şobolanca îmi spune
ascunzând ziarele sub fustă:

— Şi la femei e mare îmbulzeală. Nici nu mai ştiu unde
să le pună, atât îs de multe.

Aş vrea să dorm şi să nu mă mai trezesc.

*

Un paznic vine să mă anunţe că astăzi, zi de vorbitor, am o vizită: Ella Negruzzi. Ella Negruzzi a fost prima femeie avocat din România. Înaintează spre patul meu, însoţită de o tânără blondă. Îi spune paznicului:

— Am venit pentru recurs. Puteţi să ne lăsaţi singure. Doamna care mă însoţeşte e avocat.

Paznicul o salută şi dispare. Câteva femei din salon au recunoscut-o pe Ella Negruzzi şi le strigă celorlalte:

— E Ella Negruzzi, avocata.

În vacarmul general, Ella Negruzzi se apleacă peste patul meu şi îmi spune în franţuzeşte:

— Doamna este Mrs. Thayer, ziaristă americană. Am reuşit s-o introduc cu legitimaţia de avocat a unei prietene care îi seamănă.

Mrs. Thayer îmi vorbeşte. Nu ştiu exact ce îmi spune, dar o privesc zâmbind. Ea este pentru mine una dintre cele care vor putea să vorbească. Îmi întinde pachete de ţigări.

Ella Negruzzi îmi spune că a fost trimisă de regină, care ar vrea să ştie ce mi-ar face mai multă plăcere.

— Nu doresc nimic. Îi mulţumesc reginei că se interesează de mine.

Ella Negruzzi îmi mai spune:

— Vom face tot ce ne stă în putinţă ca să te scoatem de aici. Ai curaj.

Paznicul îşi face apariţia. Vizita s-a încheiat. Nu aş şti să spun dacă a durat cinci minute sau o jumătate de oră.

De îndată ce au ieşit, Şobolanca dă fuga:

— Ai ţigări?

Şi, cum îi întind câteva pachete:

— Trebuie să le ascund. Să nu le vadă paznicii. Îs americane. Tare le-aş vinde. Bravo, puştoaico, eşti „cineva‟.

Am păstrat un pachet de țigări ca să mă uit la el din când în când. Aici, la închisoare, acest simplu pachet de Camel îmi pare un simbol al libertății.

*

Șobolanca îmi aduce alte știri despre 8 noiembrie. Au tras de la Interne în cei care cântau imnul național.

— Au luat cadavrele și le-au îngropat zicând că ăilalți le-au făcut de petrecanie. Înmormântare mare cu tot tămbălăul. În oraș cică pute. Tu ce zici de povestea asta?

Clatin din cap.

— Jos e plin ochi. Mai mare jalea de atâta tineret. Dacă-i omoară?

Începe să plângă:

— N-ai o țigară?

*

Veronica, mama copilului, a murit. Febră puerperală. Medicii vin să mă vadă și se miră: nu reacționez la injecțiile cu Delbet.

*

O dată la două săptămâni, Șobolanca și doi convalescenți duc păturile la etuvă. La înapoiere, mișună și mai multe ploșnițe pe ele. Șobolanca zice că etuva servește de cuibar și nimic altceva.

Degeaba încerc să omor ploșnițele care circulă libere pe trupul meu. Patul Veronicăi, în dreapta mea, este ocupat de o sifilitică: nasul și buzele îi sunt mâncate de boală. Ține tot timpul ochii închiși. E cazul cel mai grav. În salon, fetele o numesc „cinci plus cinci". Cele care nu au decât trei cruci o privesc cu un aer superior.

*

Astăzi, infirmierul a scos curelușele care mă legau de pat. Pot să mă sprijin pe partea stângă, drenurile, în dreapta, mă împiedică să mă mișc. Drept distracție, vânez ploșnițe. „Metoda Gaby" nu se poate aplica aici. Șobolanca mă despăduchează în cap și scoate câte un strigăt triumfător de fiecare dată când găsește un păduche. De câtva timp, fetele au născocit alt joc: în fiecare săptămână aleg o Miss Păduchioasa care are dreptul la două țigări și prioritate la căldare. Avantajul este, se pare, imens, și competițiile sunt pasionate. Șobolanca prezidează dezbaterile, dar, deși sunt preferata ei, nu a reușit niciodată să mă facă să câștig.

*

Mi-a mai scăzut febra. Medicii vin să mă vadă mai des; se pare că sunt un caz unic: după injecțiile cu Delbet, temperatura mea nu a urcat ca o săgeată.

Un medic îmi declară cu aerul cel mai serios din lume:

— Cu tine, totul e veșnic pe dos. Nu ești decât o reacționară împuțită!

*

Salonul e închis de la cinci și jumătate seara până la șase dimineața. Dimineața, paznicul „face inventarul". Câteodată, o femeie moare în timpul nopții, și atunci „e mai puțin de numărat".

Paznicul se oprește în fața patului meu și îmi spune râzând:

— Ei, nu te mai hotărăști odată? Tare mi-ar plăcea să te duc în pivniță.

„Pivnița" e camera mortuară.

*

Rana mi se cicatrizează încet. Astăzi am făcut primii pași, și am căzut.

*

Am făcut duș numai pe partea stângă. Stăm la coadă câte cincisprezece, în pielea goală, în fața dușurilor. Paznicul asistă și face comentarii.

*

Șobolanca mi-a adus un număr din *Jurnalul de dimi-neață* și un pachet de țigări.

— Din partea Micului Zidar. Ai prieteni printre ai noștri și nu spui nimic?

Mă doare prea tare capul ca să-i răspund. Și habar n-am cine e Micul Zidar.

*

A doua zi, Șobolanca îmi aduce alt pachet de țigări.

— Micul Zidar.

— Cine-i Micul Zidar, Șobolanco?

— Nu știu. Unul de-ai noștri. Plantonul de la chirurgie mi-a dat țigările.

Printr-una din ferestre, zăresc ramurile brumate ale unui copac. Se apropie Crăciunul. E foarte frig.

*

Am avut o criză de apendicită. Mi-e greață tot timpul. Infirmierul mi-a scos drenurile.

Trei femei au murit astă-noapte în salon. Nopțile par încă și mai nesfârșite când femeile bocesc.

*

O fată a pârât-o pe Şobolancă fiindcă mi-a adus ziare.
Paznicul a găsit un ziar în patul meu. Şobolanca a petrecut
o zi la carceră, iar eu am fost transferată, disciplinar, într-un
salon de contagioase.

Sala, mai mică, e plină de tuberculoase. Suntem culcate
câte două într-un pat. Vecina mea scuipă tot timpul şi umple
pătura de sânge. Înainte, era hoaţă. Acum, a rămas un sche-
let. Noaptea evit să mă uit la ea. Aici e mai puţină gălăgie.
Doar tusea şi şoaptele rup tăcerea.

După câteva zile, încep şi eu să tuşesc, şi sunt convinsă
că plămânii mei au fost prinşi.

Am în faţa ochilor o fereastră prin care se profilează case
din Bucureşti. Încerc să născocesc câte o poveste pentru
fiecare casă, şi îmi amintesc brusc o stradă pe care o luam
odinioară ca să mă întorc seara de la şcoală. Sunt cuprinsă
de o dorinţă de libertate pe care n-am mai cunoscut-o de
când mă aflu la Văcăreşti. Mă deranjează şi fac eforturi ca
s-o îndepărtez şi să revin la starea de indiferenţă, care este
mult mai uşor de suportat.

În încăpere domneşte un miros de sânge şi de mizerie
care mă înăbuşă.

Şobolanca vine din nou să-mi aducă un pachet de ţigări
de la Micul Zidar.

*

Am avut altă criză de apendicită. A doua zi, sunt
transportată pe targă în sala de operaţie. Sala are perdele
negre. Aş vrea să fiu lăsată să mor. Mi se leagă picioarele şi
mâinile. Sunt operată fără anestezie. Probabil că mă zbat,
fiindcă două femei vin să mă ţină strâns.

De ce nu mă lasă să mor?

*

Am un săculeţ cu nisip pe burtă. M-au dus într-o minusculă celulă individuală. Într-o dimineaţă, Şobolanca mi-aduce un pachet; pietricele şi puţin pământ.

— Politicii îţi trimit asta. Ca să te faci bine. Şi pentru Crăciun.

— Crăciun?

— Da, e peste trei zile.

Nu ştiu de ce, strâng frenetic mâna crăpată a Şobolancei. În primele nopţi după operaţie mi-e foarte rău şi foarte sete. Aş fi vrut să o am lângă mine, nu neapărat pe ea, chiar şi pe una dintre tuberculoase sau sifilitice, oricine, care să-mi pună mâna pe frunte şi să-mi dea să beau. Dar celula era închisă cu cheia. Ceream apă strigându-i pe paznicii care treceau pe coridor. Îmi răspundeau mereu:

— Interzis de regulament.

Pe urmă mai era şi coşmarul care revenea, mereu acelaşi, tot mereu acelaşi.

Continui să strâng mâna Şobolancei, care îşi revarsă sacul cu noutăţi: au venit alţi politici, majoritatea cu faţa tumefiată.

— …„Anunţ-o că se pregătesc alte procese", mi-au zis, şi mi-au dat pachetul ăsta. „Pământ şi pietricele, le-am zis, ce să facă cu asta puştanca? – Pământul, pietrele rămân, au răspuns, apa curge peste ele şi trece. O să înţeleagă", mi-au mai zis.

Am rugat-o pe Şobolancă să-mi aducă apă. Vreau să rămân singură să privesc „pământul şi pietrele care rămân".

Nu ştiu când a trecut Crăciunul. Şobolanca pretinde că am delirat toată săptămâna. Mâine e Anul Nou, dar ziua de vorbitor a fost suprimată şi s-a declarat carantină: în închisoare a izbucnit o epidemie de tifos.

*

De câteva zile mă simt mai bine, dar încă nu pot umbla.

Șobolanca mi-a adus, ascuns în pachetul cu țigări, un bilet:

— Prietenii tăi, politicii, mi-au dat asta pentru tine.

Stă la pândă în timp ce citesc:

An Nou fericit! Nu te teme de tifos. Harriman și Sir Clark Kerr sunt în momentul acesta la București. Carantina e un pretext ca ei să nu poată vizita închisorile. Vom ieși toți în curând. Refă-te repede. Salut.

Fără semnătură. Îi întind biletul Șobolancei, care îl rupe și îl înghite. E foare mândră de misiunea ei și îmi declară că, de îndată ce va ieși de la Văcărești, își va face intrarea „în viața politică".

*

Am revenit în primul salon. Nu pot umbla decât susținută. Am avut dreptul la un duș. Aceeași coadă, cincisprezece femei. Același paznic și aceleași comentarii făcute în termeni colorați.

*

De o săptămână, paznicul distribuie oficial *Scânteia* în saloane, „pentru educația politică a deținutelor". Un reprezentant al Partidului Național-Țărănesc și altul al Partidului Liberal au intrat în guvernul Groza. Să fie rezultatul trecerii prin București a lui Harriman și Sir Clark Kerr?

*

Dentistul închisorii mi-a scos ieri cei doisprezece dinți care se clătinau. Fără anestezie.

*

Mi-e teamă să beau apă. Cănile sunt comune, și toate colegele mele de salon au sifilis. Gingiile încă îmi mai sângerează, și toată fața mi-e umflată.

*

Emil Hațeganu, ministrul național-țărănist din guvern, a trecut prin închisoare ca să-și vadă „băieții".

Directorul ziarului *Curierul* a venit să stea de vorbă cu mine, e foarte optimist: vor avea loc alegeri.

După plecarea sa, mare agitație în salon.

— Strașnic tipul. E tipul tău?

Șobolanca replică, plină de importanță:

— Gura! Ea e politică, e o... o... Și, după un moment de ezitare, spune, triumfal: „O teroristă, ce știți voi!"

*

Scânteia anunță că, la 8 februarie, anglo-americanii au recunoscut guvernul Groza.

Va să zică, în zadar am strigat tot adevărul la proces, în zadar am plâns de bucurie văzându-i pe reprezentanții misiunilor Aliate în sala tribunalului, în zadar am lăsat umbrele și coșmarurile să pună stăpânire pe toată ființa mea. Oare e posibil ca toate acestea să fi fost zadarnice?

*

E primăvară și sunt în convalescență. Șobolanca îmi aduce în continuare, în fiecare săptămână, pachetul de țigări din partea Micului Zidar.

Medicul șef mă înscrie pe lista celor care au dreptul să iasă la aer. Cobor în curte, susținută de Șobolanca și de Țiganca. Afară, primul soare de primăvară, rece și încă palid.

Țiganca îi spune Șobolancei:

— Ie-te-te la puştoaică. Parcă-i un gândac. Îţi place soarele, nu-i aşa?

După moartea Bujincăi, Ţiganca a devenit şefa spirituală a salonului. Este la a douăzeci şi şasea şedere în închisoare, şi hoaţele o stimează mult, fiindcă ultima ei spargere a făcut-o celebră: a dat lovitura direct la Ministerul de Finanţe. Are cincizeci de ani; banda ei se numără printre cele mai bine organizate din Bucureşti, iar faţa ei, acoperită de cicatrice, stă mărturie a isprăvilor ei.

Aerul răcoros mă ameţeşte. Respir foarte anevoie. Simt o gheară în plexul solar, o gheară care-mi scormoneşte pântecele. Mă prăbuşesc la pământ şi nu mai reuşesc să mă scol. Mi s-au închircit degetele de la mâini şi de la picioare. Femeile din curte au început să urle în cor:

— Ajutor, ajutor, crapă terorista!

Gheara urcă şi îmi strânge gâtlejul. Ţiganca şi Şobolanca mă iau de acolo şi mă întind pe pat. Infirmierul vine să-mi facă o injecţie. Gheara persistă, şi degetele rămân închircite. Mi s-a uscat gâtlejul.

Gheara dispare târziu, noaptea. Cum respir mai bine, Ţiganca, aşezată pe patul meu, spune, ştergându-mi fruntea:

— Era cât pe ce să dai ortu' popii, fată; tare ne-ai mai speriat. Nu-ţi face griji, o să fie mai bine.

*

Mi-e teamă să mă duc în curte. De cum ies, aceeaşi gheară mă înşfacă şi cad jos. Medicii vin să mă vadă. Şi când îi întreb ce am, îmi răspund:

— Ce vrei să ai? Boala de închisoare a Sfântului Bernard. Pentru moment, o să-ţi suprimăm „aerul". Poate că o să fie mai bine aşa.

Într-adevăr, e mai bine așa. Mă simt tot mai întremată
și, o lună mai târziu, când unul dintre plantoanele de la
secția chirurgie se îmbolnăvește, paznicul mă cheamă pe
mine să îl înlocuiesc.

*

Plantonul șef e o ucigașă. Și-a omorât toată familia ca
să moștenească o casă. Este înscrisă într-una din celulele
comuniste ale închisorii; crede că în felul acesta o să i se
dea drumul: e condamnată pe viață.

Celălalt planton, pe nume Ilinca, este studentă la Medicină.
E o politică. A cântat imnul național la 8 noiembrie. Trecea
pe acolo cu logodnicul ei, student la farmacie, și s-au oprit ca
să-l vadă pe rege și să cânte cu ceilalți. Când comuniștii au
tras de la Interne, logodnicul ei s-a prăbușit la pământ. Și
când ea s-a aplecat peste el, a avut numai timpul să-l audă
spunând: „Preacurată iubită…" A murit.

Are optsprezece ani, codițe și o privire stinsă. Nu plânge
niciodată. Încerc să o consolez:

— Ai să ieși de aici peste șase luni. Ai toată viața înain-
tea ta.

— N-o să mă mai primească la facultate. Și, oricum,
nu-mi pasă. Nimeni nu-mi va mai spune de acum înainte:
„Preacurată iubită…" Doar asta conta.

Plantonul șef intervine în conversație:

— Ești tânără, fetițo; pământul mișună de bărbați. Gagiii
e ca tramvaiele, ai pierdut unul, apare altul. „Preacurată
iubită" pe-aici, „preacurată iubită" pe dincolo. Doar asta ai
în gură. Parcă ai fi la celulă; responsabilul celulei zice și el
cât îi ziulica de lungă „Stalin" pe ici, „Stalin" pe dincolo, ca
tu cu iubita ta.

Ilinca i-a tras o palmă. Din ziua aceea, n-am mai văzut-o
pe Ilinca. Paznicul șef a dus-o într-o celulă de la subsol. E

foarte mândru fiindcă, în lipsa directorului închisorii, el ia toate hotărârile.

Directorul este în turneu de inspecție prin țară ca să vadă ce ar mai putea transforma în închisoare: nu mai are loc. Cinematografe și săli de teatru au fost astfel rechiziționate, în răstimpul unei săptămâni, pentru „buna funcționare a justiției".

Directorul se înapoiază foarte prost dispus și îi înjură pe politici. Prea trebuie să se zbată ca să găsească unde să-i cazeze. Evident că meseria lui devine, pe zi ce trece, tot mai grea.

*

Medicul șef pare mulțumit de mine și hotărăște să mă păstreze la secția chirurgicală. Mă trimite la secția bărbaților ca să înregistrez temperatura bolnavilor care sunt pe lista de operații pentru astăzi.

Trec printre paturi, urmată de paznic, și completez fișele bolnavilor. Îl întreb pe paznic:

— Care e Micul Zidar?

Din fundul sălii, o voce îmi răspunde:

— Eu sunt.

Îl cunosc pe bolnav, e unul din foștii mei clienți. Îi întind mâna.

— Bună ziua, domnule Ionescu.

Se încruntă, privește spre paznicul care stă de vorbă cu un bărbat, în celălalt capăt al sălii, și șoptește:

— Nu-mi mai spuneți Ionescu, domnișoară. Acum mă cheamă Popan. Să mă scuzați pentru onorariu, n-am putut să vi-l aduc; m-au luat din nou și iar am venit să număr zăbrelele. Și, cu un oftat lung: Ce vreți, meseria!...

Paznicul vine spre noi:

— N-ai voie să vorbești cu deținuții.

Îi întind mâna „Micului Zidar, lui Ionescu, lui Popan"
și mă îndepărtez.

*

Spăl pansamentele pline de puroi. Revăzându-l pe
„Popan", mi-am amintit de o dimineață la tribunal. Tocmai
pledasem și obținusem achitarea în instanță. Puneam do-
sarele la loc în servietă. Ca orice avocat foarte tânăr, aveam
la mine două serviete pline cu dosare, jurisprudență, coduri.
Între timp, a trecut pe rol procesul următor.

— Ionescu Vasile.

— Prezent.

— Ai avocat?

— N-am, domn' judecător. N-am bani, săracu' de mine.
Sunt zidar, am cinci copii și nevastă. N-am făcut nimic,
domn' judecător.

Președintele, după un moment de ezitare, m-a numit
avocat din oficiu. Degeaba am protestat: ceream un termen
ca să studiez dosarul; ceream timp, ceream nu mai știu ce;
în realitate, aveam trac. Președintele mi-a răspuns:

— E un caz foarte simplu. Am să-l trec ultimul. Aveți
timp să vorbiți cu clientul.

Mi-am scos iar dosarele și codurile. M-am dus în celula
unde se afla Ionescu. De îndată ce m-a văzut, mi s-a aruncat
la picioare plângând:

— Domn'șoară, salvați-mă. Am cinci copii, nevastă. Am
furat un portofel. Era pe jos în tramvai. L-am luat. Sunt
șomer și am cinci copii și nevastă. Trebuia să le aduc ceva
de mâncare.

Am revenit să pledez, cu codurile la îndemână. Am
evocat familia părăsită care aștepta ca tatăl să aducă pâinea
zilnică și am apăsat pe coarda patetică. Ionescu, în spatele
meu, plângea și mă încuraja:

— Aşa-i, domn'şoară, aşa-i. Parcă aţi fi citit în biata mea inimă de tată.

Eram eu însămi destul de emoţionată şi, cu cât vorbeam mai mult, cu atât credeam mai mult în pâinea zilnică, în copii, în nevastă, în casa abandonată.

Ionescu a fost achitat. Am plecat de la tribunal, cu ambele serviete sub braţ, atât de mândră de a fi obţinut două achitări într-o singură zi, încât cântam de bucurie pe stradă şi nici nu mă gândeam la onorariul promis de Ionescu.

Nu bănuiam atunci că avea să mi-l plătească în ţigări, la Văcăreşti.

✳

În salon, ştirea s-a răspândit repede. Şobolanca a fost crainica.

Foarte emoţionată, Ţiganca vine la mine şi mă strânge în braţe.

— Eşti sora mea pe viaţă! Banda mea e şi a ta. Să-l scapi pe Piele fină, nu-i puţin lucru.

— Cine-i Piele fină?

— Ionescu, Popan, Micul zidar, Piele fină, el e! Şefu' tuturor spărgătorilor din Bucureşti. Şefu' nostru cel mare.

— Are copii şi nevastă?

— Piele fină, plozi? Nici vorbă.

Încep să râd. Ţiganca mă îmbrăţişează neîncetat:

— Va să zică, tu eşti o avocată faină.

— Eram avocat stagiar, Ţiganco. Am obţinut achitarea lui, se mai întâmplă.

— Habar n-am eu dacă se întâmplă sau nu. Ce ştiu e că eşti „cineva". Sora mea pe viaţă, ţi-am zis, şi banda mea la dispoziţie. Dacă oi avea nevoie.

Salonul e în mare fierbere. Nu mai ajung să dorm, fiindcă toate fetele vin să-mi expună cazul lor şi să-mi ceară sfaturi pentru „când o să fie afară".

Din ziua aceea, în închisoare nu mi se mai spune decât „terorista lui Piele fină" și, după Țiganca și Șobolanca, am prioritate la căldare.

*

Paznicul șef apare dimineață în salon, se instalează în fața patului meu și începe să înjure.

— Directorul mi-a tras o săpuneală fiindcă te-am lăsat să lucrezi la chirurgie. Nu mai ai dreptul să te duci acolo, târfă reacționară!

Îmi dă o palmă și pleacă, demn.

Pesemne că a trecut pe acolo responsabilul politic. Este un ucigaș care s-a înscris în partid. El e de fapt adevăratul director al închisorii.

La secția chirurgicală era o fereastră de unde puteam vedea profilându-se orașul în depărtare.

*

Mi-a revenit gheara și m-a țintuit la pat. Toată noaptea fetele discută cu înverșunare „ultimele știri": spărgătorii și ucigașii care s-au înscris în partid au fost numiți inspectori de poliție și își denunță colegii. Patru dintre acești noi inspectori au fost doborâți de spărgătorii de afară. Pe cadavrele lor s-a găsit o hârtiuță pe care stătea scris: „Trădător". Cu toate acestea, raziile dau tot mai multe rezultate.

Noaptea, Țiganca reunește un consiliu de război și dă instrucțiuni care trebuie transmise tuturor bandelor din București. Fetele o ascultă fără să scoată un cuvânt. Incontestabil, le domină. De altfel, societatea lor e foarte bine organizată. Ierarhia e strictă și chiar rigidă, solidaritatea, aproape totală. În salon, sunt grupate pe specialități: bănci, case de bani, sistem X sau Y, trenuri…

Hoațele cele mai stimate sunt cele care au mai mulți ani de închisoare la activ și au reușit mai multe evadări. Hoațele de mărunțișuri sunt considerate diletante. În închisoare, ele sunt sclavele hoațelor de carieră, care le numesc „pișăcioase". Găinăresele le fac patul celorlalte hoațe, le spală rufele și asigură „corvoada căldărilor" în locul lor. Nu visează decât un singur lucru: să intre în cariera adevărată. Când ies din închisoare, se duc la una din adresele indicate de o hoață pe care au servit-o și își încep ucenicia; ele numesc asta „a merge la școală".

Sclava Țigăncii este foarte invidiată de colegele ei găinărese. Își ia un aer foarte demn ca să spună, ori de câte ori îndrăznește cineva să-i facă vreo observație:

— De îndată ce o șterg de-aici intru în banda Țigăncii.

Acesta e adevăratul ei titlu de noblețe.

Cât despre prostituate, ele sfârșesc totdeauna prin a deveni hoațe.

— E o meserie mai puțin istovitoare, spun ele.

Una dintre ele, Milica, și-a schimbat profesia în închisoare, luna trecută. Acum face parte din banda Țigăncii.

Pe urmă, mi-a explicat:

— Mă săturasem de meseria asta împuțită. Nu era chip să mă odihnesc, nici când îmi venea perioada.

*

Medicii spun că nu mă mai țin nervii. Gheara revine cel puțin o dată pe zi, și leșin des. Directorul general a ordonat să fiu transportată într-o celulă individuală, ca să „crăp în pace".

Celula din dreapta e ocupată de un politic pe jumătate nebun. De îndată ce cade noaptea, începe să fluiere ca trenul. Mai și urlă și lovește cu pumnul în ușă. Paznicii revarsă asupra lui o ploaie de înjurături și el, atunci, reîncepe să șuiere ca trenul.

Țipătul îndepărtat al unei cucuvele îl acompaniază în surdină.

*

Celula din stânga e ocupată de ieri. N-am voie să părăsesc patul, dar mă târăsc totuși până la culoar ca să încerc să-l văd pe noul venit. N-am nevoie să mă duc prea departe. Pe coridor, o femeie stă cu spatele la mine. O femeie, sau mai degrabă ce a rămas dintr-o femeie: un schelet care se uită pe fereastră. Mă apropii; ea mă privește brusc: e Maria Antonescu, soția fostului mareșal. O credeam în Rusia. Are ochii rătăciți, iar fața ei e verde. M-am dat înapoi cu un pas. Mă întreabă cu glasul stins:

— Ce-ai făcut ca să ajungi aici? Pari atât de tânără.

— Sunt politică.

— Politică... Ieri l-au împușcat pe soțul meu.

Paznicul vine alergând și înjurând și mă bagă înapoi în celulă cu lovituri de pumn.

*

Sunt convocată în fața unei comisii medicale. Medicii au un aer de înmormântare. Tensiunea mea este 7 cu 4.

*

Unul din singurele rezultate obținute de Mihai Romniceanu, reprezentant liberal în guvernul Groza, este transferarea mea, ca deținută bineînțeles, la spital.

Camera este foarte curată, dar au fost obligați să schimbe salteaua de pe pat. Prima mi se părea prea moale și aveam impresia că mă afund și mă înăbuș.

Timp de peste un an, la Văcărești, nu am avut saltea.

*

Mihai Romniceanu vine să mă vadă și îmi spune că generalul Rădescu a reușit să fugă din țară cu avionul și să ajungă în insula Cipru.

E una din primele mele bucurii, dar nu reușesc să o resimt cu destulă putere. Sunt atât de bolnavă, încât mă simt dincolo de viață.

După plecarea lui Romniceanu, infirmiera intră în cameră, se preface că îmi ia temperatura și îmi murmură aplecându-se peste mine: „Ai grijă. Microfon în cameră".

*

Îl revăd pe Mihai Romniceanu după alegerile care au avut loc la 19 noiembrie 1946. Opoziția obținuse peste șaptezeci la sută din voturi. Se pare că la Ministerul de Interne, în momentul când s-au cunoscut rezultatele, nebunia a pus stăpânire pe toți, în frunte cu Teohari Georgescu. Și când te gândești că totul fusese atât de bine pregătit!

Peședintele comisiei electorale era de orientare comunistă.

Patruzeci și cinci dintre cetățenii înscriși pe listele electorale fuseseră șterși. Motivul invocat: fasciști.

Fiecare birou de votare era prezidat de un comunist, partidele de opoziție neavând dreptul decât la un singur reprezentant pentru patru până la cinci birouri de votare.

Sindicatele și organizațiile profesionale fuseseră obligate să meargă la urne însoțite de responsabilii politici comuniști.

Soldații fuseseră obligați să voteze în cazărmi sub stricta supraveghere a comisarilor politici.

Teohari Georgescu și Comitetul Central al PC s-au dus la ambasada sovietică spre a-i pune lui Kaftaradze aceeași întrebare telegrafiată de prefecţii din provincie: „Opoziţia a obţinut majoritate de 80%. Ordonaţi telegrafic ce e de făcut". Kaftaradze a luat contact cu Moscova, iar Moscova a ordonat: voturile opoziţiei trebuie să fie trecute pe seama coaliţiei guvernamentale, şi viceversa.

Era, fireşte, soluţia ideală, trebuia doar să se fi gândit cineva la asta. Şi pentru că nu se gândise la ea, Teohari Georgescu a fost obligat să dea rezultatele alegerilor cu o zi întârziere.

Maniu, Brătianu şi Titel Petrescu au adresat o notă de protest anglo-americanilor. Câte note de protest au trimis ei până la această dată? Şi cu ce rezultat?

Revăd deodată o scenă de la proces. Eram în închisoarea Curţii Marţiale. Un băiat spunea:

— Se vor ţine alegeri şi atunci nici un singur comunist nu va mai rămâne la putere.

Oare Maglaşu a fost cel care i-a răspuns:

— Şi dacă, la Ialta, Aliaţii ne-au cedat ruşilor?

*

În luna aprilie 1947, sunt tot la spital. Puţine ştiri îmi parvin din afară, dar am aflat totuşi un lucru: conflictul care îl opune pe Lucreţiu Pătrăşcanu lui Teohari Georgescu devine tot mai violent. Lucreţiu Pătrăşcanu începe să fie considerat de Comitetul Central al PC ca un posibil deviaţionist.

Îmi amintesc de zvonul acesta când aflu în cursul aceleiaşi luni aprilie că am fost graţiată de rege.

Lucreţiu Pătrăşcanu este ministrul Justiţiei.

*

Mă pregătesc să ies din spital şi din închisoare. Sunt liberă. Încerc să pronunţ de mai multe ori cuvântul „libertate", să-mi amintesc o frază despre libertate, să gândesc această libertate. Nu reuşesc. Nu găsesc în mine nici o explozie, nici strigăte de bucurie.

Nu găsesc aproape nimic, numai această frică de oraşul care mă aşteaptă afară, de acest oraş şi de această viaţă cu care nu mai sunt obişnuită.

„NICIODATĂ TRANDAFIRII NU AU FOST ATÂT DE ALBAȘTRI"

I

De când sunt grațiată, umblu toată ziua pe străzi, ca o nebună; tot timpul pe străzi. Când se înnoptează, mă resemnez cu greu să mă duc acasă. Am obsesia zidurilor care par să cadă peste mine, a ușii care se închide în urma mea. Altă obsesie, aceea de a întâlni ființe omenești. În afară de câțiva colegi „politici" de la Văcărești pe care îi întâlnesc seara într-ascuns, nu văd pe nimeni. Doar cu ei reușesc să vorbesc; folosim aceleași cuvinte, am trăit aceeași realitate care ne izolează de comunitatea celor vii.

De la faptul că sunt vie am păstrat nevoia de aer. Parcurg străzile în căutarea lui. Am o poftă dementă să recuperez toate ieșirile la „aer" care mi-au fost refuzate de doi ani.

Ceea ce este pesemne cel mai grav e că nu reușesc să mă regăsesc pe mine, să fiu credincioasă întâlnirii cu mine însămi.

*

De două zile am febră și trebuie să stau la pat. Tifosul bântuie prin București. Migrenă și febră. Probabil că am tifos. Mă hotărăsc să mă duc la un spital al cărui medic șef îl cunosc.

Îl întâlnesc în sala de așteptare.

— Ce se întâmplă? Ce dorești?

— Nimic, Radu, în fine, nimic special. Am tifos și am venit să mă internez.

— De unde știi că ai tifos?

— Uiți că am fost infirmieră pe timpuri și mai recent „planton" la secția chirurgicală de la Văcărești?

— Am să te duc să te examineze profesorul.

„Profesorul" poartă ochelari. E puțin surd și mă ascultă îndeaproape, lung, clătinând din cap.

— Dacă ai fi venit mâine, te-aș fi condus direct la morgă. Inima e prea slăbită, orice operație e exclusă!

Nu înțeleg prea bine:

— Operație de tifos?

Profesorul ridică spre Radu niște ochi mirați:

— Bolnava delirează?

Radu râde:

— Întotdeauna a avut idei fixe. E convinsă că are tifos.

— Aș fi preferat să fie tifos! Nici unul din organe nu e la locul său: stomacul a căzut, rinichii sunt deplasați, cât despre plămâni, ce să mai vorbim. Infecția e atât de generalizată, că o septicemie se poate declara de la un moment la altul. Dacă putem obține penicilină în cantitate mare, mai avem o șansă să o salvăm.

— Câte unități ar trebui?

— Un milion deocamdată. Mai multe milioane ca s-o salvăm cu adevărat.

— Am să mă informez la Crucea Roșie internațională, care a primit ajutorul american.

Le urmăresc cu greu discuția. Am impresia că din nou mi se umflă capul și că dinții mi se lungesc la nesfârșit.

Înainte de a mă lăsa să plec, profesorul se întoarce spre mine cu un aer dojenitor.

— Evident că n-am dreptul să te întreb ce viață ai putut să duci ca să ajungi în halul acesta…

Tac, și răspunde Radu în locul meu:

— A fost la închisoare, domnule profesor.

Profesorul roșește, își scoate ochelarii, îi șterge și spune, privind pe fereastră:

— Ah, bine, atunci...

*

Altă cameră de spital. Radu îmi face prima injecție cu penicilină. Profit de un moment când infirmierul nu este lângă el ca să-l rog:

— Radu, n-ai putea să mă treci în registru sub un nume fals?

— Vrei să rămân fără slujbă? Dacă ar afla responsabilul celulei mele?

— Te-ai înscris la ei?

Radu ridică din umeri.

— Am nevastă și trei copii. Ce vrei să fac? Medicii care nu s-au înscris în partid nu mai au dreptul să practice medicina.

*

De câte ori vine Radu să-mi facă injecția, se preface complet indiferent. Nu vrea ca cineva să-și închipuie că se interesează de mine mai mult decât de ceilalți bolnavi. Este medic șef al spitalului, dar se teme de responsabilul politic al secției sale. Responsabilul e mecanic, ceea ce nu-l împiedică deloc să-și pună halat și să-l însoțească pe Radu la căpătâiul bolnavilor. Radu este absolvent al Facultății de Medicină, dar mecanicul este membru de partid din 6 martie 1945. Fapt în virtutea căruia avizul lui contează mai mult decât cel al medicului șef, absolvent al Facultății de Medicină.

*

Asistentul medicului șef se poartă față de mine cu o amabilitate care mi se pare suspectă. Nu e niciodată mulțumit de îngrijirile care mi se dau. Găsește că infirmierul nu se ocupă suficient de mine. Că nu e destulă penicilină, nu e destulă gheață, nu-s destule dezinfectante.

Redactându-mi fișa de ieșire din spital, mă întreabă în șoaptă dacă nu vreau să părăsesc țara, să fug în străinătate. Totul este bine pregătit. Fără nici un risc. Un avion va fi pus la dispoziția șefilor politici din opoziție. Mi se va rezerva un loc. Îi răspund că profesorul mi-a prescris șase luni de odihnă totală. Cele câteva milioane de unități de penicilină au reușit să stopeze infecția, dar, ca să fiu complet vindecată, îmi trebuie aceste șase luni de repaus absolut.

Asistentul pare decepționat. Îmi lasă numărul lui de telefon și mă roagă să-l chem în caz că m-aș răzgândi. Iau hârtiuța pe care și-a scris adresa. Nu vreau să par prea aspră. Datorită asistentului, mulți dintre colegii mei au putut să intre noaptea în spital ca să mă vadă. Părea bine introdus printre ai noștri.

Povestea asta cu plecarea clandestină mi se pare totuși destul de ciudată.

*

Sunt din nou acasă după două luni de spital. Stau tot în pat. Unul dintre prietenii mei englezi vine să mă vadă. Îl întreb brusc:

— Ce-ai spune dacă ai afla că am ajuns la Constantinopol?

— Nu ești în stare să te ții pe picioare și vrei să traversezi Marea Neagră înot?

— Nu înot. Cu avionul.

Își astupă urechile.

— Nu-mi mai spune altceva. Nu vreau să mai aud nimic! Știi bine că nu mă pot amesteca în asemenea povești, dar dă-mi voie să-ți dau totuși un sfat: să nu mai revezi niciodată persoana care ți-a propus asta. Poate să fie cinstită, dar tot

atât de bine poate să nu fie, și atunci nu văd cum ai putea
să reziști la noi anchete în starea în care te afli.

La plecare îmi mai spune:

— Ce idee am avut să trec să te văd într-un 13 iulie!

Prietenul meu este un irlandez foarte superstițios.

*

Nu-i telefonez asistentului. Am rupt hârtiuța pe care
mi-o dăduse.

II

Lovituri surde în ușă mă smulg din somn. Mi-e greu
să-mi dau seama ce se petrece. Am avut febră toată noap-
tea și sunt încă buimacă. Cineva a deschis. Doi bărbați își
fac apariția în odaie:

— Ești arestată. Îmbracă-te!

Mă întreb dacă nu-i coșmarul obișnuit care revine. Poate
că nu m-am trezit încă? Un bărbat mă zgâlțâie.

— Ești tare de urechi? Îmbracă-te!

Celălalt intervine:

— N-o zgâlțâi. Noroc că am găsit-o.

— De-abia am ieșit din spital. Unde vreți să mă duceți?

— Ai să vezi. Haide, îmbracă-te.

Suntem în toiul verii, dar tremur de frig. Îmi pun un
pantalon lung și un pulover. Acum, știu să mă echipez; am
deprinderea închisorii.

Coborâm scările. În fața ușii, alți doi agenți și o mașină.
Și aceeași cursă prin orașul care se trezește. Pătrundem în
curtea prefecturii de poliție.

Un coridor lung. Alt birou. Un bărbat cu părul alb și
aerul jovial își freacă mâinile și le aruncă celor doi agenți:

— Bravo, băieți! Bună treabă.

— De ce m-ați arestat?

— Ai să vezi. Duceți-o, băieți. Îi fac eu fișa.

Alt birou. Un portret mare al lui Stalin l-a înlocuit pe cel al regelui. Trei bărbați mă întâmpină râzând în hohote.

— Nu ți-a folosit la nimic Văcăreștiul, teroristă nemernică. Ai vrut s-o ștergi cu avionul împreună cu șefii liberali.

Îmi întind o hârtie:

„Subsemnata, declar că am vrut să însoțesc pe șefii Partidului Liberal și anume...“

Îi întrerup:

— Degeaba. Nu semnez absolut nimic.

Scena nu poate să fie reală. Trebuie să fie coșmarul meu care se prelungește acum chiar și în stare de veghe, trebuie să fie trecutul care revine în mod perfid ca să se insinueze în prezent, trebuie să fie o halucinație.

Țipă ca atunci, cu aceleași voci, aceleași cuvinte. Aștept începerea loviturilor. Acum știu că am să leșin înainte chiar ca ei să fi avut timp să-mi facă vreun rău. Loviturile nu vin. Îmi recitesc declarația pe care trebuie să o iscălesc. Privesc apatică portretul lui Stalin, care zâmbește ținând copii în brațe.

Bărbatul cu păr alb intră în încăpere:

— Ei?

— Încă nimic.

— Ați percheziționat-o?

— O s-o facem imediat. Dezbracă-te.

Îmi încleștez dinții ca să nu tremur. Îmi scotocesc hainele în timp ce stau în picioare, goală, în mijlocul camerei. Reușesc să le spun destul de calmă:

— E destul de inutil, știți. M-am îmbrăcat special ca să vin aici. Doar nu era să iau cu mine mesaje sau documente secrete ca să vin la prefectură.

Încep din nou să mă înjure, dar nu mă lovesc. Mi-aruncă hainele. Mă îmbrac.

— Acum ai să fii drăguță să semnezi. Altfel ştii bine ce te aşteaptă. Ai uitat cumva?

— Dar voi, aţi uitat cumva că ştiu să vorbesc la proces?

— Dacă nu semnezi, te omorâm.

Cunosc asta, cunosc pe dinafară, nu mai cunosc decât asta. Îmi vine să ţip văzând cum totul se repetă cu atâta fidelitate. În loc să o fac, ridic din umeri.

— Ştiţi foarte bine că n-am să semnez nimic.

*

Doi paznici mă coboară la subsol. La capătul coridorului deschid o uşă:

— Hai, intră.

Văd în penumbră un grup de femei care privesc în tavan. Le urmăresc privirea. Sus, lângă tavan, este o fereastră. O fereastră, adică un mic pătrat zăbrelit care dă în curte şi prin care se zăresc picioarele santinelelor care trec la intervale regulate.

Toate femeile stau în vârful picioarelor, nemişcate şi atrase de acest firicel de aer. Celula este îmbibată de o duhoare umedă. Scena e absolut nereală, am impresia că privesc un tablou care s-ar putea intitula: *În căutarea aerului*. Cine ar fi putut să-l picteze? Cine ar fi putut să redea acea penumbră mişunătoare de respiraţii omeneşti, acele siluete de umbră întinse direct pe ciment, ghemuite pe closetul acoperit, proiectate spre fereastră, aceste gâturi descărnate, acest rânjet pe feţe, toată această omenire subterană care, ca să se mişte, ia forma unor şobolani sau cârtiţe?

Mă las şi eu antrenată în joc, recunoscătoare de a putea scăpa o clipă de ideea obsedantă: anchetele se vor desfăşura oare la fel ca la Securitate? Oare totul se va repeta exact ca în trecut?

Încerc să mă apropii de fereastră. Mirosul este atât de puternic, încât din nou mi se învârte capul. Mă lovesc de trupuri. O femeie se ridică, gata să mă înjure, și, recunoscându-mă, îmi cade în brațe: e Milica, prostituata care a intrat în banda Țigăncii la Văcărești.

— Ai venit din nou să numeri zăbrelele, teroristo? N-ai avut noroc!

Le strigă celorlalte din celulă:

— Fetelor, e terorista lui Piele fină! Prietena Țigăncii!

Surescitarea e imensă, fiindcă toată lumea cunoaște măcar numele Țigăncii și al lui Piele fină. Sunt cele două vedete din lumea lor. Milica povestește istoria mea în felul ei: sunt șefă de bandă, am vrut să omor pe Ana Pauker și guvernul; povestea mea a apărut în ziar, l-am salvat pe Piele fină dintr-o mare belea și un domn mare a venit să mă vadă la închisoare, tipul meu, un individ mișto. Vin toate să mă îmbrățișeze:

— Pe cine ai vrut să omori de astă dată?

— Pe nimeni.

Milica intervine:

— Mereu zice așa, să n-o credeți.

Dintr-un colț întunecos al celulei avansează o femeie spre grupul nostru. Are ochi negri, fața ridată, iar rochia ei, acum boțită, trebuie să fi fost foarte elegantă.

— Uite că vine și fandosita, spune Milica scuipând în direcția ei. Știi, teroristo, tâmpita asta e cam tare de cap. Vorbește într-o limbă pe care n-o pricepem. S-o fi crezând mare cucoană.

— Așteaptă, Milica, să văd și eu.

Mă apropii de femeie. Îmi spune:

— Vorbiţi cumva franţuzeşte?

— Da, doamnă.

Scoate un mic ţipăt:

— În sfârşit, nu mai puteam suporta, dacă aţi şti... Ezită o clipă, apoi: De ce sunteţi aici...?

— Probabil pentru că, din toate închisorile Bucureştiului, e singura pe care n-o cunosc încă.

— Ciudat. Aveţi aerul atât de, cum să spun, atât de cumsecade. Cum puteţi duce o asemenea viaţă?

Izbucnesc în râs:

— Credeţi că sunt o târfă?

Are aerul uşor speriat, şi mă simt obligată să o liniştesc. Dar înainte de a fi avut timp să o fac, reia:

— Poate că sunteţi străină, ca şi mine? Am fost arestată în faţa legaţiei. În urma furtului organizat care la dumneavoastră se numeşte reformă monetară sau „stabilizare", rămăsesem fără un ban. M-am dus la legaţia italiană ca să cer să mi se împrumute, dar am fost arestată înainte de a intra. De trei zile stau în mizeria asta. Şi târfele astea care se ceartă tot timpul între ele, se trag de păr, ţipă. Una dintre ele, roşcata aceea din colţ, vrea neapărat să mă îmbrăţişeze. Nu pot să suport promiscuitatea asta. Cum puteţi face o meserie atât de murdară?

A început să plângă.

— Liniştiţi-vă, doamnă. Dacă asta vă poate calma cu ceva, aflaţi că sunt politică. Aţi fost interogată?

— Nici o singură dată. Nu ştiu cum să avertizez legaţia ca să mă scoată din gaura asta. Chiar sunteţi politică?

— Da. Cât despre târfe, nu-i chiar aşa de groaznic, ştiţi. Am să fac pe interpreta.

N-am timp să-i servesc de interpretă, fiindcă vine un paznic să ne ia la masă şi ne pune să ieşim pe coridor aliniate.

Mă aflu lângă două muncitoare arestate fiindcă au lipsit de la trei manifestații. Cincizeci de femei din uzină au fost arestate în același timp cu ele. Cea mai în vârstă plânge necontenit. Copilul ei, de cinci luni, a rămas acasă singur.

La capătul coridorului, un plutonier îmi dă o gamelă. Un paznic face apelul bărbaților, de care suntem despărțite prin șirul de jandarmi și hârdăul de ciorbă. Apelul se face pe trei categorii: drept comun, sabotaj, politici. Pe urmă femeile: hoațe, prostituate, politice. Muncitoarele sunt în categoria politicelor. Când mi se strigă numele la sfârșitul listei, aud o voce de bărbat care strigă:

— Va să zică, domn'șoară Adriana, iar ați venit?

Paznicul urlă:

— Gura! Cel de a vorbit să iasă la raport.

Și Piele fină iese din rând și stă drepți.

— Pui de târfă nenorocit! Ce înseamnă asta, „domnișoară"? Folosești cuvinte din epoca „feudală"? Nu ești numai spărgător, mai ești și reacționar pe deasupra. Știi că n-ai voie să vorbești cu femeile?

Piele fină îmi face cu ochiul.

— Ne avem ca frații, domn' paznic. Am fost împreună la Văcărești. La Văcărești eu eram în sindicat, domn' paznic.

— Ești din cei de s-au înscris în sindicat ca să fie eliberați mai curând?

— Eram în sindicat și m-au eliberat. Pe urmă, iar am încasat-o. Ce vreți, domn' paznic, meseria dracului! Dar nu mi-s reacționar; mi-s progresist; îs în sindicat.

— Bine, vedem noi. Cum te cheamă?

— Lache Ion, domn' paznic.

Nu mă pot împiedica să nu râd: iar și-a schimbat numele.

În timp ce stăm la coadă în fața hârdăului cu ciorbă, Piele fină mă privește. Își duce mâna la ureche, ceea ce înseamnă în limbajul deținuților de la Văcărești: „Ai ceva de transmis afară?" Îmi duc mâna la frunte, ceea ce înseamnă: „Da." Reușesc astfel să-i dau numele Giovannei, italianca, și să-l rog să alerteze legația. Sunt sigură că o va face. Paznicii, care se poartă foarte prost cu politicii, sunt deosebit de indulgenți cu cei de drept comun, cu care au tot soiul de învârteli. Și Piele fină a găsit întotdeauna mijlocul, chiar și la Văcărești, să transmită afară orice voia.

I-am mulțumit lui Piele fină atingându-mi bărbia.

*

După ce am dat pe gât ciorba, care seamănă și mai mult a lături decât cea de la Văcărești, și ne-am mâncat bucata de pâine cleioasă, am fost închise din nou în celulă cu ceremonialul obișnuit:

— Bună seara, fetelor.

— Să trăiți, domn' paznic.

De îndată ce paznicul a închis ușa, cele două muncitoare încep să geamă. Una dintre ele se lamentează cu glas tare:

— Mai bine rămâneam la noi, la țară. Ce am căutat la uzină?… Ni s-a spus că guvernul ăsta nu se gândește decât la noi.

Milica țipă:

— Ne păcălește guvernul ăsta, asta ne face, și pe urmă ne bagă pe toți la pârnaie. Ar vrea să dăm ortu' popii cu toții. Fac ceva pe guvernul ăsta.

— Gura, intervine alta, uite că aia iar începe.

Muncitoarea care și-a lăsat copilul acasă a început să cânte un cântec de leagăn. Brațele ei încrucișate par să poarte cu adevărat un trupușor de copilaș.

Fetele o înconjoară și se uită la ea fără să scoată un cuvânt.

Stau întinsă pe ciment lângă Giovanna, căreia îi explic scena.

— Nu se poate să-i fi luat copilul. Nu-i posibil. Trebuie să le respecte pe femei!

Renunț să-i explic Giovannei cum sunt respectate femeile la anchetă. Îi spun, în schimb, că Piele fină va alerta legația ei.

Milica s-a apropiat de noi:

— Ce limbă vorbești cu fandosita?

— Franțuzește, Milica.

— E franțuzoaică, fandosita?

— Nu, Milica, italiancă.

— Italiancă? Scârba! Aveam un gagiu italian la Brăila. Era mișto. Cânta, pe urmă ne culcam împreună, pe urmă iar cânta, și iar ne culcam. Mario, așa-i zicea, cu ochi albaștri, ai fi zis că-s cerul. Aveam familie, nu făceam meseria asta, chiar că a fost prima dată. Într-o zi: „Mario, îi zic, am căzut pe bec. – Foarte bine, zice, foarte bine." Trei zile n-am vorbit decât de puști. Într-o seară: „Ies în oraș, îmi zice, mă-ntorc deseară". Crezi că s-a mai întors? Nici măcar nu mi-a trimis o floare. Ah, scârba!

Și Milica pleacă, dând din cap, să le povestească fetelor că „fandosita" e italiancă.

— Ce spunea? mă întreabă Giovanna.

Încerc să-i traduc cât mai fidel posibil.

— Găsesc că e dezgustător, absolut dezgustător. Dar dumneata?

— Oh, eu, știi, m-am obișnuit.

Mă privește cu un aer ciudat. Cred că nu e foarte convinsă că nu-s și eu de meserie.

*

Pesemne că au avut loc noi razii în cartierele prostituatelor. În timpul nopții, ușa se deschide de mai multe ori, și grupuri de femei fardate țipător, cu ochii rătăciți, sunt îmbrâncite în sală. Nou-venitele calcă peste trupurile întinse pe ciment şi se apleacă să-şi recunoască eventualele colege. Una dintre ele îmi pipăie piciorul.

— Eşti de-a noastră?

Milica, din stânga mea, intervine:

— Las-o-n pace. E terorista care era la Văcăreşti cu Ţiganca, terorista lui Piele fină, ştii!

La celălalt capăt al sălii, strigăte:

— Eşti aici, teroristo?

Trei colege de la Văcăreşti, „surori de cruce de-ale Şobolancei care au intrat iar la pârnaie", vin să mă îmbrăţişeze şi să-mi dea ţigări. Îi dau una Giovannei, care mă priveşte tot mai pieziş; trebuie să fie convinsă că fac şi eu aceeaşi meserie. Îmi întoarce spatele, se preface că doarme şi nu îşi mai continuă povestea în care era vorba de Napoli, de Valle del Inferno şi de o mare dragoste.

*

De cinci zile sunt la prefectură. Mi-e tot timpul foame, simt că am febră şi am regăsit ploşniţele familiare.

Giovanna a fost luată într-o zi de paznic şi nu s-a mai întors. Piele fină a făcut pesemne comisionul.

Sala e tot mai plină. Locurile pe ciment au devenit preţioase. Trebuie să rămân întinsă tot timpul ca să-mi am porţia de ciment noaptea. Când mă mişc, Milica îmi păzeşte locul, şi de altfel mă mişc foarte puţin şi numai ca să mănânc şi să vomit.

Mă gândesc zâmbind la profesorul care îmi recomanda şase luni de repaus absolut şi o schimbare totală de aer. În privinţa schimbării de aer, dorinţa i-a fost îndeplinită.

N-am mai fost chemată la anchetă.

*

De câteva zile mai este și altă „surdo-mută" printre noi
în celulă. Stă toată ziua ghemuită lângă fereastră și cu ochii
ei mari și verzi țintuiți asupra zăbrelelor. Nu se mișcă, nu
vorbește cu nimeni. Milica pretinde că e informatoarea di-
rectorului poliției, că e aici ca să ne „toarne", că e comunistă.
Nu cred, are aerul de a fi parcurs până la capăt drumul obo-
selii, de a fi atins acel punct extrem de unde nu mai există
întoarcere posibilă. Încerc să o liniștesc pe Milica și îi promit
să mă duc „să văd mai de aproape despre ce e vorba". Găsesc
un pretext oarecare ca să mă așez lângă ea. Îi ofer o țigară.

— Politică?

Îmi răspunde cu o voce foarte albă.

— Da, politică. Și dumitale ți-e frică de mine? Știu că
toate femeile mă iau drept spioană.

— Știu că nu ești spioană. Nu mi-e frică de dumneata.
Și eu sunt politică.

— Știu. Radio Moscova ne-a vorbit destul de dumneata,
și de atentatul pe care îl plănuiseși împotriva Anei Pauker.

— Eu nu am…

Mă întrerupe.

— Sunt sigură. Cunosc modul cum înscenează procese.
Am fost în partid. Dar, pentru o dată, regret că declarațiile
lor nu au fost adevărate. Aș fi vrut să o omori.

Vocea ei pare să vină de dincolo de ură. O întreb:

— Cum te cheamă?

— Numele meu adevărat nu mai contează. L-am părăsit
la paisprezece ani pentru un nume conspirativ: l-am păstrat.
Numele au câteodată o viață mai lungă decât credințele:
așa că mă numesc Vera Zasulici.

— Bine, dar Vera Zasulici era…

— Da, fata care a vrut să-l omoare pe ţar. Şi eu aş fi vrut să omor mulţi oameni ca să ajung la dreptate, la iubire. Vorbe goale! Am ajuns până la urmă la ură. Partidul... vezi şi dumneata. Mi-am dat demisia din partid. Acum, or să mă suprime. Ei nu admit eretici. Dar am să lupt împotriva lor până la capăt. E singurul mijloc de a rămâne credincioasă adevărului meu. Aşa, cel puţin, am să-mi pot recita, la capătul drumului, versurile astea ale lui Aragon care îmi plăceau atât de mult:

O, prieteni, de-o fi să mor,
Veţi şti de ce s-a întâmplat.

Tace şi mă priveşte lung. Continui:

Şi, de-ar fi să-l pot reface,
Aş reface-acelaşi drum
Sub focul armelor voastre
Să cânte-un viitor mai bun.

Strâng mâna pe care mi-o întinde Vera. Nu credeam că jurămintele pot fi ceva atât de simplu.

*

O liniştesc pe Milica. Vera e de-a noastră. Milica răspândeşte prin celulă ştirea că Vera a intrat în banda mea. Prostituatele îi oferă ţigări, ucigaşele îi vorbesc, dar Vera continuă să tacă.

A doua zi vine un paznic să o ia. Înainte de a ieşi, îmi strânge mâna, şi o văd pentru prima oară zâmbind în timp ce îmi spune:

— Nu uita: *Şi, de-ar fi să-l pot reface...*

*

Am fost transferată la Interne. Alte formalităţi. Un paznic
mă percheziţionează şi izbucneşte în râs:

— Teroristă e păduchioasă.

Trecem prin dreptul celulei pe care am împărţit-o acum
doi ani cu „Varvara căreia nu-i mai este frică" şi mama ei.
Ne oprim câţiva paşi mai departe. Paznicul mă împinge
într-o celulă, în care două femei foarte slabe îmi lansează,
în loc de bun-venit:

— Eşti sabotaj sau politică?

— Politică.

Par bucuroase şi vin repede să mă îmbrăţişeze.

— Ai să ne dai puţin din mâncarea ta?

— Nu primiţi nimic de mâncare?

— Ba da, ciorbă şi iar ciorbă, cu o bucăţică mică de pâine
la fiecare masă. În schimb, politicele sunt foarte bine hrănite.
Primesc mâncăruri cu carne.

Mi-aduc deodată aminte de cuvintele lui Antim Boghea
înainte de sentinţă: „Probabil că de-acum înainte o să-i dro-
gheze pe acuzaţi; e mai uşor şi mai puţin vizibil". Mi-amin-
tesc şi de biletele pe care le primeam de la politici prin
intermediul Şobolancei, la Văcăreşti: „Dacă mai treci o dată
la anchetă, fereşte-te de mâncărurile cu carne: conţin droguri
care te fac să iscăleşti orice ca un automat".

Înţeleg de ce nu m-au mai bătut. Fireşte, „e mai uşor şi
mai puţin vizibil".

Cele două femei sunt mirate de tăcerea mea neaşteptată
şi încep să mă zgâlţâie.

— Ce-i cu tine? Dacă nu vrei să ne dai să gustăm din
mâncarea ta, nu face nimic. Dar nu mai tremura aşa.

Mi-a revenit tremurul nervos. Dinţii îmi clănţăne cu un
zgomot sec. Mi-e imposibil să vorbesc. Şi chiar dacă aş în-
ceta să tremur, ce le-aş putea spune?

Se deschide ușa. Paznicul ne aduce masa de seară: trei bucăți de pâine cleioasă și trei gamele. În gamelele lor, un lichid negricios; într-a mea, o mâncare cu carne pe care ele o privesc cu lăcomie. Una dintre ele murmură, după plecarea paznicului:

— Să ne urcăm pe patul de sus. O să stăm cu spatele, și așa ai să poți să ne dai puțin din carnea ta fără să observe paznicul. Numai puțin, ca să gustăm.

Cealaltă se uită țintă la gamela mea. Un firicel de bale i se scurge din gura care îi tremură. Spune cu glas întretăiat:

— Știi, mi-e atât de foame! Ție nu ți-e?

— Am febră mare, nu mi-e foame.

De altfel, e adevărat. Tot timpul îmi vine să vomit. Ne urcăm pe pat, le întind gamela și închid ochii. Aud zgomotul sec al maxilarelor sfâșiind carnea cu lăcomie. Nu știu cum să fac ca să le împiedic să mănânce fără să le spun că mâncarea conține droguri. Ele mă întreabă:

— Putem să mâncăm tot? Chiar nu vrei deloc?

— Nu.

Când deschid ochii, au golit gamela. Ne reluăm locurile. Paznicul intră și ia gamelele. Numai să nu-și fi dat seama! Dacă mâncarea conținea droguri, sigur că voi fi chemată la anchetă în noaptea asta chiar. Aplecată peste culcușul meu, le privesc pe cele două femei care își vorbesc cu niște voci ciudate, stinse, albe.

— Ți-e cald? Mie mi-e foarte cald.

— Da, mi-e foarte cald. Transpir.

Vorbesc amândouă odată, fără încetare. Încerc să înregistrez sunetul vocilor lor ca să-l imit la anchetă. Mă vor duce oare la anchetă? Probabil, de vreme ce mâncarea conținea un drog, de vreme ce femeile acestea două transpiră în timp ce eu tremur de frig.

— 15, la anchetă.

Paznicul e pe pragul ușii.

Cobor din culcuș și îl urmez.

*

Intru în birou. Trei bărbați. Tresar. Unul dintre ei era inspector la Interne când eu însămi eram șefă de cabinet. Vine spre mine, îmi oferă un scaun, îmi întinde o țigară. Îl privesc fix. A lăsat ochii în jos. Altul vorbește:

— Sper că o să ne înțelegem foarte bine.

Va trebui să vorbesc, să vorbesc necontenit, cu vocea aceea stinsă, albă, a colegelor mele de celulă.

— Ți s-a propus să fugi, să părăsești țara cu avionul, și n-ai venit să-l denunți pe individul care ți-a făcut propunerea asta.

Nu răspund la întrebare. Am început să vorbesc despre boala mea, despre șederea la spital, recomandările medicului, în fraze sacadate, incoerente. Sunt inepuizabilă. Văd pe unul dintre ei făcându-le cu ochiul celorlalți doi, ceea ce vrea să spună pesemne: „drogul și-a făcut efectul".

— Hai, scrie aici, fii drăguță ca o fetiță cuminte, scrie ce o să-ți dictăm.

— Nu știu să scriu, nu știu să scriu, nu știu să scriu…

De câteva minute repet cuvintele astea fără ca ei să mă bată.

Unul dintre ei se încruntă, apasă pe un buton și îi spune paznicului care intră:

— La carceră.

Paznicul mă ia cu el.

*

Retrăiesc toate senzațiile resimțite prima dată când am fost la carceră. Picioarele mi se înmoaie, aud bătăile inimii.

Oare o să mă trimită la Securitate? Oare am să-i revăd pe Nicolski, Bulz, Stroescu și pe paznici?

Iar mi se rotesc prin fața ochilor niște cercuri. Leșin.

*

Cele două femei se aruncă de fiecare dată pe mâncarea mea, de care în continuare nu mă ating. Ele delirează întotdeauna după ce mănâncă, dar nu par să-și dea seama de nimic.

Îmi crește febra, îmi clănțăne dinții aproape tot timpul.

Când nu delirează, colegele de celulă mă privesc cu un aer curios; își spun pesemne că sunt nebună. Mă evită, aproape că le e teamă de mine. Mie mi-e teamă să nu spună cumva că le cedez mâncarea care mi-e destinată și să nu dezvăluie astfel toată stratagema mea.

Nu ne vorbim deloc.

*

Altă anchetă. Aceiași bărbați. Vor să mă facă să declar că șefii Partidului Liberal au avut intenția să fugă în străinătate cu șefii Partidului Național-Țărănesc. Înțeleg, din întrebările lor, că cei din urmă au fost arestați și că partidul lor a fost scos în afara legii. Declarațiile mele trebuie să servească pentru ca Partidul Liberal să le împărtășească soarta.

Mă prefac că delirez, lucru pentru care mi-e de mare ajutor febra. În realitate, sunt foarte lucidă. Anchetatorii par consternați: bâigui propoziții nesfârșite, în care e vorba de penicilină și de spital, și nu semnez nimic.

Unul dintre ei, nemaiputând răbda, îmi ia capul între mâini și începe să-l lovească de pereți. Altul vine să mă scape și îi murmură:

— N-o mai lovi. Știi doar ce ni s-a spus.

De îndată ce mi-a dat drumul, cad pe jos, repetând ma-
şinal:

— Nu semnez nimic, nu semnez nimic.

*

Înapoi în celulă, cred că am să leşin de-a binelea: cele două
femei nu mai sunt acolo. Or fi vorbit? Cum am să mă des-
curc de-acum înainte cu mâncarea? Să declar greva foamei?
Mi-ar face injecţii. Mă învârt prin încăpere căutând un loc
unde să ascund mâncarea. Sub pat descopăr o colecţie din
Scânteia. Am găsit soluţia şi aştept ora mesei mai liniştită.

Când paznicul mi-aduce mâncarea, mă prefac că mă
arunc asupra gamelei cu un aer înfometat. De îndată ce a
ieşit, mă caţăr pe pat cu gamela şi o foaie de ziar. Arunc con-
ţinutul gamelei în ziar, fac un pachet pe care mi-l vâr în
pantalon, între picioare. Pachetul e umed şi gras şi îmi vine
să vomit. Lovesc cât pot de tare în uşă.

— Vreau să mă duc la toaletă.

Odată ajunsă, arunc pachetul în gaură şi trag apa de mai
multe ori.

Paznicul mă însoţeşte în celulă.

— Ai isprăvit de mâncat?

Îi întind gamela goală.

Mă culc imediat pe pat. De cinci zile nu am înghiţit decât
puţină pâine, şi mă simt tot mai slăbită.

*

Noaptea, anchetele continuă. Nu mai sunt lovită. Nu
semnez nimic şi vorbesc fără încetare. Când mă ţin mai mult
de o oră în picioare, îmi pierd cunoştinţa. Sper că după o lună
de astfel de regim am să ajung să mor. Cei trei anchetatori

sunt din ce în ce mai nervoși: procesul probabil că este iminent.

*

Paznicul aduce zilnic în celulă un exemplar din *Scânteia*. Înainte de a-l rupe ca să învelesc în el mâncarea, citesc câteva titluri. Astăzi, pe prima pagină sub un titlu cu litere groase, roșii: *Noi amănunte despre afacerea de la Tămădău.* O fotografie: în fața avionului, șefii național-țărăniști, cu valizele în mână. În grupul lor, asistentul care îmi propusese să fug cu ei. Sunt convinsă că este agent provocator.

Maniu a fost arestat. Nu voise să fugă. Îi autorizase numai pe șefii partidului său să o facă. Maniu voise să rămână până la capăt în țara sa ca să fie martor. Nu vor reuși să facă din Maniu o victimă. Legenda îi rezervă neîndoielnic un rol mai mare: va deveni martir.

Îmi dau seama că am început să plâng. Nu credeam că mai am puterea să o fac!

*

Mi-e teamă că în curând nu voi mai avea forța să merg la toaletă ca să-mi arunc pachetele. Abia mă mai țin pe picioare, și în fiecare noapte paznicii trebuie să mă susțină ca să mă ducă la anchetă. De îndată ce ajung în birou, mă prăbușesc la pământ. Anchetele durează trei, patru ore în fiecare noapte. Nu semnez nimic.

*

Scânteia de azi este datată 7 septembrie 1947. Va să zică, de mai bine de o lună sunt la închisoare și de circa două săptămâni n-am înghițit nimic altceva decât puțină pâine și apă… Credeam că dacă cineva face două săptămâni greva foamei, chiar limitată, ajunge totuși să moară.

Nu mai am puterea să mă duc la toaletă, și ascund pachetele cu alimente sub saltea.

*

Câteva nopți mai târziu, paznicul deschide ușa și se dă la o parte ca să-l lase să treacă pe fostul meu coleg de la Interne, inspectorul de poliție. Îmi spune:

— Urmează-mă.

De ce a venit chiar el după mine? Este însoțit de doi soldați care mă susțin ca să pot coborî scara. Paznicul a dispărut. Inspectorul le spune soldaților:

— N-avem mașină disponibilă. O să mergeți pe jos.

Am ieșit în stradă. Inspectorul ne privește de pe pragul ușii. Unde mă duc? La Securitate? Pe jos, până la Securitate? Și dacă mă predau NKVD-ului? Mi-au spus de mai multe ori, în timpul anchetei, că dacă nu semnez nimic o să mă predea la NKVD.

Îmi clănțăne dinții. Am dat colțul străzii. O mașină este oprită chiar lângă trotuar. Mașina NKVD-ului? Când trecem pe lângă ea se deschide portiera, și două brațe mă trag înăuntru. Dau să țip. O mână mi se apasă pe gură. Mă zbat, mă sufoc. M-au răpit. Cine m-a răpit? Ce fac soldații? Cercurile galbene plutesc în fața ochilor mei.

Leșin.

III

Mi-e teamă să deschid ochii. Mi-e teamă de lumină, mi-e teamă să zăresc privirile celor care m-au răpit. Dacă văd uniforme de NKVD, am să izbucnesc în plâns. Nu vreau să plâng în fața lor.

Vocea lui Marc:

— Hei, aduceți apă.

L-or fi arestat pe Marc pentru confruntări. De un an de zile se ascunde. L-or fi prins? Murmur, ținând ochii închiși:

— Te-au arestat?...

Marc izbucnește în râs.

— Va să zică, dragă rezistentă, noi facem tot posibilul ca să te scoatem din porcăria aceea, și tu nu găsești altceva mai bun de făcut decât să-ți pierzi cunoștința?

Deschid ochii. În cameră, Marc și cei cinci băieți pe care îi întâlneam în fiecare seară după ce am fost grațiată. Nu înțeleg nimic:

— Unde sunt soldații?

— Te pomenești că ai fi vrut să-i luăm și pe ei? Nu era suficient că o scoatem de la Interne, mai trebuia să răpim și garda personală a domnișoarei!

Vreau să le strâng mâna, mă scol și mă prăbușesc la pământ. Băieții mă ridică râzând:

— Dacă mai stăteai o săptămână la Interne, erai tocmai bună pentru spitalul Văcărești.

— Dar unde sunt soldații?

— Spune-ne mai bine cum ai făcut să nu semnezi nici o declarație.

— De unde știți?

— Te crezi încă pe vremea „organizației T"? Am evoluat între timp.

— Dar de unde ați aflat?

— Avem oamenii noștri la Interne. Avem oamenii noștri cam peste tot.

— La cine suntem aici?

— „Domiciliu conspirativ." Și acum, să fim ceva mai serioși. Comuniștii voiau neapărat să-i implice pe liberali în procesul Maniu. Contau pe tine. Cum de ai reușit să nu vorbești? Fiindcă totuși te au drogat.

— N-am înghiţit nimic. Am ascuns mâncărurile şi le-am aruncat la closet.

— Deşteaptă fată… Dar asta înseamnă că n-ai mai mâncat de…

— Două săptămâni, cred.

Marc se apropie de mine şi îmi ia pulsul. Pe urmă se întoarce spre băieţi:

— Bineînţeles, foarte slab. Victor, du-te după medic. Voi, pregătiţi nişte ceai. Victor, medicul trebuie să fie aici cel mai târziu într-o jumătate de oră. Poţi să iei motocicleta.

Pe urmă, aplecându-se peste mine:

— Bine jucat, fetiţo, jucat tare. Acum, o să trebuiască să te odihneşti. O meriţi cu prisosinţă.

Am început să plâng în timp ce-mi vorbea Marc.

*

Sunt la pat de trei săptămâni. Băieţii vin în fiecare seară cu alte ştiri. Lucreţiu Pătrăşcanu este tot mai mult considerat de Moscova un eretic periculos şi naţionalist. Ruşii circulă în civil pe străzi. Aceşti ruşi în civil sunt cei care rechiziţionează apartamente, imobile, uneori cartiere întregi. Şi-au adus familiile din Rusia şi vor să se instaleze confortabil. Oamenii trebuie să-şi părăsească locuinţele în douăzeci şi patru de ore şi n-au dreptul să ia cu ei decât o valijoară cu strictul necesar.

Victor spune:

— Şi nimeni nu protestează. Regele este, mai mult ca oricând, prizonierul guvernului.

Marc îi replică:

— Da, dar bine că e aici.

*

De când am părăsit patul și pot să mă mișc prin odaie, mă simt inutilă așa, singură în tot apartamentul. Aud soneriile întregii case. Soneriile au înlocuit bocănitul cizmelor pe coridoarele închisorii. Mă fac să tresar de fiecare dată.

Într-o zi, Marc apare pe neașteptate:

— Uite-ți actele. Îmi trebuie o fotografie. Pune-ți coadele. Sunt în dulap.

Mi-am vopsit părul negru. Îmi pun codițele, trag perdeaua. În timp ce Marc mă fotografiază, mă întreb unde a putut să găsească un blitz.

*

Seara, Marc îmi aduce actele. Râde:

— Va trebui să te familiarizezi cu noul nume. Amănunt important. În rest, totu-i în regulă.

— Aș vrea să ies noaptea cu voi ca să răspândim manifeste.

— Ești nebună? Vrei să leșini de câte ori auzi pași pe stradă?

— Prefer să răspândesc manifeste decât să rămân singură aici ascultând soneriile. Pereții ăștia mă apasă.

— Am să-i întreb și pe băieți, deseară. Oricum, e prea riscant. Nu ai mai rezista la alte anchete.

— Ascultă, Marc, promite-mi că n-ai să spui nimănui ce vreau să-ți mărturisesc acum. Am la mine niște cianură. Dacă mă arestează, o înghit.

— Cine ți-a dat cianura?

— Unul dintre băieți. Nu, Marc, nu mă întreba care, n-aș putea să-ți spun. Iartă-mă. Trebuie să înțelegi în ce măsură mi-e necesară cașeta asta, măcar sub aspect psihologic.

Marc se îndepărtează furios. Bătăi în ușă. Semnalul cunoscut. Băieții sosesc unul după altul. Nu i-am văzut niciodată atât de livizi. Când sunt toți aici, unul dintre ei spune:

— Maniu a fost condamnat la muncă silnică pe viață.

Câteva secunde de tăcere, în timpul cărora ni se aud respirațiile. Murmur:

— Cum s-a întâmplat?

— Același președinte ca pentru organizația T. Președintele tău, Alexandru Petrescu. Asistența: presa străină și maimarii partidului. Cât despre punerea în scenă, s-a progresat de la organizația T. Două categorii de acuzați: cei drogați, care au vorbit ca niște automate, acuzându-se de cele mai groaznice crime, și cei nedrogați – printre care Maniu –, spunând adevărul, transformându-se din acuzați în acuzatori. Pentru presa străină, impresie de adevăr aproape perfectă.

— Cum au redactat actul de acuzare?

— Înțelegere cu forțele imperialiste pentru răsturnarea regimului democrat, încercare de fugă în străinătate, relații cu „cei din munți". Comuniștii au îndrăznit să distribuie în toate instituțiile petiții în care se cere moartea lui Maniu. Au îndrăznit să le pretindă tuturor funcționarilor să le iscălească. Rezultat: câteva mii de șomeri în plus – cei care au refuzat.

Victor se plimbă cu pași mari prin încăpere:

— Dar o să se revolte toți țăranii. De cincizeci de ani, Maniu e apărătorul lor și, în plus, un apărător ireproșabil.

Marc intervine:

— Tocmai, rușii pesemne că urmăresc orice revoltă posibilă ca să provoace un război civil și să anexeze țara. Asta nu trebuie să se întâmple. Nu ne-ar susține nimeni din străinătate.

Băieții tac, înlemniți. Victor reia:

— Adriana, tu ești singura dintre noi toți care l-ai cunoscut personal. Cum era?

Strig:

— Nu vorbi la trecut! Mai trăiește încă.

Marc își pune mâna pe umărul meu:

— Sigur, mai trăiește încă; și, într-o zi, va ieși de acolo și mai măreț. Dar, pentru moment, am rămas puțin mai singuri. Asta-i tot.

✳

Băieții au înțeles că pereții mă apăsau. În afară de Marc, care a votat contra, toți ceilalți au decis că voi ieși cu ei noaptea ca să distribui manifeste.

Înainte de prima ieșire, Marc, cu un aer sumbru, îmi dă instrucțiuni.

— Mergem în grupuri de doi destul de spațiate. Tu vei fi cu Victor. Dacă auzi pe cineva umblând în spatele tău, nu grăbi pasul, nu fugi. Pentru rest, îți va arăta Victor.

Și, cum mă îndrept spre ușă:

— Încă ceva: în privința cianurii, încearcă să nu te servești de ea decât sub aspect psihologic. Noroc!

✳

Plouă, străzile sunt pustii și prost luminate. Umblăm de-a lungul zidurilor. Victor mă strânge de mână:

— Aici.

Văd cutia de scrisori a unei case. Îmi vâr mâna în buzunar, scot două manifeste, le introduc în cutie. Mâna îmi tremură. Victor s-a îndepărtat cu trei pași și aruncă manifestele în curtea unei case. Mă duc lângă el. Operația se repetă în fața fiecărei case, și mâna nu-mi mai tremură. La capătul străzii, răsuflu: n-am întâlnit pe nimeni. Victor îmi șoptește:

— Repede, în gang.

M-a tras de mână. Am intrat într-o zonă de umbră. O clipă mai târziu, pe stradă trece o patrulă. Când ieşim, Victor murmură:

— La timp!

— Dar avem acte în regulă.

— E mai prudent.

O luăm pe altă stradă. Întâlnim un trecător. Îl strâng de braţ pe Victor. Primejdia mi se pare că pluteşte în atmosferă, poate veni de oriunde; mă pândeşte, vicleană, luând înfăţişarea unui om, a unui automobil, a unui zgomot de paşi. Chiar şi acest trecător mi se părea un monstru.

La capătul celei de-a şasea străzi, nu mai simt ploaia, şi m-am obişnuit cu trecătorii, cu maşinile, cu respiraţia înăbuşită a străzii care redevine încetul cu încetul o stradă ca oricare alta.

În noaptea aceea, pentru prima dată de două luni, am dormit adânc.

*

Sunt singură în casă, şi îmi fac de lucru în jurul plitei pregătind cina băieţilor. Tresar: s-a sunat alături. Îmi scot pantofii şi mă duc să-mi lipesc urechea de zidul spre apartamentul din dreapta. Strigăte, un copil care plânge, voci: se rechiziţionează apartamentul. Mă ridic şi rămân încremenită pe loc: au sunat la noi. O dată, de două ori, de trei… S-au îndepărtat. Vor mai reveni?

Îmi petrec ziua pe un scaun tremurând şi pândind cel mai mic zgomot. Seara, Marc soseşte primul. Îi povestesc scena. Spune, simplu:

— Nu miroase a bine. Poate că vor rechiziţiona tot imobilul. Ia-ţi impermeabilul; plecăm.

Coborâm scara, ieşim afară. În faţa uşii, un sergent. Marc mă conduce până la colţul străzii.

— Rămân aici ca să-i previn pe băieţi. Nu merită să fim prinşi toţi într-o gaură de şoarece. Tu du-te la adresa asta. Parola: „Niciodată trandafirii n-au fost atât de albaştri". Ţi se va răspunde: „Sau gri". Reţii? Repetă.

Repet.

— Bun, acum repetă adresa.

Îi repet adresa.

— Ai să nimereşti singură?

— Da, Marc.

— Atunci, pe curând. Salut.

E prima dată că umblu singură pe stradă. Nu e decât nouă seara. Trebuie să merg liniştită, când de fapt aş avea chef să o iau la fugă... Evit arterele mari, îmi ţin capul înfofolit într-un fular, umblu, umblu. Am ajuns. Trec o dată prin dreptul casei, mă uit la număr, dau colţul, revin şi intru. Mă opresc la etajul al treilea. Uşa este întredeschisă. O femeie cu părul cărunt. Murmur:

— Niciodată trandafirii n-au fost atât de albaştri.

Uşa se deschide larg.

— Sau gri. Intră. Treci direct în bucătărie. Copiii nu s-au culcat încă. Nu trebuie să te audă. Pe aici. Vin peste un sfert de oră, după ce i-am culcat.

Îmi deschide uşa bucătăriei şi îmi mai spune:

— E supă pe aragaz. Dacă n-ai cinat încă, ia-ţi o porţie.

Mă aşez lângă aragaz ca să mă încălzesc. Ea revine peste puţin timp. Şi, cum nu spune nimic, o întreb:

— Aţi ascultat Londra astă-seară?

— Nu, nu mai ascultăm. Copiii ar putea să povestească la şcoală.

— Să povestească la şcoală că ascultaţi radio? De ce?

— Pe ce lume trăiești? Să povestească la școală, pur și simplu. Îi învață special să facă asta: să povestească ce discută părinții între ei, dacă ascultă BBC sau Vocea Americii, dacă au ascuns alimente sau aur ori mai știu eu ce. Pentru fiecare denunț primesc o notă bună. Înțelegi? Săptămâna trecută, un coleg al bărbatului meu a fost arestat pentru că fiul lui povestise că a înjurat guvernul. Slavă Domnului, ai mei n-au ajuns încă până acolo, dar pot să fiu sigură?

A început să plângă:

— Săptămâna trecută, am tremurat toată ziua; mă rugaseră să le povestesc ceva; am început să născocesc un basm, cel mic – are șapte ani – mă întrerupe: „Spune, mamă, erau niște zâne reacționare?" Am sărit în sus: „Cum așa? – Da, la școală ni s-a spus că toate zânele sunt reacționare, voiam să știu dacă și ale tale". Fata – are unsprezece ani – e pasionată de istorie. Altădată, făceam lecțiile împreună seara. Acum, nu mai e chip. Ori de câte ori îi spun o dată, un fapt, mă contrazice: „La școală mi s-a spus…" Au deformat toată istoria. Atunci, ce-mi rămâne de făcut? Rugăciunile pe care îi puneam să le spună sunt reacționare. Pomul de Crăciun a devenit „pom de iarnă". Cât despre Moș Crăciun, nici nu mai există, „tătucul Stalin" trimite jucăriile.

Și, cum râd:

— Te asigur că e adevărat, cuvânt cu cuvânt, autentic. În schimb, studiază încă de la vârsta lor pe Marx, Lenin, Stalin și învață să urască. Rusa a devenit obligatorie. Dacă nu ieșim mai repede din nenorocirea asta, ne vor trebui mai mulți ani ca să ne reeducăm copiii. Pentru moment, nu mai știu cum să le vorbesc și nici despre ce să le vorbesc. Simt că înnebunesc. Habar n-ai ce înseamnă asta: să-ți fie frică de copii, de propriii tăi copii. În fine, să trecem peste asta. Poți să dormi aici. Bărbatul meu e în provincie pentru două zile. Mâine dimineață, până ce copiii vor pleca la școală, ai să te plimbi pe stradă un sfert de oră.

— Nu pot să ies pe lumina zilei.

— Bine, atunci am să te ascund în dulap un sfert de oră. Să-ți aduc o saltea.

N-am putut să dorm deloc în bucătăria „casei cu copii care denunță".

*

A doua zi pe seară, Victor și cu alt băiat vin după mine. Victor, care o cunoaște pe gazdă, îi spune:

— Nu știi pe cine ai găzduit. Soțul dumitale trebuie să o cunoască, el, care...

Femeia îl întrerupe:

— Nu, Victor, nu vreau să știu nimic. E mai prudent.

Ne luăm rămas-bun de la femeie și plecăm. Pe drum, băieții îmi povestesc ce s-a întâmplat. Două apartamente din imobil au fost rechiziționate; cât despre ei, și-au petrecut toată noaptea transportând materialul în pivnița unui membru de partid, care este de-ai noștri. Materialul e în pivniță, dar membrul de partid nu ne poate găzdui. Trebuie să ne risipim la adrese diferite o săptămână sau două.

— La cine mergem, Victor?

— Ai să vezi. Nu te teme, nu sunt copii în casă. Am ajuns.

E o căsuță mică de tot cu curte. Străduța pustie e luminată de un singur felinar.

— După cum vezi, e un loc ideal.

Gazda este un ofițer recent revenit din Rusia. De îndată ce ne instalăm în sufragerie, începe să vorbească.

— M-au făcut prizonier după armistițiu. Eram la Iași. După armistițiu, rușii au luat 24 000 de prizonieri.

— În Rusia... Cum este?

— Scuzați-mă, dar mi-e greu să vorbesc despre asta. În fine, nu greu, mai degrabă penibil. Am stat doi ani în lagăr.

— Dar cum ți-au dat drumul?

— Am semnat adeziunea la partid și am acceptat să fac parte din divizia comunistă românească. Înțelegeți-mă, mi-era frig, mi-era foame, eram bolnav.

Și, cum se lasă o lungă tăcere:

— Mi-e rușine. Mai bine crăpam acolo. Acum mi-e și mai frică.

— De ce?

— Mi-e frică de responsabilul politic al unității, care s-a înscris în partid înaintea mea. Lui îi e frică de mine fiindcă sunt un fost prizonier din Rusia. Amândurora ne e frică de comandantul unității, iar comandantului îi e frică de noi. Și mi-e mai ales rușine. Ați văzut cum îi privesc oamenii pe ofițerii din divizia comunistă? Cu ce dispreț?

Victor încearcă să îl consoleze. Ofițerul ridică din umeri și iese din cameră. Aștept să se fi îndepărtat și spun:

— Crezi că am fost prudenți să venim aici?

— Nu-ți face griji. E foarte sigur. Marc trebuie să vină și el în câteva minute, și Marc nu merge decât în casele foarte sigure. O să ieșim ca să-i facem semn că e totul în regulă și poate intra.

Zece minute mai târziu, când Marc vine cu Victor, mă găsește clănțănind din dinți și se repede spre mine.

— De ce tremuri așa? Că doar nu-i rece.

— Nu-i o chestiune de temperatură. E ceva nervos.

Marc aprinde o țigară, se gândește.

— O să încercăm să te trecem granița. Ești prea marcată ca să mai poți fi utilă aici.

— Cum să mă treceți granița? Cât cere o călăuză?

— Circa o mie cinci sute de dolari.

— Sunteţi nebuni! Cu banii ăştia putem să facem manifeste pentru cel puţin un an.

— Cât timp crezi că ai să poţi alerga aşa de la o casă la alta ca să arunci manifeste în cutiile de scrisori? Şi dacă te mai iau o dată?

Ating cianura din buzunar. Marc, care mi-a urmărit gestul, ridică din umeri:

— În orice caz, pentru moment trebuie mai ales să prinzi puteri. Mâine ai să pleci într-un oraş de munte.

Şi, întorcându-se spre Victor:

— Totul e în regulă pentru transport?

— Da, mâine, la opt dimineaţă.

— Bine, mâine, la opt dimineaţă va veni cineva după tine. Se numeşte Ion. O să vă luaţi de mână şi el îţi va explica tot. Va fi amorezul tău pentru o zi.

— Marc, să ştii că nu-i nostim deloc.

— Sigur că nu-i nostim, ai dreptate. Ai să te prefaci că eşti îndrăgostită de el în timpul transportului. E o metodă care nu dă greş.

— Şi cum o să plecăm?

— Ai să vezi mâine. Ţi-am pregătit o mică surpriză şi, cum ai simţul umorului, ai s-o apreciezi la justa ei valoare. Vei sta acolo o lună. Am să trimit pe cineva după tine pentru întoarcere. Noroc!

Ne strângem mâinile. După plecarea lor, ofiţerul revine şi îmi aduce o saltea, cearşafuri şi o pătură, şi iese urându-mi noapte bună.

Nu reuşesc să adorm. În grădină, o cucuvea ţipă şi mi-o aminteşte pe cea de la Văcăreşti; de îndată ce închid ochii înaintează spre mine nişte figuri care se schimonosesc. Fumez ţigară după ţigară şi mă uit în tavan.

Când am aprins ultima ţigară din pachet, s-au ivit zorile.

*

Ion a venit după mine. Ne-am urcat într-un camion cu muncitori. „Sindicatul" organizează în fiecare duminică plimbări „de agitație politică" pe valea Prahovei. Ion este muncitor. M-a prezentat responsabilului politic drept „gagica" lui. Muncitorii au dreptul să-și ia cu ei nevestele, logodnicele și prietenele, cu condiția să facă și ele „agitație politică" pe parcurs.

Luna decembrie e pe sfârșite. Burează ușor, și portretele lui Marx, Engels, Stalin și Ana Pauker, proaspăt vopsite, își pierd culoarea. De îndată ce ajungem într-un oraș, trebuie să agităm în aer pancartele, afișele și drapelele roșii și să scandăm: „Stalin! Stalin!" Marc avea dreptate, situația nu e lipsită de umor.

Muncitorii scandează lozincile destul de molatec. Din când în când, responsabilul se înfurie și strigă:

— Ce dracu, tovarăși, mai mult entuziasm, sau vă dau cu bărboșii peste bot!

„Bărboșii", Marx și Engels, continuă să-și piardă culorile, melancolic.

Când se oprește camionul în vreun oraș, trecătorii se îndepărtează cu pasul grăbit. Mișc buzele ca să mă prefac că scandez cu ceilalți. Responsabilul mă lovește pe umăr.

— Nu-i rău, tovarășă, dar pune ceva mai mult suflet.

Ion intervine:

— E timidă, tovarășe. E de la țară, acum a venit prima oară la oraș.

— Ah, asta e! E drăguță gagica ta. Pe urmă, cu un aer important nevoie mare: Va trebui să-i faci educație politică, tovarășe.

— Păi, i-o fac, tovarășe. Tocmai îi vorbeam despre marele tovarăș Stalin.

Responsabilul se îndepărtează, satisfăcut. Ion continuă să-mi facă „biografia lui Stalin", adică să-mi dea instrucţiuni pentru femeia la care voi locui, şi al cărei bărbat e călăuză.

Ajungem în orăşelul X. Responsabilul, care ştie deja că locuiesc prin împrejurimi, opreşte camionul şi îmi spune, întinzându-mi mâna:

— La revedere, tovarăşă. Profită bine de ce te-a învăţat tovarăşul Ion.

Zâmbesc.

— Sigur, tovarăşe.

Ion coboară şi mă sărută pe obraz.

— La revedere, frumuşico, pe curând.

Îmi scot batista şi o agit frenetic în timp ce camionul se îndepărtează, acoperit de drapele roşii fluturând în vânt.

*

Încerc să păşesc calm şi să nu grăbesc pasul de câte ori zăresc un agent sau o uniformă. Cunosc puţin oraşul X, şi nu mi-e greu să găsesc cartierul muncitoresc unde locuieşte gazda mea. Intru într-o grădiniţă şi bat la uşa casei din dreapta. O femeie foarte blondă îmi deschide. În cameră, trei copii care se joacă.

— Ion m-a...

— De acord. N-ai bagaj?

— Nu.

— Ştii să speli rufe şi să îngrijeşti de copii?

— Am să fac ce pot.

— Trebuie. Sunt spălătoreasă, aşa că ai să-mi dai o mână de ajutor pentru rufe, şi vei avea grijă şi de ăştia mici. Dacă nu spargi prea multe şi faci economie la săpun, o să ne înţelegem bine. Mi s-a spus că nu trebuie să ieşi. Ai instrucţiuni pentru omul meu?

— Da, dar copiii?

— Nu-ți face griji. Nu se duc la școală, sunt prea mici. Gemenii au trei ani, cel mare, cinci.

Îi transmit instrucțiunile. Îmi împrumută un costum de țărancă, mă ajută să transport un pat pliant în bucătărie și îmi arată casa: două camere și bucătărie. Bărbatul ei e în Austria.

— Va trebui să se odihnească puțin la înapoiere. Prea a trecut mulți în ultimul timp. Nu de clienți duce lipsă cu porcăria asta de viață a noastră. Mi s-a spus că va fi nevoie de ceva și pentru tine. O să vedem la întoarcerea lui. Acum, trebuie să te pui pe treabă.

Mă pun pe treabă. Mă trezesc zilnic la ora șase, îmbrac copiii, pregătesc prânzul și cina și spăl rufele pe care gazda mea le aduce acasă. Băiatul, care are cinci ani, aleargă tot timpul după mine ca să mă roage să-i povestesc „basme vesele". Și, când îi spun că nu cunosc:

— De ce nu râzi niciodată? Nu te-au învățat să râzi?

*

În noaptea asta, n-am dormit deloc. Unul dintre gemeni e bolnav și a trebuit să-l îngrijesc. Când să ies ca să aduc niște apă, încremenesc pe prag; în curte, cinci bărbați cu reflectoare. Se îndreaptă spre casa din față. Închid repede ușa. Au început să strige, și copiii s-au trezit și plâng. Mama lor e plecată pentru două zile la țară, în apropiere, la o soră bolnavă. Trebuie să revină în zori. Încerc să liniștesc copiii. Au venit să-și lipească nasurile de geamuri, iar cel care e bolnav țipă în pat.

Dacă au venit să mă aresteze? Dacă mă descoperă?

Bătăi surde în ușă. Nu pot să nu deschid; copiii plâng, și sigur că îi aud de afară. Încerc să-mi stăpânesc tremurul nervos care a pus stăpânire pe mine și deschid ușa.

— Poliția economică. Trebuie să percheziționăm. Am găsit în față un depozit de făină.

— Intrați. N-am să pot să vă însoțesc. Copilul e bolnav.

— O să ne grăbim. Haide, băieți, la pivniță. Tu, Vlad, rămâi aici.

Omul rămâne în odaie. Am luat copilul în brațe și îl legăn încet. Ceilalți doi au venit să mi se atârne de fuste. Nu știu unde găsesc puterea să le cânt un cântec de leagăn. Poliția economică depinde de Ministerul de Interne și servește adesea la depistarea clandestinilor. Dacă depozitul de făină nu-i decât un pretext... Unul din copii mă trage de fustă.

— Mai cântă. Mai cântă una.

Inspectorul, care revine cu oamenii săi de la pivniță, se oprește când mă aude cântând.

— Ei, băieți, ce ziceți de asta? Nu prea suntem primiți cu cântece de-obicei. Haideți, la treabă: dulapurile, pe sub paturi, în hainele copiiilor. Cele două camere și bucătăria, din temelii.

Se așază pe un scaun și mă privește. Continui să cânt legănând copilașul. Aș vrea să o iau la fugă, să țip, să le scap, dar continui să cânt.

Zece minute mai târziu, oamenii revin.

— N-am găsit nimic, tovarășe inspector.

Inspectorul își freacă mâinile înaintând spre mine:

— Știam eu că asta nu-i o casă reacționară. Dar tot trebuia să căutăm; meseria, ce vrei, și țara mișună de sabotori economici! Ești drăguță, fetițo, și ai niște codițe frumoase. Nu se întâlnesc zilnic fete ca tine. Am putea ieși împreună într-o seară, să ne ducem la cinema. Ce zici?

Îmi iau aerul cel mai modest ca să-i spun:

— Aș vrea.

Pleacă. Trăgând ușa în urma lor, unul dintre ei, impresionat desigur de atitudinea șefului, adaugă:

— Scuzaţi deranjul.

Tăcere, apoi în curte se aud ţipetele bărbatului, pe care îl iau cu ei. După câteva minute, nevasta lui intră ciufulită şi în cămaşă de noapte în cameră, cade în genunchi în faţa mea şi începe să se văicărească. Bărbatul ei lucra la uzină şi nu se întorcea decât foarte târziu seara, după şedinţa politică de la sindicat. La prânz, la cantină, nu i se dădea aproape nimic de mâncare: o ciorbă, pâine, câteodată legume uscate. Trebuia să-l hrănească puţin pe omul ei. Făcuse deci câteva provizii: zece kilograme de făină, cinci de zahăr, trei litri de ulei, cumpărate pe sub mână. Acum, uite că le-au luat tot. Şi dacă îi mai vâră şi bărbatul la puşcărie... Nu e membru de partid.

Îi urmăresc anevoie povestirea. Dacă percheziţia n-a fost decât un pretext? Dacă am fost filată şi nu m-au arestat astă-seară pentru că se gândesc că ar putea să vină băieţii să mă vadă şi că ar fi mai bine să pună mâna pe tot grupul? Ce însemnau cuvintele acestea: „Am putea ieşi împreună?"

Femeia continuă să se lamenteze. Copiii, molipsiţi de plânsetele ei isterice, ţipă şi ei.

O iau pe femeie în camera de-alături, îi dau un pahar cu lapte, o forţez să-l bea, să se întindă pe pat, îi pun o compresă rece pe frunte. Mă duc apoi să-i culc pe copii, care nu prea vor şi îmi cer tot timpul alte cântece.

Îmi vine să ies afară ca să văd dacă au lăsat vreun agent în faţa porţii de la grădină. Abia mă stăpânesc, şi îmi petrec restul nopţii îngrijind copilul bolnav, care ţipă, pe femeia care urlă şi pe ceilalţi doi copii care plâng.

*

Femeia s-a înapoiat la ea acasă pentru a se îmbrăca şi a vedea „ce au făcut" cu bărbatul ei. Când revine gazda mea, îi fac semn să vorbească încet: copiii mai dorm încă. O întreb:

— E cineva în faţa porţii de la grădină?

— Cine vrei să fie în faţa porţii? Eşti nebună?

Îi povestesc despre „sabotajul" din faţă. Nu pare deloc speriată.

— Fac asta, pe cartiere, în fiecare săptămână. Când te-au prins, pentru un kilogram sau două de făină te silesc să intri în brigăzile de muncă „voluntară" sau să-i spionezi pe ceilalţi pentru ei. Dacă refuzi, eşti bun de puşcărie. Chiar înainte de venirea ta aici au arestat aşa un maistru de la uzină, unul care s-a ţinut tare. A refuzat să-i servească, aşa că l-au vârât la puşcărie. Înainte să-l ducă, l-au plimbat prin tot oraşul, cu mâinile legate şi o pancartă atârnată de gât: „Am ascuns doi litri de ulei. Sunt un sabotor reacţionar". Un agent de lângă el îl îmboldea să meargă, buşindu-l de pumni. Am ieşit toţi în prag ca să vedem. Noaptea, paznicul care-l lovise a fost găsit mort într-o groapă, nu departe de aici. Au mai arestat patru a doua zi, dar de atunci nu mai plimbă pe nimeni cu pancarte prin cartier. Costă prea mult, un paznic omorât în fiecare săptămână! Nu te speria, la mine n-o să găsească ei nimic. Nu-s atât de proastă, cu bărbatul meu care umblă de colo-colo. Cum e cel mic?

O liniştesc şi adaug:

— Trebuic totuşi să plec. Inspectorul a promis că o să vină într-o seară ca să merg cu el la cinema. Dacă vine deseară?

— Unde vrei să te duci?

— La Bucureşti.

— Băieţii au spus că trebuie să stai aici şi că o să vină ei după tine.

— Ştiu, dar e mai bine pentru toată lumea ca inspectorul să nu cunoască prea bine casa.

— Poate că ai dreptate. Am să-i spun că te-am dat afară fiindcă erai prea leneșă. Ai un autobuz pentru București mâine dimineață. Poți să mai dormi o noapte aici.

— Și dacă vine deseară? Nu, mai bine plec de cum se întunecă.

La căderea nopții, îi strâng mâna, îmi iau bagajul și o pornesc în fugă pe strădușele orașului, către pădure. După o jumătate de oră de mers, ajung la liziera pădurii. Intru cât mai adânc posibil și mă culc pe jos, cu bagajele sub cap. Noaptea e rece și trebuie să mă scol din când în când și să alerg ca să mă încălzesc. E întuneric și simt pădurea mișunând de viață animală. Nu mi-e frică. De mult timp nu-mi mai e frică decât de ființe omenești.

*

A doua zi, îmi șterg fața cu frunze acoperite de rouă. N-am dormit toată noaptea și, îndreptându-mă spre stația de autobuz, îmi simt picioarele foarte grele. Pipăi cianura din buzunar: la plecarea autobuzelor se verifică, în general, actele călătorilor.

În piață, coada s-a și format. Mă așez și eu la rând, cu traista într-o mână, cu banii și actele în cealaltă. Mă silesc să mă gândesc la altceva, să-mi compun o față inexpresivă, impasibilă. Îmi vine rândul în sfârșit, iau biletul. Lângă controlor, un agent:

— Actele?

I le întind. Îmi amintesc o secundă cuvintele lui Marc atunci când mi-a adus buletinul: „Ia-ți coadele din dulap. Am să te fotografiez". Acum am coadele pe cap. Agentul îmi înapoiază actele. Încerc să respir regulat.

— De ce te duci la București?

— Am picioarele umflate. Mă duc la spital.

— Bine, poți urca.

Pentru o dată, mi-au servit la ceva și picioarele umflate. Lângă mine, în autobuz, un preot. Mă întreabă:

— Unde te duci, fata mea?

— La București, părinte, ca să-mi îngrijesc picioarele. Sunt umflate, uitați.

Nu se uită deloc la picioarele mele. Continuă să mă privească grav și îmi spune, după o clipă, coborând vocea:

— Dumnezeu să te aibă în paza sa, fata mea, Dumnezeu să te ocrotească.

*

Cobor din autobuz în Piața Victoriei. E ziuă și trebuie să evit să umblu pe străzi. Intru în primul local și îi telefonez lui Marc, la uzină, deși mi-o interzisese expres. Nu pot face altfel; am revenit fără adresă, fără parolă. În fine, îl aud la capătul firului pe Marc, care îmi răspunde cu o voce foarte calmă:

— Regret, scumpo, dar nu putem să ne vedem mai înainte de astă-seară. Te rog să nu-mi faci acum o scenă. Știi că am oroare de asta și nu-mi place să te văd geloasă. Munca înainte de toate; nu pot pleca de la uzină decât deseară. Așa că, pe deseară, la opt, în fața cinematografului unde am văzut filmul acela cu brigada comunistă românească înapoiată din Rusia. Am uitat cum se numea, dar sigur că-ți aduci tu aminte. Nu intra fără mine, așteaptă-mă în fața cinematografului.

Am înțeles, intru în joc, fac o mică scenă de gelozie și închid telefonul. Cinematograful cu brigada comunistă trebuie să fie casa ofițerului înapoiat din Rusia. Voi fi în stare s-o regăsesc? Ce să fac până deseară la ora opt? Intru în prima biserică. Îngenunchez în fața icoanelor, încep să mă rog. După o oră, un diacon vine să se învârtească în jurul meu

și să mă privească insistent. Trebuie să plec. Ieșind din bi-
serică, văd cât e ceasul la un orologiu. E douăsprezece. Nu
mai pot sta opt ore pe străzi, e prea imprudent. Mă hotă-
răsc să mă duc la niște prieteni pe care nu i-am mai văzut
de trei ani.

Sun. Văd apărând în ușă pe Mihaela. Răsuflu ușurată,
mă temeam să nu se fi mutat. Nu îmi surâde:

— Tu? Te credeam la închisoare.

— Pot să stau la voi până deseară?

— Da, dar ce-i cu tine?

— Mă ascund.

Ezită o clipă, apoi îmi spune:

— Intră, suntem la masă.

Când intrăm în sufragerie, bărbatul ei se scoală repede.

— Tu! Nu mai ești la închisoare?

Mihaela intervine puțin enervată:

— Se ascunde. O să stea la noi până deseară.

Mihaela iese ca să aducă un tacâm de la bucătărie. Băr-
batul ei se așază din nou, după ce mi-a oferit un scaun. Îl
întreb:

— Mai ai serviciu?

— Slavă Domnului, da.

Oare s-a înscris în partid? Nu îndrăznesc să-i pun în-
trebarea. Mihaela revine. Vrea să mă servească cu supă. Refuz.

— Nu ți-e foame?

— Nu, deloc. Dacă nu vă deranjează fumul, am să aprind
o țigară.

Plutește ceva fals, artificial în văzduh. Simt că mă înăbuș.
Tresar amândoi la cel mai slab zgomot pe scară, la fiecare
mașină ce trece. Bărbatul Mihaelei se scoală din când în când
și privește pe fereastră, dând precaut perdeaua la o parte.

— Ești sigură că nu ești filată?

— Nu-ţi fie teamă, nu sunt filată.

În mine, o greutate mă apasă. Băieţii au dreptate, sunt prea marcată. Prietenii mei se tem de mine, iar mie mi-e teamă de frica pe care le-o provoc.

După masă, soţul Mihaelei iese... pe scara de serviciu. Văzând că-l privesc:

— E mai prudent.

Fumez ţigară după ţigară. Mihaela tricotează şi nu pune nici o întrebare. Scaunul pe care stau aşezată mi se pare că arde. De cum se înserează, răsuflu:

— O să plec.

Conducându-mă la uşă, Mihaela nu-mi spune decât:

— La revedere, şi nu uita... nu ne-ai văzut.

*

Marc mă aşteaptă la colţul străzii. E opt fără zece. Mă ia de braţ şi mă atrage în altă direcţie.

— Prietenul nostru nu mai locuieşte aici, dar nu ştiam cum să-ţi dau o adresă la telefon. De ce n-ai rămas acolo? Ce s-a întâmplat?

Îi povestesc scena cu sabotajul economic, noaptea petrecută în pădure, cursa din timpul zilei.

— A fost foarte imprudent, dar poate mai cuminte, la urma urmei. Eram ferm hotărât să te trag de urechi fiindcă ai telefonat, deoarece ştiai că nu trebuie să faci asta.

Izbucnesc în plâns. Marc mă ia deodată de talie.

— Nu plânge, scumpa mea, n-am vrut să te părăsesc.

Agentul, care se oprise o clipă, se îndepărtează după ce i-a aruncat lui Marc o privire complice.

Plecăm mai departe. Marc îmi spune, blând:

— Scuză-mă, dar asta prinde întotdeauna. De ce plângi, fato?

Îi povestesc scena petrecută la prietenii mei.

— Trebuie să-i înțelegi, îmi răspunde Marc. Tot orașul
e împărțit în sectoare de spionaj. Există un responsabil de
cartier, un responsabil de stradă, un responsabil de imobil.
În curând vor exista responsabili de apartamente. Cum ni-
meni nu știe cine sunt de fapt responsabilii, fiecare se ferește
de fiecare. Cât despre cuvintele finale ale prietenei tale, e
lucru curent. Când doi prieteni se întâlnesc pe stradă și unul
dintre ei e într-o oarecare măsură suspect, celălalt îi zice:
„Bună ziua, nu-mi spune nimic. Nu m-ai văzut". De altfel,
denunțurile astea dau roade. În oraș au loc noi valuri de
arestări.

— Dar neîncrederea asta e mai periculoasă chiar decât
forța.

— Tocmai. Vor să ne deformeze complet. Dar nu-ți face
griji. E o armă cu două tăișuri. Au și început să se denunțe
între ei la partid. Au și început să se teamă.

Nu mai plâng.

— Unde mergem, Marc?

— „Domiciliu conspirativ." Mai avem câteva. Ai să mă-
nânci bine, ai să iei un somnifer și ai să dormi. Între timp,
eu mă ocup de actele tale. Astea au servit destul.

Ajungem uzi leoarcă la „domiciliul conspirativ". Am
mers mai bine de o oră prin ploaie.

*

Locuiesc de două zile în casa asta și nu mai pot ieși seara:
imobilul are portăreasă. În a treia seară, tocmai discut cu
Victor, când intră Marc alergând. Doi dintre băieți au fost
arestați.

— Victor, trebuie să ne grăbim. Roneotipul era la ei. Dacă
o să-i drogheze, vorbesc. Trebuie să schimbăm toate bule-
tinele de identitate, chiar în noaptea asta, toate adresele.

Îmi întinde un buletin.

— Actele tale! Slavă Domnului că am lucrat la ele ieri, măcar ale tale sunt gata. Începe cu ea, Victor. Am să-ţi indic o adresă pe care n-o cunosc decât eu. Parola: „Niciodată doi fără trei". Răspuns: „Patru plus patru fac patru". Luaţi motocicleta. Să nu mai vii înapoi aici. Treci să-i avertizezi pe băieţi. Cât despre tine, Adriana, va trebui să nu stai mai mult de două nopţi în acelaşi loc. Aranjez eu asta. Ţi-ai vopsit părul?

Am profitat de cele trei zile de imobilitate forţată ca să-mi vopsesc părul roşcat.

— Haide, ştergeţi-o. Victor, repetă adresa. Ne întâlnim peste două ore, la Mircea. Salut.

Pe drum, Victor mârâie:

— Arestează pe toată lumea. Nu numai pe cei care tipăresc şi distribuie manifeste, ci pe oricine, orice motiv e bun. Sunt arestaţi cei care înjură guvernul stând la coadă la pâine. Sunt arestaţi muncitorii care nu vor să meargă la manifestaţii. Sunt arestaţi ofiţerii care au fost scoşi din armată. Sunt arestaţi profesorii care refuză să se înscrie în partid. Sunt arestaţi cei care...

Îl întrerup.

— Aş vrea să vin cu tine să-i avertizăm pe băieţi.

Victor ţipă la mine:

— Asta ar mai lipsi! Ai să stai liniştită, auzi? Trec mâine să-ţi aduc ştiri proaspete.

Am ajuns. Înţeleg de ce Marc păstra secretă această adresă: gazda mea e un membru influent al partidului.

Zâmbeşte când spune: „Patru plus patru fac patru". Îşi păstrează zâmbetul când Victor îi declară că suntem în stare de alarmă. Îmi arată un fotoliu:

— Haideţi, domnişoară, reveniţi-vă, sunteţi lividă. Domnule, spuneţi-i lui Marc să-i găsească alt domiciliu pentru mâine seară. Aștept la cină niște „tovarăși" care ar putea s-o recunoască. Ar fi cam imprudent. De acord?

Victor a plecat alergând. „Tovarășul" revine în salon, îmi întinde un etui cu țigări:

— Doriți cafea, ceai, alcool? Am să vă aduc totul chiar eu, n-am femeie de serviciu; nu că ar fi mai democratic, dar e mai prudent. De îndată ce vă veți fi revenit puțin, vă voi arăta camera. Nu mai tremurați, pentru o noapte și o zi sunteți în siguranță aici... la inamicul dumneavoastră. Clandestinitatea are și ea părțile ei bune, nu-i așa?

*

De două săptămâni, schimb adresa la fiecare două zile. La fel fac și ceilalți băieți. Se strânge plasa, și adresele lui Marc încep să se epuizeze. Toate gazdele mă primesc foarte bine, dar la orice pas de pe stradă, la orice sonerie a telefonului, tăcem și ne privim cu intensitate. În fiecare casă pe unde trec, aerul pare să se rarefieze. Toți cei care mă găzduiesc surâd, vor să mă ajute, mă îngrijesc – de o săptămână am febră din nou –, îmi dau de mâncare. Dar eu, care n-am cartelă de alimente, simt că fiecare îmbucătură pe care o înghit este un sacrificiu impus celorlalți, eu, care port neliniștea în mine, ca o a doua stare, o recunosc la ceilalți înainte să se fi trădat. Închisoarea mi se pare un vis pe lângă această „viață liberă" de animal hăituit.

Și când într-o seară Marc îmi spune: „Mi-e imposibil să te mai țin în București. Mâine o să te ducă un prieten la țară", îmi vine să plâng de bucurie.

*

„Prietenul" lui Marc nu e altul decât Sandu, cu care locuisem la Câmpulung în timpul „clandestinității", sub nemți.

A venit după mine cu motocicleta, şi mirarea mea i-a făcut mare plăcere. Mi-a spus râzând:

— N-am fi crezut atunci să ne regăsim în altă clandestinitate. Între noi fie vorba, prima era o joacă de copii faţă de asta. Cum te numeai atunci? Johanna Müller, cred.

— Ce face Iana?

Ezită, pe urmă îmi spune oftând:

— E la Paris. Să nu mai vorbim de asta, vrei?

Îşi trece o mână peste frunte şi reia pe un ton vesel.

— Atunci, eşti în formă pentru călătorie?

— Unde mergem, Sandu?

— E o surpriză la fel de mare ca cea pe care ţi-am făcut-o adineauri. Numai că o să dureze destul, aşa că ai grijă să te instalezi bine.

Sandu m-a dus la Câmpulung, în casa bătrânei care ne găzduise în vremea sosirii trupelor ruseşti. Femeia m-a strâns în braţe plângând. Fiul ei, care se găsea atunci „undeva pe front", nu s-a mai întors acasă. Mai bine de trei ani au trecut şi ea tot îl mai aşteaptă.

Sandu a plecat înapoi în aceeaşi zi. Am rămas singură cu bătrâna şi o fată tânără, Mărioara, care o ajută la grădină. Intrând în casă, toate amintirile s-au adunat în jurul meu. Toată strădania pe care am încercat să o depun de la prima mea arestare, toată strădania aceea lentă, răbdătoare, ca să elimin amintirile, să nu-mi amintesc nimic care să mă poată atinge, să mă poată strivi şi să-mi evoce viaţa de altădată, a fost distrusă într-o singură zi de casa asta care, ea, mă cunoscuse altfel.

Acum, că, de o săptămână, frica m-a părăsit, nu mă simt decât plină de cenuşă. Fiindcă aici teama şi îngrijorarea au dispărut cu încetul, la fel ca şi impresia că sunt o povară şi un pericol pentru ceilalţi.

A doua zi după sosire, am întrebat-o pe bătrână dacă
nu-i sunt și ei o povară și i-am mulțumit pentru ospitalitate.
Mi-a răspuns:

— Ascultă, fetițo, nu mai vorbi prostii. Eu n-oi fi poate
prea deșteaptă, dar mă gândesc că în oarecare măsură pentru
noi toți ai fost tu la închisoare. Așa că n-ai de ce să-mi mul-
țumești.

Și nu știu ce echilibru dificil au restabilit în mine aceste
cuvinte și calma lor simplitate.

*

Seara, când ele se întorc de la lucru, ne adunăm câteștrele
în odaia bătrânei, în jurul focului din vatră. Mărioara și cu
mine coasem; gazda se întinde pe pat „să-și odihnească oa-
sele bătrâne și obosite" și începem să discutăm. Bătrâna mă
întreabă de oraș și de închisoare, iar Mărioara își face semnul
crucii și se văicărește:

— Ne cer mai mult grâu decât avem în toate hambarele
satului puse laolaltă. Un timp, am cumpărat de la vecini
ca să dăm la stat. Acum, vecinii nu mai au nici ei, și statul
cere tot mai mult. Când nu vin ca să ceară grâu, apar cică
pentru „agitație" și ne povestesc verzi și uscate: că Stalin
ne-a adus fericirea și tot soiul de altele la fel. Ca și cum
n-am vedea, noi, ce ne-a adus Stalin ăsta al lor: nenorocirea,
și foametea, și tifosul, și incendiul. Mi-e că dacă tot vin să
„agite" la noi, ar putea să se întâmple o nenorocire și să ne
agităm cu-adevărat. Când ne va spune regele, o s-o și facem.
Săptămâna trecută au vrut să scoată de la școală portretul
regelui ca să-i pună pe Stalin și ai lui. Oamenii au dat să-și
ia furcile ca să-i nimicească. Vasile, care are cap, nu glumă,
le-a spus: „Lăsați pe mine". S-a dus cu oamenii la comuniștii
de la primărie și le-a zis: „Icoana e aici de când e satul. Așa
că trebuie să rămână, ca să țină Dumnezeu cu noi. Regele

e la oraș. Noi nu putem să ne ducem la oraș să-l vedem. Așa că trebuie să-i lăsăm poza acolo unde e, ca să știm că ține cu noi. Stalin, cine vrea să-l vadă n-are decât să vină la voi la primărie și să-i privească poza". Primarul a strigat: „Da, dar Stalin v-a dat pământ". Vasile i-a zis: „Da, dar ne ia grâul de pe pământ. Așa că noi, cu pământ fără grâu suntem ca femeia fără copii și ca bărbatul fără brațe și picioare; ca și cum nici nu l-am avea".

Mărioara a tăcut. Bătrâna își plânge fiul care nu s-a mai înapoiat. În vatră, focul se stinge fără ca nici una dintre noi să se gândească să-l întețească.

*

Într-o noapte, în timp ce discutăm în jurul focului ca de obicei, Mărioara se scoală repede și merge la fereastră făcându-ne semn să tăcem. Se întoarce spre noi și murmură:

— O motocicletă în curte. Stingeți lampa.

În timp ce micșorez fitilul lămpii cu gaz, mâinile îmi tremură. Mărioara, tot de la fereastră, stă la pândă. Mai spune:

— Un bărbat vine încoace.

Ne reținem respirația. O voce de afară spune:

— Eu sunt, Adriana, deschide.

E Marc. Alerg la ușă, o deschid larg. Marc e în fața mea, cu surâsul pe buze. Îl prezint celor două femei. Și, cum vrem să-l descotorosim de jachetă:

— Nu pot sta decât o jumătate de oră. Aș vrea doar puțină apă caldă ca să mă spăl. Și aș vrea să vorbesc un moment cu tine, Adriana.

Trecem în camera alăturată.

— Ce s-a întâmplat, Marc?

— Nu lua un aer de înmormântare, fiindcă de data asta cel puțin îți aduc o veste bună. Peste câteva zile ai să faci o croazieră pe Marea Neagră spre Constantinopol.

— Marc, ai înnebunit?

— Dacă am înnebunit, sunt în tot cazul un nebun rezonabil, un nebun organizat. Totul e aranjat. Un vapor nu prea mare, care se comportă bine. Rezervă de benzină asigurată. Plecare sigură. Companie agreabilă: trei persoane pe care le cunoști, dar ale căror nume încă nu ți le pot dezvălui; așa-i când „conspiri".

Râde tot timpul. Nu reușesc să scot un cuvânt, pentru că îmi clănțăne dinții. Marc vine lângă mine și mă zgâlțâie.

— Acum chiar că nu-i momentul să tremuri, fato. Ai niște pantaloni lungi?

— Da.

— Bine, atunci pune-i repede. Într-o jumătate de oră trebuie să fim plecați. Cât despre lucruri, n-ai decât să le lași aici. Un echipament complet te așteaptă în port. Între timp, pune-ți tot ce ai mai gros în materie de pulovere. Ți-am adus o haină căptușită. Ai să îngheți puțin, dar n-o să dureze prea mult. În orașul X schimbăm echipamentul și luăm trenul. Mâine seară vom fi la destinație. În timp ce mă spăl, ia-ți rămas-bun de la cele două femei și spune-le că pleci la București. Nici un cuvânt în plus, înțelegi?

Îi las Mărioarei rochia și paltonul. Ea ne pregătește tartine și ne forțează să dăm pe gât două pahare de alcool, unul după altul.

Capul mi se învârte când îmi iau adio de la bătrână, care mă binecuvântează cu gravitate.

*

Stau lângă Marc în tren. Controlorul e însoțit de doi agenți în civil, care verifică actele. Trec din oră în oră. Compartimentul e prost luminat. În fața mea, o femeie mormăie:

— Mi-au văzut până acum de trei ori actele. Dacă ar fi false, nu m-aş plimba cu trenul ca să trebuiască să li le arăt din cinci în cinci minute.

Îi strâng mâna lui Marc, care zâmbeşte şi îi spune femeii:

— Aveţi dreptate, doamnă. Dar nu se ştie niciodată. Poate că e mai prudent. Sunt aşa de mulţi duşmani ai poporului.

Femeia nu ştie cum să-şi retragă cuvintele; îşi spune pe-semne că Marc e agent provocator. În colţ, lângă uşă, un bărbat, care încearcă să doarmă, strigă la noi să facem linişte.

Alt control, de astă dată mai lung. Un agent întreabă pe fiecare despre motivele călătoriei. Mi-e teamă să nu încep iar să tremur. Când vine rândul nostru, Marc spune:

— Logodnica mea şi cu mine mergem la nunta unui văr.

— Ce face vărul dumitale la X?

— E muncitor. Responsabil politic al portului.

Agentul ne restituie actele înclinându-se puţin. De îndată ce au ieşit din compartiment, murmur:

— Ai înnebunit? Dacă se interesează?

— N-au decât. Responsabilul portului le va răspunde afirmativ. Mulţumită lui am putut să aranjez plecarea. Ne aşteaptă la gară.

Femeia se preface că doarme, dar ne priveşte pe furiş, ne-liniştită. Profită de prima oprire a trenului ca să schimbe compartimentul.

La controalele următoare, agenţii nu ne mai cer actele. Călătoria mi se pare interminabilă.

*

Pe peronul gării X, un bărbat se desprinde dintr-un grup şi ne face semn. Marc îi spune, după ce i-a strâns mâna, ară-tând spre mine:

— Petre, uite-o pe logodnica mea. Suntem aşteptaţi la tine?

— Sigur. Să ne grăbim, ca să ajungem mai repede la control.

Două baraje ale poliției. Petre le spune pur și simplu agenților: „Sunt cu mine", și trecem. La al doilea baraj, zăresc pe unul dintre agenții care îl însoțeau pe controlor în tren. Ne arată cu degetul unui bărbat, din stânga sa, care îl întreabă pe Petre:

— Sunt cu tine, tovarășe?

Petre răspunde, calm:

— Da, tovarășe.

Fixez cu un aer absorbit ceasornicul gării. Trecem.

Străzile sunt pustii și tăcute. Mă adresez lui Marc:

— Marc, aș vrea să văd marea.

Îmi răspunde Petre:

— O să aveți tot timpul să o vedeți până la Constantinopol. Câteva zile nu veți vedea decât mare. Pentru moment, avem altceva de făcut.

Mergem cu pași grăbiți. Marc și cu Petre discută despre organizarea politică a portului. Abia îi aud. Ascult doar marea care murmură undeva, în depărtare.

*

Nu mă scol din pat. E frig, și n-am voie să aprind focul ziua. Responsabilul de stradă știe că această casă e locuită de muncitori și marinari care lucrează în timpul zilei. Fumul ar putea să i se pară suspect.

Casa e ocupată de patru muncitori și trei marinari care au toți carnet de partid. Doi dintre ei sunt căsătoriți. Nevestele lor lucrează la uzină. Ei, în port. Casa are trei camere în total.

Nu trebuie să ne ferim de ei, sunt de-ai noștri. Cele trei persoane cu care trebuie să fug și al căror nume nu-l cunosc încă sunt găzduite de alţi muncitori, la patru case mai departe. Marc şi Petre fac naveta între cele două case şi port.

Au plecat de aproape trei ore, trebuiau să fie înapoi la căderea nopţii; s-a înnoptat deja, şi ei nu s-au întors. Stau nemişcată fumând ţigară după ţigară şi ascultând marea. Poimâine începe Anul Nou şi voi fi pe vapor. Mâine îmi voi părăsi ţara. Încerc să repet această propoziţie ca să ajung să o şi simt. Pur şi simplu nu reuşesc. Sunt complet golită, disperările, sentimentele violente nu au venit la întâlnirea dată de evenimente.

Mă decid să mă scol din pat ca să aprind veioza, când aud trântindu-se uşa de la intrare. Marc şi Petre intră în odaie. Le spun: „Salut"; nu-mi răspund. Marc întoarce comutatorul. În lumina crudă a lămpii, le zăresc feţele livide.

— Ce se întâmplă? Aţi fost urmăriţi?

— Nu.

— Atunci, ce este? De ce staţi aşa, încremeniţi? De ce tăceţi?

Marc întoarce capul. Petre murmură:

— Regele a abdicat. L-au forţat pe rege să abdice!

M-am aşezat pe pat. Marc stă mai departe cu spatele la noi. Petre, nemişcat, în picioare. Cât timp am rămas aşa fără să spunem un cuvânt?

Acum plâng, şi Marc a venit să mi pună mâna pe umăr. Spune cu vocea egală şi surdă, fără să se uite la mine:

— Băieţii trebuie să vină dintr-un moment într-altul. Să nu te vadă plângând, să nu ne vadă plângând. Trebuie să găsim cuvintele care să le dea curaj, acum, că am rămas complet singuri.

Bate cineva la uşă. Marc îmi întinde batista lui.

— Haide, înghite-ţi lacrimile. Au venit!

Muncitorii intră, unul câte unul, cu pași înăbușiți, ca în odaia unui bolnav... Toți vorbesc în șoaptă și toate fețele sunt palide. Unul dintre ei spune:

— Acum suntem țara nimănui.

— Nu spune asta, replică altul, nu spune asta! Ni l-au luat pe rege pentru ca noi să nu mai luptăm. Nu sunt proști; dar nu cu tertipul ăsta o să ne învingă ei. Eu zic că, mâine chiar, ar trebui să facem să sară în aer ceva, oricât de mic, în port.

— O să pună mâna pe tine.

— Poate că o să pună mâna pe mine, dar n-o să pună mâna pe țară. Să nu ne dezumflăm. Niște sabotaj, asta trebuie acum. Ce zici, Petre?

— Sunt de părerea ta, sunt pentru sabotaj. Numai că trebuie să pregătim totul foarte bine.

Petre a vorbit tare. Vraja rea pare ruptă. Au început să discute toți și să-și aprindă țigările. Marc se desprinde din grup și vine spre mine:

— Cât despre plecare, nu-i nimic de făcut. Toate gărzile s-au dublat, și i-au înlocuit la posturi pe oamenii noștri cu alții, de care nu suntem siguri. Bineînțeles că nu puteam prevedea asta.

— N-are importanță, Marc, sau, cel puțin, nu asta are importanță. Acum...

Marc mă privește o clipă, apoi îmi spune cu glasul schimbat:

— Ascultă-mă bine, fată: în momentul ăsta, oboseala e un lux. Și disperarea la fel. Nu ne putem permite asemenea luxuri, căci atunci suntem pierduți, și mulți alții împreună cu noi. Ce părere ai?

— Ai dreptate. Când ne întoarcem la București?

— Mâine dimineaţă. În seara asta organizăm munca aici. Tu aprinde focul şi fă-ne câte o cafea foarte tare. Trebuie să rămânem treji toată noaptea.

Prepar cafeaua, distribui ceştile, mă aşez pe o banchetă lângă Petre, care expune planul de acţiune.

Cele două femei s-au înapoiat şi ele şi se văicăresc în camera de alături. Mi-amintesc deodată lungile nopţi din salonul de la Văcăreşti şi ritmul sfâşietor al bocetelor.

Marc a întins pe masă un plan al portului şi urmăreşte cu degetul nişte linii roşii care-mi joacă în faţa ochilor. Trebuie să copiez hărţile pe hârtie de calc.

Zorile ne surprind tot adunaţi în jurul mesei. Odaia e plină de mirosul acru al chiştoacelor. Şi, când deschid larg fereastra, mugetul mării pătrunde în cameră. Un marinar ascultă o clipă tăcerea, pe urmă spune, clătinând din cap:

— Nici ea nu pare prea mulţumită. Când mugeşte aşa marea înseamnă că furtuna nu-i departe.

*

Azi ar fi trebuit să fiu pe vapor, în larg, departe de ţărmurile româneşti. E ultima zi a anului 1947.

În trenul care ne aduce la Bucureşti, ţin ochii închişi. Îl las pe Marc să răspundă la toate controalele; versiunea e alta: sunt gravidă, şi Marc mă duce acasă la mine, în Moldova. Jocul e riscant; am putea întâlni pe unul dintre agenţii care ne-au văzut coborând în ziua cealaltă în portul X, şi atunci... Dar nu avem de ales, trebuie să ne înapoiem cât mai repede; fără Marc, băieţii probabil că sunt înnebuniţi.

Compartimentele sunt aproape toate goale. Rarii călători se uită pe fereastră, tăcuţi, sau se prefac că dorm, ca mine.

Lângă mine, Marc citeşte ziarele care anunţă crearea Republicii Populare Române.

*

Băieţii au găsit o căsuţă, cam dărăpănată, la periferia Bucureştiului, şi au transformat-o în magazin de vechituri. Am instalat în pivniţă roneotipul, un radio şi stocuri de hârtie ascunse după tot soiul de obiecte eteroclite: haine vechi, colecţii de pantofi desperecheaţi, tacâmuri de argint sau tinichea, tablouri vechi, portrete de familie, fotolii rupte, suveniruri de preţ sau obiecte utile sunt deopotrivă acoperite de praf.

Proprietarul magazinului este unul de-ai noştri, posesor al valorosului carnet de partid. În timp ce el îşi vinde marfa sus, în pivniţă noi tipărim manifestele care trebuie să fie distribuite noaptea. Roneotipul e ascuns sub o mobilă Ludovic XV, iar radioul e instalat într-un birou Empire. Pivniţa comunică printr-un culoar cu casa de alături, ocupată şi ea de prieteni. Deschizătura care dă spre coridor a fost astupată superficial. Condiţiile de lucru sunt ideale.

Nu ies din pivniţă decât ca să mă duc, traversând culoarul, în casa vecină, unde dorm. De altfel, dorm foarte puţin şi îmi petrec majoritatea nopţilor şi zilelor în pivniţa unde, în spatele unui paravan, mi-am amenajat un colţişor al meu: un fotoliu care nu are decât trei picioare şi basculează primejdios de fiecare dată când mă afund în el, un birouaş de lemn de trandafir, câteva lumânări şi o icoană în cel mai pur stil bizantin, o Fecioară încremenită care mă fixează cu privirea ei de nepătruns.

Tipărim manifeste toată ziua. Seara, băieţii ies ca să le distribuie, iar eu ascult emisiunile radiourilor străine luând note. Regele a părăsit ţara de două luni.

Noaptea târziu mă duc în casa de alături, unde mi s-a instalat o saltea în baie.

De cu zori mă întorc în pivniţă şi îi aştept pe băieţi ca să începem lucrul.

Şi aşa mai trec alte trei luni.

*

Victor a fost arestat cu ocazia unei razii. Marc preia conducerea; în numai două ore magazinul este închis, roneotipul şi radioul transportate în altă parte, tot grupul dispersat în provincie. Marc şi-a epuizat din nou adresele din Bucureşti. Îi trebuie un răgaz de o lună ca să găsească altele noi şi să reorganizeze lucrul.

Călătoria cu trenul sau cu autobuzul a devenit prea periculoasă şi Marc mă încredinţează, pe mine şi noile mele acte, unui şofer de camion care mă închide într-o ladă ce trebuia să conţină în principiu... prune uscate. Aşa ajung în satul Y, unde urmează să mă aştepte o prietenă a lui Marc.

Când intru în curtea casei care mi-a fost indicată, o tânără roşcată îmi vine în întâmpinare. Îi spun:

— Când copacii au frunze...

Ea continuă:

— ...Este o ecuaţie de gradul întâi.

Şi, fără nici o schimbare în ton:

— Bun venit. Aici eşti verişoara mea, ai venit ca să te refaci după o congestie pulmonară. Asta i tot. Pe mine mă cheamă Monica, am avut o mică proprietate pe care mi-au luat-o. Sunt găzduită de un ţăran. Am pus încă un pat în camera mea. Marc a trecut pe aici acum două luni şi mi-a spus că, dacă lucrurile se înrăutăţesc, o să te trimită la mine. Aşa că te aşteptam din zi în zi. Ce s-a întâmplat?

— Au arestat pe unul de-ai noştri. Ne-am împrăştiat cu toţii.

— Aici, ai să te poți odihni. Marc mi-a spus să nu pleci până nu vine el personal să te ia. Să intrăm, vrei? O să ne organizăm viața comună.

Traversăm curtea. În fața intrării, un pom înflorit. Timp de câteva luni am locuit într-o pivniță și n-am mai văzut arbori. Și, cum am rămas încremenită pe loc, Monica îmi urmărește privirea și adaugă, cu glasul brusc schimbat:

— Da, au înflorit. Se apropie Paștele.

*

Ziua trebuie să stau în odaie. De îndată ce se înnoptează, Monica mă scoate la aer.

Nu a trecut nici o săptămână de când sunt aici când, într-o seară, aud niște pași în spatele nostru. Cineva ne urmărește pe ulițele satului. Monica aruncă o privire rapidă și îmi spune:

— Nu te teme. E plutonierul de la post. A fost crescut de părinții mei. Ne este devotat.

Plutonierul ne-a ajuns din urmă. Strâng frenetic brațul Monicăi.

— Bună seara, doamnă.

— Bună seara, Dumitru.

Pășește alături de noi. Ezită o clipă, apoi spune:

— Doamnă, n-ați vrea să veniți până la post?

Mă agăț mai tare de brațul Monicăi, gata să cad. Ea spune râzând:

— De ce, Dumitru, vrei să mă arestezi?

— Ferească Dumnezeu, doamnă. Ridică brațele la cer și adaugă: Aș vrea numai să vă arăt ceva.

Îl urmăm la post. Ne face loc să intrăm într-o cămăruță, pe care o încuie cu cheia, ne oferă scaune, caută într-un sertar, scoate o hârtie și i-o întinde Monicăi. O văd că pălește pe măsură ce citește. Nu mă mai pot abține și îi smulg hârtia din mână.

Atențiune, gări, aeroporturi, pichete de frontieră, posturi de jandarmi; arestați imediat pe numita Georgescu Adriana, fostă șefă de cabinet a călăului poporului și căutată în prezent de poliție.

Pun hârtia pe birou și, cum plutonierul se uită la mine, spun, foarte liniștită:

— De ce mă priviți așa? Credeți poate că e vorba de mine? N-aveți decât să-mi cercetați actele.

Îmi examinează atent hârtiile și zâmbește când mi le înapoiază:

— Bună treabă, hârtiile astea. Numai că, odată cu nota asta, am mai primit și așa ceva: priviți.

Un mic afiș cu două fotografii de-ale mele, din față și din profil. Cianura e în buzunarul bluzei.

Monica s-a sculat în picioare.

— Ce facem, Dumitru?

— Vedeți, doamnă, țăranii știu că e cineva la dumneavoastră. Sunt de-ai noștri, țăranii. Dar dacă e totuși un trădător printre ei, sau la primărie? Nu poți să știi niciodată. Îmi risc pielea în povestea asta. Sunt obligat să lipesc afișul la post.

— Unde vrei să se ducă, Dumitru?

— Dacă aș ști... Eu vă rog numai să n-o mai țineți la dumneavoastră. Dacă e vreun turnător pe-aici, suntem toți buni de pușcărie. Dacă ar fi numai numele, n-aș zice nimic. Dar cu poza... N-o s-o arestez eu, doamnă. Eu știu ce înseamnă recunoștința și, pe urmă, știți și dumneavoastră că gândim la fel. Dar nu pot să-mi risc pielea. Trebuie s-o ducem la oraș.

— Îmi împrumuți șareta postului?

— Înham caii și într-un sfert de oră sunt la dumneavoastră.

De îndată ce am ieșit de la post, îi spun Monicăi:

— Dacă ne întinde o cursă?

— Nu se pune problema. E cam laș, dar foarte fidel.

— Ce facem?

— Te conduc la oraș, și iei trenul de București.

— Cum vrei să iau trenul? Și la gară trebuie să fi primit fotografia.

— Te îmbrac țărănește. Cu basma pe cap. Cumpăr eu biletul și mă prezint la control. Tu traversezi o grădiniță care dă spre capătul peronului, în spatele toaletelor. Acolo nu-i control. Ne întâlnim pe peron și îți dau biletul.

— Și controlul din tren?

— După ce ai ieșit din gară, nu mai trebuie să te temi. Fotografia n-a putut să le fie transmisă controlorilor.

Sunt convinsă de contrariu și, în timp ce Monica îmi caută costumul țărănesc, mă gândesc la cel mai bun mijloc de a înghiți cianura înainte să fiu prinsă.

O jumătate de oră mai târziu, șareta e în curte. Monica se cațără pe bancheta din față, îmi spune să urc, îi strânge mâna lui Dumitru și dă bice cailor.

— Acum, trebuie să ne grăbim ca să ajungem înainte de plecarea trenului.

De îndată ce ieșim din sat, începe să mâne nebunește. Mă agăț cu amândouă mâinile de banchetă ca să nu cad, în timp ce, aplecată înainte și cu fața încordată, Monica fredonează o melodie în care este vorba de o serbare în sat și de vântul care vuiește în pădure.

*

Am sosit prea devreme și, în timp ce Monica stă la coadă pentru bilet, rămân ascunsă după un tufiș în grădina de lângă gară.

O jumătate de oră mai târziu, îmi spun că e momentul să plec, mă târăsc în patru labe până la gard, îl escaladez, dau ocol toaletelor, ajung la capătul peronului. Ceva mai departe, Monica, așezată pe o banchetă, citește ziarul. Mă așez lângă ea. Ea îmi caută mâna, mi-o strânge, îmi trece biletul. Și murmură pe franțuzește:

— *Bonne chance!*

Își împăturește calmă ziarul, se scoală, se îndreaptă spre toalete, se preface că intră, le ocolește, dispare. Mi-a lăsat un coș cu două gâște, care se agită și cârâie. Când intră trenul în gară, iau coșul și mă îndrept spre vagoanele de a treia. Trenul e arhiplin și am renunțat să-mi găsesc un loc, când un bărbat în uniformă iese dintr-un compartiment și îmi spune:

— E un loc înăuntru. Nu vrei să stai jos?

Inima îmi bate să mi se spargă, dar îmi spun că faptul de a ședea lângă un bărbat în uniformă poate să-mi servească. Mă instalez așadar lângă el. Abia în compartiment îmi dau seama că e în uniformă de șef de gară. Încearcă să intre în vorbă.

— Ce ai în coș, fetițo?

— Niște gâște.

— Sunt scumpe?

— Trebuie să le duc la cooperativă, la București.

Cuvântul „cooperativă" i-a închis gura. Nu mai spune nimic. Agenți însoțiți de doi soldați trec pe culoar. Trebuie neapărat să vorbesc cu șeful de gară, să-i fac să creadă că sunt cu el.

— Mergeți la București?

— Da, fetițo.

— Sunteți bolnav?

— Nu, nu-s bolnav. Oftează lung. Cucoana mea a plecat cu altul, o canalie, altfel nu pot să-i spun. Eu îs șef de gară.

Mai oftează o dată și mă întreabă:

— Și tu, fetițo, nu te temi să mergi așa cu trenul?

Compartimentul e prost luminat, n-a putut să mă vadă pălind.

— De ce să mă tem?

— Ești o fetiță frumușică. Nu ți-e teamă să nu te răpească cineva? Nu se știe niciodată!

Respir și mă sclifosesc cât pot. Șeful de gară îmi ia mâna. Îl las.

— Ai mânuțe frumoase. Nu prea muncești mult, la tine acasă. Ai mâinile albe de tot.

— Fiindcă... fiindcă am fost bolnavă și am stat la pat mai multe luni. Am avut tifos.

— De-asta ești atât de slabă. Ai avut noroc că ai scăpat.

Trenul a plecat din gară. Murmur:

— Da, am avut noroc.

Șeful de gară a început să-mi povestească viața lui:

— ...Și pe urmă mi-a lăsat un bilet: *Mă duc la București, cu el, care mă tratează ca pe o doamnă și nu ca pe o zdreanță.* „El" e inspectorul de căi ferate care a venit să-mi inspecteze gara, și atunci... Habar n-am dacă o tratează ca o doamnă, dar știu că am să-i spun vreo două inspectorului ăstuia. Mă duc la el; am adresa din București. Târfa trebuie să fie la el. Să-mi facă mie asta, mie, care am luat-o fără zestre, care i-am dat cultură și educație. Când m-a luat, nu făcea pe cucoana mare. Se lăuda tot timpul: „Mă mărit cu un șef de gară, mă mărit cu un șef de gară".

Mă prefac a-i urmări povestea cu interes. În realitate, nu mă gândesc decât la control. Casc, mă scuz, mai casc iar și îi spun, retrăgându-mi mâna:

— Aș vrea să dorm, domnu' șef de gară. Știți, cu boala asta, nu prea am putere. Vreți să arătați dumneavoastră biletul la control?

— Sigur, fetițo, dormi bine.

Mă lovește ușor peste obraz cu un aer protector, în timp ce îi dau biletul. Îmi ascund fața lângă banchetă, astfel încât să nu se poată zări decât două codițe ieșind de sub o basma și un nas. Nu mă mișc toată noaptea. Șeful de gară mă acoperă cu haina lui și arată biletul meu la toate controalele, declarând cu un aer satisfăcut:

— Doamna-i cu mine.

Într-un târziu, mă zgâlțâie:

— Ei, fetițo, pregătește-te, am ajuns!

Deschid ochii. Periferia Bucureștiului defilează trist prin fața geamurilor, în lumina palidă a zorilor. Controalele din gară...

— Ai ochi frumoși, fetițo.

Mă ia din nou de mână. Îl las și, când se oprește trenul, coborâm împreună. Pe peron, mă prefac că mi-e rău.

— Domnule șef de gară, m-a apucat amețeala. Trebuie să fie din cauza bolii. Nu mai pot să umblu.

Mă ia de talie cu un aer protector. Îmi las capul pe umărul lui și pornim pe peron astfel înlănțuiți. Ne apropiem de barajul poliției. Șeful de gară îmi spune:

— Rea boală trebuie să fie. Îți tremură picioarele.

Nu-i răspund și îmi îngrop mai mult fața în vestonul lui. La control arată amândouă biletele și buletinul lui:

— Pentru doamna mea și mine.

Trecem. Șeful de gară râde zgomotos:

— Am spus așa ca să trecem mai repede. Dar n-ar fi așa de rău dacă ar fi adevărat, ce zici, fetițo? Ești curățică, și-mi place când îmi spui „domnu' șef de gară". Ești respectuoasă. Acum, tineretul ăsta nu mai știe să te respecte. Mie îmi place să fiu respectat. Ei, spune, ce părere ai despre noi doi?

Și, cum mă prefac încurcată, râde și mai tare:

— Ești timidă. Dar dacă ne-am vedea mai des, poate că ți-ar trece, ce zici?

Încerc să par emoționată când îi răspund:

— Da, domnu' șef de gară.

Mă mângâie pe obraz cu un aer satisfăcut.

Ne despărțim în stația de tramvai din fața gării, după ce am hotărât o întâlnire după-amiază „ca să mergem la cinema".

*

Coșul cu gâște nu este evident soluția ideală ca să trec neobservată pe stradă. Toți cei cu care mă încrucișez se opresc să mă întrebe:

— Scumpe gâștele, fetițo?

Răspund invariabil:

— Le duc la cooperativă.

De îndată ce aud de cooperativă, oamenii se încruntă și trec mai departe. Aș intra în curtea vreunei case să le vând, dar risc să mă aleg cu o contravenție: magazinele aparțin statului, și produsele de la țară trebuie vândute la cooperativă. O contravenție, cu actele mele false, așa ceva trebuie evitat cu orice preț. Nu știu ce să fac. Am ajuns la București în plină zi; nu pot telefona nimănui, și de altfel nici n-am alt număr de telefon decât al lui Marc, care nu se mai duce la birou de două luni. Oare o fi în București? Și cum să dau de el?

Trecând prin dreptul unui imobil, mi-amintesc deodată că am niște prieteni care locuiesc acolo. Nu i-am văzut de aproape trei ani. Ezit un moment – scena de la Mihaela nu-mi iese din minte – și mă resemnez în cele din urmă să urc. Intru pe scara de serviciu. Sun la primul etaj. Ușa se întredeschide și zăresc mutrița ciufulită a Mirei. Aruncă o privire asupra gâștelor și îmi spune:

— Nu cumpărăm nimic, fetițo. Nu știi că nu-i voie să vinzi păsări?

Izbucnesc în râs, împing ușa și intru scoțându-mi basmaua. Mira mă privește încremenită.

— Tu ești? Ce-ai făcut ca să slăbești în halul ăsta, sărmana de tine?

Nu mai râd. Mă prăbușesc pe un scaun.

— Mira, pot sta la voi până deseară?

— Bine ai face să nu mai pui întrebări prostești. Aici, ești la tine acasă.

— Știi că mă ascund? Că am acte false?

— Mi-am închipuit eu că nu te plimbi pe străzi costumată așa ca să te distrezi. De altfel, știam că te ascunzi.

— Dar bărbatul tău ar accepta și el?

Mira începe să râdă.

— Cum să nu accepte dacă îi aduci gâște? De nu știu cât timp nu ne mai hrănim decât cu cartofi. O să facem un ospăț pe cinste!

— Mira, să vorbim serios, crezi că o să vrea?

— De ce te temi, Adriana? Să vorbim serios, dacă vrei. Noi nu mai avem mare lucru de pierdut. Horia a refuzat să se înscrie la ei. Rezultat: a fost scos din Societatea Scriitorilor, nu mai poate publica nici un articol măcar, nici un rând, și cărțile lui sunt interzise, retrase din biblioteci și din circulație. Așa că, vezi și tu!

— Dar din ce trăiți?

— Traducem cărți și articole din englezește și nemțește. Alți autori, înscriși în partid, le iscălesc și ne plătesc la prețuri derizorii. Ne descurcăm totuși. Și mai avem încă apartamentul și biblioteca. O să ni le ia într-o zi, dar până atunci… Haide, nu face mutra asta de înmormântare. Trăim ca toată lumea, de altfel, și nu mai rău ca toată lumea.

— Atunci, crezi că pot rămâne până deseară?

— Bineînțeles. Numai că, deseară, avem un invitat la... cartofi. Nu te speria. E un fost pușcăriaș, ca tine.

M-am sculat în picioare. Mira nu-i cunoaște pe Marc și pe băieți, sunt sigură.

— Cine e?

— Ia ghicește. Un pușcăriaș de demult. Antinazist notoriu, aparținând „grupului din Transilvania". Îți amintești, grupul din Transilvania, rețeaua de rezistență antinazistă cea mai importantă? Știi că doisprezece bărbați, arestați toți în 1941 și eliberați în 1944, formau comandamentul?

— Da, știu. Care din ei?

— Specialist în radioemisiuni. Nu ghicești?

— Ba da, știu...

Cum să nu-l știu? Sandu aparținea acestei rețele. La Câmpulung nu vorbea decât de șefii lui care erau la închisoare, și mai ales de Ștefan C., marele specialist în radio. Sandu sfârșise chiar prin a-l socoti acceptabil pe Antonescu, fiindcă refuzase să-i predea pe cei doisprezece lui Hitler. Sandu și cei doisprezece eroi legendari ai săi... Câmpulung și rezistența noastră de atunci...

— Ai ghicit?

— Ștefan C.

— Greu a fost, dar oricum meriți o recompensă. Ai să-mi faci plăcerea să-ți scoți travestiul și să pui o rochie de-a mea.

Ezit o clipă, pe urmă:

— Aș putea să fac o baie?

Rostesc cuvântul „baie" cu evlavie. Mira mă ia de mână și mă trage spre coridor râzând cu poftă.

— Cum de nu m-am gândit până acum? Aș fi putut să ți-o pregătesc de când ai venit. Nu mai e apă caldă de baie,

dar ajunge pentru un duş. Un duş pe dinafară şi pe dină-
untru, asta ţi-ar trebui!

O urmez fără să reuşesc să mă pun la acelaşi diapazon
şi să râd cum s-ar cuveni: un duş pe dinăuntru...

*

Am făcut duş şi am rufărie şi o rochie curate. Dacă aş
putea rămâne în casa asta luminoasă şi primitoare, aş dormi
şi pe jos.

*

Mira avea dreptate, bărbatul ei mă primeşte cu braţele
deschise, fără nici o urmă de reticenţă. Ei doi reuşesc aproape
să mă scape de frică.

Şi, când auzim soneria de la intrare, Mira spune calm,
fără să tresară:

— Trebuie să fie colegul tău de puşcărie, Adriana.

Ştefan C. intră în sufragerie. E un bărbat foarte brunet,
îmbrăcat cu o haină de piele neagră. Şi, cum Mira mă pre-
zintă cu primul nume fals care îi vine în minte, începe să
râdă:

— Cum ai spus: Sanda Dănescu?

Mira abia îşi stăpâneşte râsul.

— Da, Sanda Dănescu.

— Ascultă, Mira, credeam că ai încredere în mine. E
adevărat că s-a schimbat mult, dar tot am recunoscut-o.

Intervin:

— Unde m-ai cunoscut?

— La Interne.

— Ai fost închis la Interne?

— Încă nu, şi sper că n-am să fiu niciodată. Nu te-am
cunoscut ca deţinută, ci ca şefă de cabinet. De altfel, erai

insuportabilă. Zâmbeai tot timpul şi repetai ca un automat aceeaşi propoziţie: „Audienţele sunt suspendate, audienţele sunt suspendate".

Mimează toată scena, şi acum râdem cu poftă toţi patru.

Această cină veselă, fără apăsare, fără obsesii, mi se pare o amintire de demult care ar fi venit să mă viziteze şi să mă încălzească puţin.

De îndată ce ne sculăm de la masă, le spun, lui Horia şi Mirei:

— E timpul să plec.

Horia mă priveşte mirat:

— Unde vrei să te duci?

Şi Mira reia:

— Da, unde vrei să te duci, la cine? Nu te simţi bine aici?

— Pot să rămân la voi?

— Cât timp vei vrea.

— Dar, Horia…

— Ce limbă ştii mai bine?

— Italiana, franceza…

— Perfect, am să-ţi obţin traduceri din italieneşte. Tu ai să faci traducerea, şi un autor membru de partid o s-o iscălească. În felul acesta nu vei mai avea remuşcări, de vreme ce vei contribui la cheltuielile comune. Ne-am înţeles?

Îmi vine să plâng. Nu credeam să-mi mai vină vreodată să plâng de bucurie şi de linişte regăsită.

Înainte de plecare, Ştefan mă ia de-o parte şi mă întreabă:

— Ai ceva să-i transmiţi lui Marc?

— Cum?!

— Nu-i nevoie să strigi. Am întrebat: „Ai ceva să-i transmiţi lui Marc?" Te credea la prietena lui. Te avertizez că, timp de peste o lună, nu-ţi va mai putea fi de folos. Trebuie să dispară, şi el, pentru o „mică odihnă" la ţară. Încearcă să stai aici o lună. La întoarcere se va ocupa din nou de dumneata. Îi voi spune că ești aici. Nu-i nevoie să vorbești de asta cu Horia și Mira. Nu s-a întâmplat nimic grav la țară?

— Nu, nimic grav, dar a trebuit să plec, poliția a transmis fotografia mea la gări, aeroporturi…

— Știm. Marc avea de gând să trimită pe cineva după dumneata, dar, din moment ce ai venit prin mijloace proprii, cu atât mai bine. Altceva pentru el?

— Nu, nimic. Nu e în pericol?

— Nu propriu-zis, dar, în fine, va face bine să dispară de pe firmament câtva timp. Iar dumneata ai face bine să rămâi aici. Ne-am înțeles?

— Cum l-ai cunoscut pe Marc?

— Asta-i altă poveste, prea lungă ca s-o povestesc acum. De altfel, știi, clandestinii de meserie ajung întotdeauna să se cunoască.

— Ești în clandestinitate?

— Pentru moment încă nu, sau nu cu totul.

Pe urmă, cu voce tare:

— Voi trece să vă văd mâine seară. Voi încerca să obțin mașina Crucii Roșii ca să vă scot la o plimbare. Și, privind spre mine: Pentru „ieșirea la aer", nu-i așa, tovarășă pușcăriașă?

Și pleacă în timp ce le explic celorlalți semnificația acestor cuvinte care li se par ciudate: „ieșirea la aer".

*

Ne așezăm pe niște perne, sprijiniți de bibliotecă. Vorbim încet nu pentru că ne e frică, ci ca să nu tulburăm această pace care cuprinde contururile încăperii, această pace care s-a instalat în noi.

Horia îmi dă ultimele știri din lumea literară: autorii care s-au înscris în partid trebuie să-și facă autocritică după autocritică, să publice cel puţin o dată pe lună un articol în care să declare că „Stalin este cel mai mare scriitor din univers, că le serveşte drept călăuză, model, far luminând întunericul din minţile lor", să-şi supună cărţile înainte de publicare la trei baraje de cenzură politică şi mai ales să renege orice legătură trecută cu Franţa şi Occidentul.

— De ce în special cu Franţa?

— Fiindcă influenţa franceză era de departe cea mai puternică la noi. Ai uitat că eram a doua sau a treia piaţă mondială de import al cărţii franceze? Că majoritatea intelectualilor noştri erau formaţi la şcoala franceză? Dar acum toate astea se vor schimba foarte curând. Teohari Georgescu a declarat în chip de avertisment că lumina nu mai vine de la Apus, ci de la Răsărit. De altfel, sunt de acord cu el asupra unui singur punct, sau mai degrabă a unui singur autor. Este vorba de cel care, cu peste patruzeci de ani înainte de izbucnirea revoluţiei, a prezis dezvoltarea ei ulterioară, aspectul ei actual de Apocalipsă, de cel care a făcut cea mai bună descriere a ceea ce trăim noi acum, este vorba de profetul...

Mira zâmbeşte.

— Din nou Dostoievski şi *Demonii*. Asta-i marota lui.

— Ba nu, nu-i o marotă, replică Horia mergând spre bibliotecă şi scoţând de acolo o carte. Totul e cuprins aici, absolut totul, frază cu frază şi punct cu punct; e descrierea fidelă a fenomenului, descriere făcută cu mai mult de patruzeci de ani înainte ca fenomenul să fi avut loc, fiindcă n-o să mă faceţi să cred că Neciaiev, care a organizat primul comitet revoluţionar printre studenţii din Moscova şi care a pus la punct şi executat uciderea lui Ivanov, avea anvergura lui Verhovenski. Nu, Neciaiev n-a fost decât un pretext prin intermediul căruia Dostoievski a văzut cum se va desfășura istoria, dar care nu conținea în el istoria. Și observați că Dostoievski nu este în avans cu patruzeci de ani, ci cu mult mai mult, de vreme ce a prezis nu atât revoluția, cât urmările ei, fenomenul actual. Ascultați, îmi vine să-i trimit textul acesta lui Teohari Georgescu drept răspuns la lozinca lui: „Lumina vine de la Răsărit". Ascultați, Verhovenski îi descrie lui Stavroghin sistemul lui Șigaliev, care este teoreticianul grupului lor revoluționar:

„Șigaliev e un geniu. Îi rezerv un rol. El a descoperit «egalitatea»… La el, totul este înscris. A inventat un nou sistem de spionaj. În societatea sa, fiecare membru îl spionează pe vecinul său și i se cere să-l denunțe. Fiecare aparține tuturor și toți sunt proprietatea fiecăruia. Toți sclavi, și toți egali în calomnie și omor, dar, mai presus de orice, egalitatea. Pentru început, nivelul educației, științelor și artelor va fi scăzut. Un nivel ridicat nu este accesibil decât spiritelor superioare, și noi n-avem nevoie de spirite superioare… Vor trebui surghiunite sau condamnate la moarte. Smulgerea limbii lui Cicero, scoaterea ochilor lui Copernic, lapidarea lui Shakespeare, iată ce înseamnă șigalievismul… Ascultă, Stavroghin: nivelarea munților, iată o idee frumoasă care nu are nimic ridicol în sine. Eu sunt pentru Șigaliev. Nu-i nevoie de educație, ne-am săturat de știință… dar ne trebuie docilitatea. Vezi tu, cel mai important lucru pe lume e docilitatea. Doar ceea ce e necesar este necesar, iată care va fi de acum înainte deviza speciei umane. Dar ne trebuie convulsii, iar noi, șefii, vom avea grijă să existe. Este nevoie de șefi și de sclavi. Obediență absolută, impersonalitate absolută… Ascultă, vom dezlănțui mai întâi răscoala… Vom proclama distrugerea. Vom aprinde incendiul. Vom crea legende. Lumea va merge cu susul în jos ca niciodată până acum. Noaptea se va așterne peste Rusia, pământul își va plânge foștii zei."

În încăpere, tăcerea se instalează greoaie, apăsătoare. Horia se scoală încet, închide cartea, o pune la loc în bibliotecă și spune, cu voce stinsă:

— Pământul își va plânge foștii zei...

*

Dorm în sufragerie, pe divan, lângă bibliotecă. În zori, aud cântecele și pașii cadențați ai soldaților. Mă trezesc tresărind, alerg pe culoare, unde dau peste Mira, care mă privește mirată:

— Ce e?

— Un regiment pe stradă. Pași cadențați ca ai nemților. Trebuie să fie vreun eveniment.

Mira mă aduce înapoi în odaie ținându-mă de umeri:

— Pe ce lume ești? De un an trec așa, în fiecare dimineață, sub ferestrele noastre, cântând cântece de război. Se duc pe câmpul de manevre. Toate străzile sunt pline. Toate uzinele nu produc decât în vederea războiului. Cuvântul nu a fost niciodată pronunțat, dar toată țara nu face altceva decât să se pregătească de război.

— Dar, conform tratatului de pace, nu avem dreptul să reînarmăm mai mult de...

— Ce contează? Poate cineva să vină aici, la fața locului, ca să controleze ce face Moscova?

— Dar anglo-americanii?

— Dacă ar protesta vreodată, Moscova le-ar răspunde fără îndoială că este vorba de o armată... a păcii, sau alte asemenea baliverne. Și pe urmă, știi bine că nu vor protesta. Nu cunoști anecdota care circulă la București pe tema asta:

Se pare că într-o mare mică, Marea de Argint, toate sardelele au fost pescuite într-o zi. Una dintre ele, care a asistat la masacru, a reușit să scape și se duce să avertizeze sardelele din mările învecinate, Marea de Aur şi Marea de Diamant, care, aflând ştirea, ţin consiliu după consiliu. Micuţa sardea, fremătând pentru surorile ei, se agită, se zbate, cere să se intervină repede. În zadar face toate sforţările astea. Timpul trece. În fine, într-o zi, sardelele din Mările de Aur şi de Diamant hotărăsc să pornească la salvarea surorilor lor, sardelele din Marea de Argint. Urcă pe curent în sus cu mult zgomot şi ajung la locul masacrului. Nici urmă de pescar, nici de sardele. După numeroase căutări, îşi regăsesc surorile, sau mai curând cutiile care le conţin pe surorile lor. Optimiste şi entuziaste, pun să se deschidă cutiile şi scot ţipete ca să le trezească pe semenele lor ce par să doarmă. Şi atunci îşi dau seama că surorile lor din Marea de Argint nu sunt numai moarte, ci chiar şi preparate în ulei.

*

Noaptea târziu, Ştefan vine să ne ia cu maşina „să ieşim la aer". Şi, cum nu avem nici o singură ţigară şi toate tutungeriile sunt închise, face un ocol, opreşte maşina în faţa imobilului unde locuieşte şi urcă să aducă ţigări.

În timp ce vorbesc cu Mira, privesc imobilul, cenuşiu, mohorât: o capodoperă a prostului-gust.

Ştefan coboară cu ţigările. Automobilul rulează pe străzile prost luminate timp de peste o oră. De ieri am un simţământ de siguranţă nebunesc.

Când ne luăm rămas-bun, în faţa uşii, Mira îl invită pe Ştefan la cină pentru a doua zi. Ştefan îi răspunde:

— Nu pot să vin. Plec mâine în Moldova pentru două săptămâni.

Odată ajunşi în apartament, Horia îmi spune:

— Mâine ai să primeşti textele italieneşti. Nu te bucura prea tare; sunt marxiste toate, şi încă marxiste după moda stalinistă.

*

Trei săptămâni mai târziu, către miezul nopții, bat la
mașină versiunea definitivă a traducerii, în timp ce Horia
citește, Mira coase și toți trei ascultăm cu o ureche distrată
BBC vorbindu-ne despre nu știu ce expoziție horticolă de
la Londra.

O bătaie în ușă, pe urmă soneria. Horia a închis cartea.
Mira s-a ridicat în picioare. Ne privim o clipă toți trei. Horia
murmură:

— E miezul nopții. Nu poate fi decât poliția sau, să spe-
răm, o comisie de rechiziționare. Adriana, coboară pe scara
de serviciu. Vâră-te în lada de gunoi. E goală. Trage capacul.

Din nou soneria.

— Dacă, după un sfert de oră, n-am venit să te scoatem
de acolo, încearcă s-o ștergi.

Horia îmi deschide ușa să ies, în timp ce Mira se așază
în locul meu ca să aibă aerul că bate la mașină mai departe.

Ajung jos, și recunosc ușor lada de gunoi a apartamen-
tului; de două săptămâni am scos deseori gunoiul afară.
Înainte de a intra înăuntru scot din buzunarul rochiei cia-
nura, pe care o strâng în mână. Trag capacul. Curând mi-
rosul pe care îl degajă pubela pătrunde profund în mine și,
în întuneric, cercurile reîncep să mi se rotească în fața ochilor.
Au aceleași culori: galben, roșu; roșu, galben.

Cred că a trecut o jumătate bună de oră când mă decid
să ies afară: dacă nu respir cât mai repede aer proaspăt, risc
să leșin. Ce s-o fi petrecând sus? De vreme ce n-au coborât,
trebuie să fie poliția. Ies pe ușa de serviciu, dau ocol imo-
bilului: un camion gol; nimeni pe stradă. De cum am dat
colțul străzii, o pornesc la goană ca o nebună. Tocmai asta
n-ar trebui să fac, dar ce mai contează! Am ajuns la capătul
celei de-a doua străzi; o iau pe a treia, tot alergând, nu în-

tâlnesc pe nimeni, continui să fug. La capătul celei de-a cincea străzi, mă opresc cu sufletul la gură. Unde să mă duc? La cine să mă duc? Sunt în rochie și espadrile, asta-i tot. Marc pesemne că nu e în București și, de altfel, nici nu-i cunosc adresa. Băieții sunt risipiți. După luna asta în care aproape că am pierdut obiceiul de a respira, de a mă mișca, de a acționa ca o făptură hăituită, mă simt încă și mai dezarmată. Poate că mi-am epuizat și ce îmi mai rămăsese ca forțe; poate că nu trebuie să merg mai departe. Și, în primul rând, unde să mă duc, la cine să mă duc? Deodată îmi amintesc de Ștefan. S-o fi întors din Moldova. Mi-amintesc imobilul acela cenușiu, mohorât, de prost-gust. Voi reuși să-l regăsesc? O pornesc iar, mergând foarte repede. M-am hotărât să regăsesc imobilul. Cunosc vag cartierul; e aproape la celălalt capăt al Bucureștiului. Voi face o ultimă încercare. Dacă nu îl găsesc, atâta pagubă...

Eram sigură că prostul său gust excesiv salva acel imobil de uitare. L-am găsit relativ ușor. Nu știu la ce etaj poate să locuiască Ștefan, dar, cum sunt decisă să risc totul pentru totul, am intenția să sun la toate ușile începând cu ultimul etaj, al patrulea. Iau ascensorul, urc, sun.

Un băiat cu părul roșcat, ciufulit, vine să-mi deschidă.

— Ștefan C... e acasă?

Aștept răbdătoare să-mi spună: „Care Ștefan C...?" În loc să facă așa, băiatul deschide larg ușa:

— Trebuie să sosească dintr-o clipă într-alta. Sunteți verișoara care trebuia să vină din provincie?

— Da.

— Ați lăsat valiza în taxi?

— Nu, e la gară.

Mă poftește să intru într-o încăpere ocupată pe toată lăți-mea de o masă mare. Pe masă, trei aparate de radio, demontate. Băiatul îmi urmărește privirea și îmi spune, râzând:

— Jucăriile lui Ștefan.

Cum nu răspund nimic, continuă:

— Luați loc. Vă e frig?

Iar au început să-mi clănțăne dinții. Tremur atât de tare, că nu reușesc să-i răspund.

— Sunteți bolnavă, vă e frig? Posibil ca Ștefan să mai întârzie puțin. Ia cina la niște prieteni, în apropiere. Vreți să mă duc după el?

Mă privește tot mai mirat. Îmi clănțăne dinții și nu izbutesc să articulez nici un singur sunet. Iese. Îl aud cum închide ușa de la intrare, coboară scările alergând.

E unu și jumătate noaptea. Dinții îmi clănțăne nebunește.

*

Intră Ștefan, urmat de băiatul care m-a primit mai înainte.

— Ah, tu ești, verișoară?

Pe urmă, întorcându-se spre băiat:

— Vrei să-i faci un ceai fierbinte?

De îndată ce a ieșit, Ștefan îmi spune:

— Știi ce mi-a zis venind după mine? „E o nebună căreia îi clănțăne dinții și care spune că ți-e verișoară. Trebuie să vii imediat. Mi-e frică să rămân singur cu ea. Are privirea rătăcită.“ Ce s-a întâmplat?

Și, cum tot n-ajung să articulez un cuvânt:

— Bine, o să încercăm ceva ca să-ți treacă.

Se duce într-o cameră alăturată, revine cu o ceașcă de ceai și o cașetă.

— Înghite asta imediat. E un calmant nervos.

După un sfert de oră, reușesc să-i povestesc toată scena de la Mira și cursa mea prin noapte. Adaug:

— Pot să rămân să dorm la dumneata deseară?

— Nu numai deseară. Cât timp vei vrea și va fi posibil. Cu condiția să nu-l mai sperii pe prietenul meu. Mâine voi încerca să aflu ce s-a întâmplat la Horia și Mira. Pentru moment, ia camera mea. Eu am să dorm cu colegul meu în hol.

Și purcede la mutare cu prietenul său, care abia dacă pare mai liniștit.

A doua zi, Ștefan mi-aduce știri despre Horia și Mira. Comisia de rechiziționare care a venit să le ia biblioteca n-a părăsit casa decât în zori, timpul cât i-a trebuit ca să scrie procesul-verbal, să înscrie titlul fiecărei cărți pe listă, să transporte în camion cele două mii de volume câte conține biblioteca.

— Nu le-au făcut nimic?

— Nu, altceva nimic. De altfel, pentru data asta era destul... Au aerul descumpănit și stau lângă rafturile goale fără să se clintească. Horia m-a rugat să-ți spun că nu-i va mai putea trimite acea scrisoare lui Teohari Georgescu; i-au luat și faimosul volum cu *Demonii*.

*

Ștefan a plecat pentru două săptămâni în provincie cu Crucea Roșie a unei misiuni străine. Prietenul lui s-a înapoiat la el la țară. Sunt singură în casă. De o lună, de când locuiesc aici, n-am pus piciorul afară.

Câteva zile înainte de întoarcerea lui Ștefan, încep din nou să am febră.

În dimineața aceea mă trezesc cu o durere violentă de cap. Am visat că bate cineva la ușă. Nu, n-am visat. Se bate într-adevăr la ușă. Nu mă mișc. Aud voci în spatele ușii:

— Spionul nu s-a întors încă.

— Putem să spargem ușa, să ocupăm apartamentul și să-l așteptăm.

— Nu, tovarăşe. Mai bine să-l luăm prin surprindere. Ăsta-i spion anglo-american, şi e şiret.

Mă agăţ de cearşafuri. Am impresia că, dacă nu mă agăţ de cearşafuri, voi cădea din pat. Spion? Misiunea lui Ştefan se încheie mâine, şi trebuie să se înapoieze la Bucureşti.

În spatele uşii, cei doi agenţi continuă să discute. Au hotărât să se ducă după alţi tovarăşi şi să formeze două echipe permanente în faţa celor două uşi ale apartamentului, intrarea care dă spre scara principală şi intrarea de serviciu. Unul dintre ei a plecat. Îl aud pe celălalt umblând neîncetat prin faţa uşii. Trebuie cu orice preţ să-l avertizez pe Ştefan... dar, pentru moment, nu vreau să mă mişc din pat, agentul ar putea să audă zgomot. Către ora prânzului, primesc un ajutor neaşteptat: în apartamentul de alături, radioul a început să urle atât de tare, încât umple toată casa cu zgomote discordante. Profit de acest vacarm ca să-mi pun rochia pe mine, să-mi încalţ espadrilele şi să intru în bucătărie. Fereastra bucătăriei dă spre acoperiş. Mă aşez şi aştept noaptea, cu un pachet de ţigări în faţa mea. Când am isprăvit pachetul, s-a înnoptat. Îmi controlez încă o dată buzunarele: actele, cianura, o batistă, câţiva bănuţi. Totul e pregătit. Mă urc pe scaun, deschid fereastra, mă aburc pe acoperiş. Înaintez încet, în patru labe, ocolesc trei ferestre care dau de asemenea spre bucătării. Printr-a patra zăresc scara de serviciu. Pesemne că am ocolit casa pe jumătate, am ajuns la a doua scară de serviciu, care nu deserveşte apartamentul lui Ştefan. Scara pare pustie. Sparg un geamlâc cu pumnul, deschid fereastra. Pumnul sângerează. Revăd chipul Ţigăncii. Cu precizie, chipul Ţigăncii. Sar pe scară, cobor în goană, mă rostogolesc, alunec. Am reuşit să mă agăţ de rampă, să mă ridic, îmi înăbuş la timp un geamăt: o durere ascuţită în gleznă. Cobor scara muşcându-mi buzele, glezna mă doare foarte tare. Am ajuns jos. Ies într-o curte. Un câine vine spre mine sărind. Mă aplec și îl mângâi: numai de n-ar lătra! Ușa care dă spre stradă e cu geam. Îmi lipesc obrazul de ea. Nu văd pe nimeni pe stradă. Câinele îmi linge mâna care sângerează. Îmi scot batista, îmi înfășor pumnul în ea, deschid ușa, ies afară. În spatele ușii deschise, câinele a început să latre.

Acum am luat-o la fugă. O casă, două case, colțul străzii, glezna mă doare prea tare, încerc să mă agăț de pereți. Dacă s-ar întâmpla să cad, nimeni nu-l va putea avertiza pe Ștefan. Mi-am mușcat buzele prea tare, simt gust de sânge în gură. Unde să mă duc? La cine? Marc, unde o fi Marc? Nu mai știu unde sunt, nu mai recunosc orașul; totul a început să mi se învârtească în fața ochilor. Încerc să traversez; în depărtare, o motocicletă vine spre mine, vine spre mine în mare viteză. Vreau să fug, durerea de la gleznă mă face să țip. Am căzut în genunchi, dau să mă ridic, motocicleta se apropie, se apropie, e aici, e... O frână bruscă. Am căzut din nou. Cine se apleacă peste mine? Are fața lui Victor. Victor e arestat. Victor e la închisoare. Nu poate fi el. Visez. Spun:

— Ești la închisoare?

Pare speriat. Am început să râd mai întâi încet, pe urmă tot mai tare.

— Ești la închisoare, nu-i așa?

— Taci din gură, taci odată.

Continui să râd. Mă pălmuiește. Murmură:

— Iartă-mă. Ascultă: fii calmă, calmă. O să te așez pe locul din spate. Hai, ușurel. Așa. Ține-te bine de mine.

Îmi sprijin capul de spinarea lui. Cu mâinile m-am agățat de haina lui. Gonim. Simt aerul, simt asprimea hainei, îmi simt mâinile care se încleștează, se încleștează.

Motocicleta s-a oprit în fața unei curți. Nu-i nimeni pe stradă; toate străzile astea pustii, pustii. Victor m-a luat în brațe, a sunat la ușă. Ușa se deschide: înăuntru, lume, fum de țigări, căldură. Totul se învârtește. Murmur:

— Trebuie avertizat Ștefan C.... Poliția îl așteaptă la el acasă. El se înapoiază mâine din provincie.

Nu mai știu nimic.

*

Când îmi revin în simțiri, văd, aplecați deasupra mea, pe Marc, Victor și cineva îmi pune comprese pe frunte. Murmur:

— Trebuie avertizat...

Marc îmi impune tăcere:

— O s-o facem, nu te teme.

Îmi dau de băut. Celălalt băiat îmi atinge glezna. Țip. Marc îmi ia mâna:

— E medic. O să te cam doară. Ai glezna fracturată. Haide, fetițo, puțin curaj.

Țip din nou. Marc mă strânge de mână. Îmi vorbește tot timpul. Nu înțeleg absolut nimic din ce-mi spune.

Cred că am leșinat. Mă trezesc iar. Întreb:

— Victor e la închisoare?

Marc continuă să-mi vorbească. Medicul îmi face o injecție. Pare să nu se mai ocupe de glezna mea. Stau cu toții în jurul patului. Îmi dau din nou să beau un lichid amar.

Abia în zori reușesc să-mi ordonez ideile și să înțeleg ce îmi povestește: Marc s-a înapoiat de trei zile, a reorganizat grupul și a găsit o casă. Aveau prima reuniune astă-seară. Cât despre Victor, a reușit să evadeze din închisoare, la două săptămâni de la arestare, încă înainte de a fi trecut pe la anchetă. Se ducea la reuniune când a dat de mine. Acum mi-atinge fruntea cu mâna lui:

— Barem tu, fato, excelezi în situaţii romaneşti! Să ajung eu să-ţi trag o palmă! Dar mă temeam să nu scoli tot cartierul, cu râsul tău.

Încerc să-i zâmbesc. Întreb:

— Şi glezna?

Îmi răspunde doctorul:

— E în ghips. Acum, încă o mică injecţie pentru inimă şi te las să dormi.

Afară, se arată zorile, palide.

*

Băieţii au reuşit să-l avertizeze pe Ştefan. Vine să mă vadă două săptămâni mai târziu. Şi el se ascunde. Agenţii stau mai departe şi-l aşteaptă acasă… Îmi spune foarte calm:

— Am bani pentru călăuză. Totul e aranjat. Plec mâine şi te iau cu mine.

Fac un efort ca să zâmbesc arătându-i piciorul: încă nu mi s-a scos ghipsul. Se încruntă:

— Totul e aranjat. Mâine e ultima zi.

— Nu mă pot mişca. Pleacă fără mine. Trebuie să ajungi dincolo. Ştii bine că vei fi mai util acolo decât aici. Pleacă.

Se plimbă prin cameră în sus şi în jos. Aprind ţigară după ţigară. Discuţia durează mai bine de o oră în timp ce, în camera alăturată, băieţii multiplică manifeste.

*

Ştefan a plecat ieri. A promis să-mi scrie.

Băieţii mi-aduc în fiecare seară veşti: uzinele au fost naţionalizate. Patronii nu au fost înlocuiţi cu muncitori calificaţi, ci cu membri de partid fără nici o competenţă tehnică. Patronii nu sunt arestaţi decât după ce i-au pus pe muncitorii-patroni la curent cu funcţionarea uzinei. Toată economia națională se clatină. Ziarele comuniste numesc lipsa de pregătire a noilor patroni „sabotaj economic" și reclamă sancțiuni exemplare. Foștii patroni, noii patroni și muncitorii tremură cu toții de frică. De altfel, toată lumea tremură de frică. Numai agenții provocatori și turnătorii avansează în grad, liniștiți... până în momentul când sunt și ei denunțați.

Scânteia declară că „pentru libertatea poporului trebuie luptat împotriva sabotajului reacțiunii".

Mă simt din ce în ce mai obosită. Revăd din când în când privirea Verei ieșind din celulă și aud ultimele ei cuvinte: „Și de-ar fi să-l pot reface..." Murmur cu toate acestea continuarea: „Aș reface-același drum."

*

Două luni mai târziu, un băiat vine să-mi aducă o carte poștală de la Ștefan:

Draga mea Rebecca,
Prietenii noștri de la Joint m-au primit foarte bine. Peste câteva zile va fi ziua ta de naștere. Îți urez La mulți ani!, ție și copiilor. Regret că te-am părăsit, dar știi că visul meu cel mai scump era să mă duc în Palestina. În curând am să-ți scriu din Tel-Aviv. Până atunci, primește toate urările mele de bine și marea mea afecțiune. Trăiască Republica Populară Română.

În ultimul timp, câteva loturi de evrei au primit permisiunea să părăsească țara și să plece în Palestina. Zâmbesc de șiretenia lui Ștefan ca să facă să treacă ilustrata prin cenzură. Zâmbesc și gândindu-mă la aniversarea mea; e chiar astăzi, și uitasem complet. Mai ales, sunt fericită că el a ajuns în Austria: ilustrata poartă ștampila Vienei.

*

De două luni alerg iarăşi din casă în casă. Grupul a trebuit să se disperseze. Aproape toate adresele s-au epuizat. Nu pot dormi mai mult de o singură noapte în acelaşi loc. Marc nu mai ştie unde să ne trimită; noi nu mai ştim unde să ne ducem, eu nu mai ştiu unde să mă duc. În oraş circulă zvonul că este în studiu un proiect care ar institui un oficiu locativ de stat. În realitate, acest oficiu „în studiu" şi-a început deja activitatea; comisii vin să măsoare spaţiul locativ al fiecărei case – o cameră pentru o familie de două persoane, două camere pentru familii mai numeroase – şi numesc din oficiu pe locatarii care vin să împartă camera cu tine chiar în seara respectivă. Noii locatari sunt întotdeauna membri de partid, deci spioni în perspectivă. Alt decret, oficial de astă dată, ordonă proprietarilor unui apartament să înainteze la oficiu lista completă a persoanelor pe care le găzduiesc, precum şi o autobiografie a acestora, şi prevede sancţiuni pentru toţi cei care nu o vor face. În aceste condiţii, devine aproape imposibil să te mai ascunzi.

De îndată ce intru într-o casă, accentuez frica celor care mă primesc. Frică de a umbla pe stradă şi a veni acasă, frică de a primi o slujbă impusă. Frică de a vorbi în faţa copiilor. Totul derivă de la frică.

Noaptea, parcurgând străzile în căutarea altei locuinţe, recunosc cu greu oraşul, oraşul meu. Toate statuile au fost doborâte. Străzile poartă numele unor eroi sovietici. Drapelele roşii şi portretele lui Stalin acoperă clădirile.

În oraş bântuie o puternică epidemie de sinucideri.

*

Este ultima adresă pe care a putut să mi-o dea Marc. Trebuie să părăsesc casa mâine seară ca să mă duc nicăieri.

Cei care m-au primit în seara asta au un fel rigid și tăcut de a se mișca, de parcă le-ar fi intrat un mort în casă. Dorm cinci persoane în două camere. Refuz să împart cu unul din ei patul, și mă duc în bucătărie, să mă sprijin de pervazul ferestrei și să privesc stelele. Și, în timp ce încerc să recunosc constelațiile, vorbesc singură cu voce înceată. Este evident că nu mai pot continua așa. Este evident că, mai presus de orice, doresc să mor. Este evident că, dacă nu mor, am să înnebunesc. Deja, pe lângă coșmarul fidel și familiar, încep să am vedenii; de cum închid ochii, chiar și trează fiind, văd chipuri: de la Varvara la Vera, și, între ele, Țiganca, Milica, Giovanna și Nicolski – toate fețele vin spre mine și poartă urme de sânge negricios. În general, toate rânjesc, chiar și Șobolanca, ce vrea să-mi dea foc la păr cu o țigară care capătă aspect de torță. Când deschid ochii și vedeniile mă părăsesc, mă surprind râzând într-un chip ciudat sau rugându-mă lui Dumnezeu să mă izbăvească, să-mi permită să mă odihnesc.

În seara aceea privesc stelele și îmi spun că nu mai trebuie să șovăi, că momentul a venit desigur, momentul pe care încercam să-l amân, să-l amân…

Bătăi în ușă. Semnalul convenit. Cineva din casă s-a dus să deschidă. Apare Marc.

— Am întâlnit pe cineva care-l căuta pe Ștefan.

— Și?

— Și l-am luat cu mine să stea de vorbă cu tine.

Strig:

— Marc, ești inconștient. Dacă e un agent… O să-i aresteze pe toți cei din casă. O să-i aresteze pe toți oamenii aceștia care sunt nevinovați. Ai înnebunit de tot. Știi bine că Ștefan e la Viena de două luni!

În spatele lui Marc, o voce:

— Nu zău, e la Viena de două luni?

Marc s-a dat înapoi de-a-ndăratelea. Mă prăbuşesc pe un scaun. Pesemne că am murit şi trăiesc o viaţă viitoare. În această viaţă viitoare, Ştefan e aici, în faţa ochilor mei, şi se apropie şchiopătând.

— Bună seara, Adriana. S-a dres glezna? O să putem pleca în curând?

— Ce ai la picior, Ştefan?

— Nimic foarte grav. E puţin umflat. Prea am făcut pe globe-trotter-ul.

Trăiesc, visez, am murit?

— Cum ai venit de la Viena?

— Pe jos, cu busola. Pe acelaşi drum ca la ducere.

— Ai venit pe jos, singur?

Râde:

— Ca un om mare, da, închipuie-ţi.

— Dar de ce, de ce te-ai întors?

Continuă să râdă.

— Mă decepţionezi. Te consideram o fată deşteaptă. Încă n-ai înţeles? Am venit după tine.

— Eşti nebun, şi tu, eşti nebun! Dacă te arestează, dacă te arestează din cauza mea? Cum poţi să-ţi rişti viaţa pentru mine?

Ştefan îşi aşază mâna pe umărul meu şi îmi spune cu o voce devenită brusc foarte gravă:

— Linişteşte-te. Nu te mai ameţi cu vorbe. Toate astea sunt, în realitate, foarte simple. Am venit după tine. Într-o săptămână ai să fii dincolo.

Repet ca o obsedată:

— Dar de ce să-ţi rişti viaţa? De ce n-ai rămas acolo unde erai liber?

— Să zicem, dacă vrei, că nu mă simțeam liber acolo cât timp te știam pe tine în pericol aici. Să zicem că, cu prețul acesta, libertatea nu mi se părea de dorit.

Îndrăznesc să rostesc cu voce tare fraza care mă obsedează:

— Ștefan, oare visez, oare am murit sau oare scena asta aparține realității?

— Cred că aparține realității. Dar, în fine, dacă preferi să crezi că e vorba de un vis, să spunem că visăm. Pentru moment, dacă ai vrea să-mi dai puțină cafea, aș prefera ca asta să fie reală, fiindcă am mare nevoie.

În timp ce aprind focul ca să-i încălzesc niște cafea, Ștefan îmi mai spune:

— În trei zile, oră cu oră și minut cu minut, vom fi în Ungaria.

*

Ștefan s-a odihnit toată ziua. Urmează să plecăm mâine dimineață. Marc vine să-mi aducă ultimele acte false și un costum bărbătesc. Nu vrea să plece cu noi; are activitatea lui, responsabilitatea grupului.

Abia îmi stăpânesc o teribilă dorință să plâng. Ne strângem mâinile. Râsul lui Marc sună fals.

— Haideți, copii, fără lacrimi. Pe curând, să vă-ntoarceți repede; vă vom aștepta până la capăt.

Pe pragul ușii, se mai întoarce o dată:

— Știi, Adriana, dintre toate parolele, există una pe care o preferam. O născocisem într-o seară când totul mi se părea încă și mai absurd, încă și mai ireal ca de obicei. E prima pe care ți-am dat-o. Ți-o amintești? „Niciodată trandafirii n-au fost atât de albaștri." De-acum înainte, nimeni nu o va mai folosi aici. Îți aparține. Dacă o aud vreodată, voi ști că ați ajuns cu bine în cealaltă parte a lumii.

Apoi, deschizând ușa:

— Și întorceți-vă repede, pentru ca într-o zi trandafirii să nu mai fie albaștri, nu-i așa, copii?

*

Restul nu mai are istorie.

Drumul lung și colbuit care mergea de-a lungul unui sat, porumbiștea în care ne-am oprit o zi întreagă ascultând foșnetul vântului prin frunze și așteptând căderea nopții, busola în mâna lui Ștefan, calmul în toată ființa lui Ștefan, zgomotele de motocicletă și farurile care se aprindeau brusc și de care trebuia să ne ferim, lătrăturile în jurul nostru și, undeva foarte aproape, clopotele unei bisericuțe de țară care sunau încetișor, într-un fel înăbușit și parcă rugător, și în sfârșit drumul final prin noapte și noroi, și lumina tremurând în depărtare care ne servea drept reper, drumul final și, undeva în spatele nostru, țara care se îndepărta, pământul țării mele care îmi scăpa printre degete și devenea îndepărtat, pentru acestea toate nu găsesc cuvinte care să le descrie.

Drumurile care duc la trecerile clandestine de frontieră sunt făcute dintr-un nămol și un pământ special pe care numai inițiații le pot cunoaște și înțelege.

Da, restul nu mai are istorie.

*

Am ajuns la Viena la sfârșitul lui august 1948.

În urma celor suferite, Adriana Georgescu a avut repetate căderi nervoase.

Dincolo de sincerele ei mulțumiri adresate tuturor prietenilor care și-au riscat libertatea pentru a o ascunde, nu-i va uita niciodată pe Anița și arhitect Dinu Hariton. Deși aveau copii mici, ei au mai ascuns și alți fugari, printre care Alexandru Paleologu.

Aceeași nemărginită recunoștință Misiunii Militare Britanice la București, care a ascuns-o în pod, în urma intervenției generalului Nicolae Rădescu, prim-ministrul României, a cărui șefă de cabinet a fost. Generalul Rădescu a făcut și el un „popas" la Misiunea Militară Britanică (dar nu în pod), din cauza faptului că adjunctul ministrului de externe al lui Stalin, Andrei Vîșinski, sosise la București ca să impună României guvernul Petru Groza: sinistrul clopot de alarmă de cimitir ce a sunat în cei cincizeci de ani de ocupație sovietică a chinuitei Românii.

În această ediție a doua a cărții ei apărută la București, Adriana Georgescu dorește să aducă un omagiu soțului ei, Frank Lorimer Westwater, ofițer-instructor în Marina Regală Britanică începând cu 1935, apoi în timpul celui de-al Doilea Război Mondial, și după aceea până în 1954, având atunci gradul de căpitan-instructor.

De două ori, în timpul războiului, navele pe care se afla au fost scufundate: prima oară în Atlantic – când a fost singurul „senior-officer" care a scăpat din mijlocul oceanului, fiind salvat de un vapor; a doua oară în apropiere de Gibraltar – când a fost găsit înghețat pe plajă.

A primit numeroase medalii (Star, Atlantic Star, Africa Star, Defence Medal, War Medal), iar în 1954, ordinul British Empire.

A făcut studii de matematică la Universitățile din Edinburgh și Cambridge, a fost un distins și apreciat om de știință, lucrând în cadrul Institutului de Astronomie Teoretică al Universității din Cambridge, împreună cu Sir Fred Hoyle. Este autorul a patru cărți publicate de English Universities Press.

CUPRINS

Adriana Georgescu, alături de mama și de frații săi (prima de la dreapta).

Adriana Georgescu în studenţie, înainte să fie arestată şi închisă.

„În iulie 1943, un mic incident, aparent fără importanţă, mi-a decis totuşi întreaga viaţă. Aveam douăzeci şi trei de ani şi până atunci viaţa mea îşi urmase cuminte cursul, în chiar direcţia pe care voiam să i-o dau, pe care credeam că i-o voi putea da."

„Zilele sunt la fel, toate la fel. Oraşul e animat şi înfrigurat. Frontul se apropie de graniţele noastre. Un soi de pace neliniştită mă cuprinde, ca o suprafaţă de apă regulat agitată de vânturi. Prinsă în această oboseală a aşteptării, nu mai ajung să mă definesc.“

Portret al Adrianei Georgescu făcut de o prietenă, pictoriţa Nina Batalli.

Adriana Georgescu în ziua nunții cu primul ei soț, Ștefan Cosmovici, care în august 1948 a ajutat-o să fugă din România.

★

★

Ecouri în presa franceză a vremii la apariția primei ediții.

ADRIANA
GEORGESCU
COSMOVICI

au commencement
ÉTAIT LA FIN

LA DICTATURE ROUGE à BUCAREST

★

La Presse est unanime...

Un avertissement solennel.

Un livre que tout Occidental préoccupé des problèmes actuels de l'Europe se doit de lire et de méditer.

(La Revue de Culture Européenne.)

*

Un cri de révolte qui doit être entendu.

Sorana GURIAN.
(Preuves.)

*

« Au Commencement » n'est pas « la Fin », voilà ce que nous dit Mme Adriana GEORGESCU-COSMOVICI, si les braves gens de vos pays, refusant la responsabilité du monde, réfugiés trop souvent dans l'inactuel, ne consentent pas à leur suicide comme on en a l'impression.

André MARISSEL.
(La Revue Socialiste.)

Une héroïne moderne.

Une miraculée de la torture...
Une version roumaine de Kravchenko.

(L'Humanité.)

*

Adriana GEORGESCU-COSMOVICI était hier une héroïne. Aujourd'hui, elle est un écrivain.

La Révolution qui engendre les Théroigne de Méricourt, suscite aussi les Charlotte Corday. Et le pays qui doit subir Anna Pauker a vu naître une Adriana GEORGESCU-COSMOVICI.

Michel VIVIER.
(Aspects de la France.)

*

J'ai déjà lu de nombreux ouvrages sur la vie dans les Démocraties populaires, sur les souffrances de ces peuples lorsque le Rideau de fer s'est abattu sur eux, mais je n'ai jamais été aussi ému, captivé, angoissé, révolté qu'en lisant le livre d'Adriana GEORGESCU-COSMOVICI.

André BRISSAUD.
(Le Phare de Bruxelles.)

H

Un écrivain de classe.

Ce volume est hallucinant, tellement éclate, dans ses pages l'accent de la vérité... d'une vérité vécue, vécue profondément, avec une intensité extraordinaire, une vérité qui vous saisit dès la première page, s'aggripe à vous et vous tient haletant jusqu'aux dernières lignes du récit.

Jean MARTIN.
(*Journal de Genève.*)

★

De la première à la dernière page, le livre s'ordonne comme un roman noir, fertile en surprises, en retournements, en rebondissements. Grâce à une excellente traduction de Claude PASCAL, on le lira avec avidité.

(*Le Figaro Littéraire.*)

★

On se demande toujours comment un être humain peut traverser de telles épreuves sans sombrer; il faut croire, puisque des camps de la mort il y a des revenants, qu'une sorte de grâce physique vient au secours de ceux qui sont destinés à porter témoignage. Mme GEORGESCU-COSMOVICI n'a pas eu besoin d'emprunter une plume experte pour écrire ses douloureux mémoires. Aussi sont-ils ordonnés avec un sens de la progression et du rebondissement qui est le léger coup de pouce donné par l'art à la vie.

Pierre AUDIAT.
(*La Revue de Paris.*)

Un livre digne de Dostoïewski.

Récit étrange, sauvage, proche de ces romans de Dostoïewski, où lâcheté, noblesse et cruauté ne cessent de s'affronter. (*La Libre Belgique.*)

★

Dostoïewski dans ses *Possédés*, a été le prophète de ce siècle : il l'a décrit avec une lucidité fantastique. Mme GEORGESCU-COSMOVICI elle, en est le témoin non moins lucide : elle l'a vécu, elle l'a vécu avec une résistance farouche, un courage indomptable, une intelligence merveilleuse, elle l'a vécu avec une facilité de l'exprimer telle que l'on finit par croire le vivre avec elle. Jean MARTIN.
(*Journal de Genève.*)

E

Adriana Georgescu și ofițerul britanic Frank Lorimer Westwater, al doilea ei soț, în ziua nunții.